# LLAFNAU

# LLAFNAU

GERAINT EVANS

y Lolfa

*I Heledd Fflur*

Argraffiad cyntaf: 2010



Dymuna'r cyhoeddwyr gydnabod cymorth ariannol
Cyngor Llyfrau Cymru

Cynllun y clawr: Tanwen Haf

Rhif Llyfr Rhyngwladol: 978-1-84771-203-5

Cyhoeddwyd ac argraffwyd yng Nghymru
gan Y Lolfa Cyf., Talybont, Ceredigion SY24 5HE
*gwefan* www.ylolfa.com
*e-bost* ylolfa@ylolfa.com
*ffôn* 01970 832 304
*ffacs* 832 782

# Pennod 1

WRTH IDDO GERDDED i mewn i neuadd bentref Esgair-goch, doedd gan Martin Thomas ddim syniad mai hon fyddai noson olaf ei fywyd.

Ymlwybrodd tuag at y rhes flaen lle'r oedd sedd wedi'i chadw iddo. Roedd y neuadd yn orlawn, a'r gymuned wedi dod ynghyd i bleidleisio ar ddatblygiad Fferm Wynt Hyddgen a oedd i'w hadeiladu ar fynydd-dir uwchben y pentref. Gallai glywed rhai'n gweiddi, "Sticia ati, Martin", ac eraill yn grwgnach, "Bydd y diawl yn gneud ei ffortiwn os cawn ni'r blydi tyrbeins 'na." Er iddo geisio anwybyddu'r lleisiau, roedd Martin Thomas yn ymwybodol fod rheswm da dros eu grwgnach; fferm fechan oedd y Cnwc ac er ei fod yn gweithio fel slaf roedd y bwlch rhwng incwm a chostau'n ymledu o fis i fis, a'i fanc yn archwilio'i orddrafft yn gyson. Bwriedid codi rhan helaeth o felinau Hyddgen ar dir y Cnwc a byddai penderfyniad o blaid y cynllun yn trawsnewid ei sefyllfa ariannol yn ddi-os. Gyda rhent o dair mil o bunnoedd y flwyddyn am bob twrbein byddai Martin Thomas yn ddyn cyfoethog.

Gallai ddibynnu ar gefnogaeth y Cynulliad gan fod y datblygiad yn gweddu'n berffaith i'r pwyslais a roddid ar ynni gwyrdd; roedd Cyngor Sir Ceredigion wedi dilyn lein Caerdydd yn ufudd ac roedd Caerwynt Cyf. – y cwmni tu ôl i'r cyfan – eisoes wedi sicrhau'r buddsoddiad angenrheidiol. Roedd llawer wedi'i ennill yn barod, felly, ond heno roedd llawer i'w golli. Roedd y cyfan yn dibynnu ar y cyfarfod – petai'r bleidlais yn gwrthod y cynnig, gallai'r Cyngor Sir nogio, a hynny'n arwain at ragor o brotestiadau, oedi pellach a gohirio. Allai Martin ddim fforddio oedi nac, yn waeth fyth, gohirio.

Ar lwyfan y neuadd eisteddai cynrychiolwyr y datblygiad – Prys Ifans, Gweinidog Plaid Cymru yn y Cynulliad gyda chyfrifoldeb am bolisi ynni; yr Arglwydd Gwydion, Cadeirydd Bwrdd Caerwynt Cyf.; Sioned Athlon, Prif Reolwraig Caerwynt; a'r Cynghorydd Simon Parry, Cadeirydd y Cyngor Sir. Parry oedd i lywio'r cyfarfod a chododd yntau ar ei draed gan besychu'n bwysig.

"Gyfeillion, croeso i chi i gyd yma heno."

Ar unwaith, clywyd cri o "English, please!" o lawr y neuadd.

"I was just about to say that full translation facilities are available. The meeting will be conducted through the medium of Welsh. Those of you who wish to raise points from the floor in English are welcome to do so, but as all of us here on the platform are Welsh speakers as are the majority of the audience, Welsh will be the main language of the meeting."

Daeth cri eto o lawr y neuadd, "How do you know that Welsh speakers are in the majority? Have you counted them?"

Roedd yn gwbl amlwg nad oedd hyn yn plesio Simon Parry. Roedd 'na beryg fod rheolaeth y cyfarfod eisoes yn llithro o'i ddwylo ac er mwyn rhoi ei stamp ei hun ar y trafodaethau atebodd yn bendant, "In deciding to conduct the meeting in Welsh I'm conforming with the wishes of the community and also with the policy of the County Council."

Ar hyn cafwyd ychydig o fwian ond llawer mwy o guro dwylo. Yn fwy hyderus, felly, aeth Parry yn ei flaen, "I think the level of applause reflects the sentiment of the meeting. Nawr 'te, bydd pob cynrychiolydd ar y llwyfan yn gwneud sylwadau agoriadol, bydd cyfle i chi ofyn cwestiynau ac yna fe fyddwn ni'n symud at bleidlais. Fe ddylwn i'ch atgoffa chi fod y Cynulliad a'r Cyngor Sir o blaid Fferm Wynt Hyddgen mewn egwyddor. Ond chi, drigolion Esgair-goch, fydd yn cael eich effeithio fwyaf. Felly mae hwn yn gyfle hollbwysig i chi leisio'ch barn ac fe alla i'ch sicrhau *nad* yw'r penderfyniad terfynol wedi'i wneud eto. Yn wir, bydd y Cynulliad a'r Cyngor Sir yn talu sylw manwl i ganlyniad y bleidlais heno."

Daeth heclad o gefn y neuadd, "Hy! Sgersli bilîf!" ond ni chymerodd Simon Parry unrhyw sylw. "Hoffwn alw yn gyntaf ar Mr Prys Ifans, Gweinidog Plaid Cymru yn y Cynulliad gyda chyfrifoldeb am bolisi ynni."

Safodd Prys Ifans ar ei draed a wynebu'r gynulleidfa. "Diolch, Mr Cadeirydd. Fe ddo i'n syth at y pwynt. Mae'r glymblaid Llafur-Plaid Cymru yn gryf o blaid dulliau amgen o gynhyrchu ynni. Unwaith, fe fu glo Cymru'n sail i economi'r genedl ac yn sylfaen i bolisi ynni'r wlad. Mae'r glymblaid yn credu y gall hyn ddigwydd eto trwy ddatblygu nifer o ffermydd gwynt ar fynydd-dir Cymru ac ry'n ni'n mawr obeithio mai ar fynydd Hyddgen uwchben Esgair-goch y bydd y datblygiad mwyaf. Does dim pwynt i ni dwyllo'n hunain, mae'r dulliau presennol o gynhyrchu trydan trwy ddefnyddio tanwydd ffosil, olew a nwy yn prysur ddirwyn i ben. Rhaid edrych ar ddulliau eraill, dulliau fydd yn gwneud Cymru'n hunangynhaliol ac mae gan ffermydd gwynt ran allweddol i'w chwarae yn hyn. Rwy'n cydnabod y bydd melinau Hyddgen yn cael eu gosod ar dir ffermio ac ar ucheldir sydd gyda'r harddaf yng Nghymru. Ond allwch chi ddim byw ar olygfa, a gall golygfa fyth gynhyrchu'r un cilowat o drydan. Yn fyr, Mr Cadeirydd, dyna fy safbwynt i a safbwynt Plaid ac os y'ch chi'n poeni o ble daw'r trydan ar gyfer eich plant a phlant 'ych plant, fe wnewch chi bleidleisio dros y datblygiad. Rwy'n hapus i ateb unrhyw gwestiwn."

Cododd gŵr barfog ar lawr y neuadd. Roedd Prys Ifans yn ei adnabod yn dda – un o hen genedlaetholwyr y sir a oedd yn byw yn y gorffennol ac yn hynod wrthwynebus i'r glymblaid. "Rhion Arthur yw'r enw. Rwy'n synnu at 'ych sylwadau a'ch anogaeth chi, Mr Ifans. Y'ch chi'n ymwybodol y bydd rhan sylweddol o'r fferm wynt ar Fynydd Hyddgen, lle cafodd Owain Glyndŵr, ein harwr cenedlaethol, fuddugoliaeth fawr yn 1401? Ac ry'ch chi'n meddwl rheibio'r safle gyda thwrbeini!"

Atebodd Prys Ifans ar ei union. "Dy'n ni ddim yma i gael gwers hanes, Rhion. Ac yn wahanol i chi, mae'n rhaid i fi a phawb arall yn y neuadd fyw yn yr unfed ganrif ar hugain, nid y bymthegfed."

Ceisiodd Rhion Arthur daro 'nôl ond cafodd ei atal gan y Cadeirydd. "Rwy am alw nawr ar yr Arglwydd Gwydion, Cadeirydd Caerwynt, i egluro hanfodion cynllun Hyddgen."

Roedd yr Arglwydd Gwydion yn adnabyddus i bron pawb o'r gynulleidfa. Bu'n aelod seneddol Ceidwadol dros un o etholaethau'r gorllewin ac yn Ysgrifennydd Gwladol. Dyrchafwyd ef i Dŷ'r Arglwyddi ond hobi oedd gwleidyddiaeth iddo bellach; ei brif waith oedd eistedd ar fyrddau cwmnïau cenedlaethol a rhyngwladol. Derbyniai symiau enfawr o arian am ei wasanaeth ac am ei rwydwaith o gysylltiadau. Arhosodd am dawelwch llwyr cyn cychwyn ar ei araith.

"Fel Mr Ifans, fydda i ddim yn hir. Ry'ch chi'n barod wedi cael cyfle i astudio manylion datblygiad Hyddgen yn yr arddangosfa a gynhaliwyd yn y neuadd hon. Mae cwmni Caerwynt eisoes wedi buddsoddi dwy filiwn o bunnau yn y cynllun ac os bydd y cyfan yn mynd yn ei flaen fe fydd 'na fuddsoddiad pellach o dair miliwn dros y cyfnod adeiladu a blynyddoedd cynnar rhedeg y fferm wynt. Bydd hyn yn arwain at fuddiannau economaidd pwysig i'r gymuned, ac wrth gynllunio ac adeiladu byddwn ni'n rhoi pwyslais bob tro ar gontractwyr a busnesau lleol."

Tarfwyd ar ei berorasiwn pan gododd gŵr ifanc yng nghefn y neuadd.

"Hefin Griffiths, Cyngor Cymuned Esgair-goch. Faint o bobol yn union fydd yn cael eu cyflogi i adeiladu ac i redeg y fferm?"

"Yn y cyfnod adeiladu, ry'n ni'n disgwyl y bydd 'na swyddi i rhwng cant a chant a hanner o weithwyr, sy'n nifer sylweddol i gymuned wledig fel hon. Ac wrth gwrs fe fydd 'na gyflogaeth bellach. Ry'n ni eisoes wedi arwyddo cytundebau gyda phenseiri lleol, cwmni o arbenigwyr peirianyddol a chwmni cysylltiadau cyhoeddus. Mae gwaith wedi cael ei greu, felly, a bydd hynny'n arwain yn y pen draw at wario mewn busnesau lleol, siopau a thafarnau."

Nid oedd Hefin Griffiths am adael i'r Arglwydd Gwydion ddianc mor rhwydd. "A beth am gyflogaeth tymor hir? Ma gyda ni fferm wynt yma'n barod. Dim ond dau ddyn sy'n ca'l eu cyflogi yno'n barhaol. Dyw hynny ddim yn llawer, yw e? Faint o swyddi'n union fydd yn dod yn sgil Hyddgen?"

Edrychodd yr Arglwydd Gwydion ar ei nodiadau. "Fel rwy'n deall ar hyn o bryd, bydd o leia bum swydd ac efallai gymaint â deg."

Cafwyd ychydig o brotestio o'r gynulleidfa. "'Na i gyd, dim ond pump?" a dyna pryd y dangosodd yr Arglwydd Gwydion nad oedd wedi colli 'run iot o'i sgiliau gwleidyddol. "Digon hawdd i chi wfftio, gyfeillion. Mae'n siŵr fod llawer sydd yma heno mewn swyddi breision yn barod – wel, pob hwyl iddyn nhw. Gyda phob parch, meddyliwch am y rheiny sy'n ddi-waith – fe allai pum swydd, ac efallai deg, fod yn allweddol. Diolch, Mr Cadeirydd."

Roedd Simon Parry'n fêl i gyd. "Rwy'n siŵr ein bod ni i gyd yn ddiolchgar i'r Arglwydd Gwydion am roi o'i amser prin i fod gyda ni heno. Rwy am alw nawr ar Sioned Athlon, Prif Reolwraig Caerwynt, i sôn am y buddiannau eraill a fydd yn dod i'r gymuned yn sgil y datblygiad."

"Mr Cadeirydd, mae Caerwynt wedi sefydlu Grŵp Cyswllt Cymunedol a fydd yn llunio Cynllun Cyfranogi Cymunedau. Craidd y cynllun fydd cynnig grantiau i fudiadau lleol, a gallaf ddatgelu heno y bydd can mil y flwyddyn yn cael ei neilltuo gan y cwmni i ariannu'r ceisiadau am y grantiau hyn. Felly, yn ogystal â'r cyfleoedd am swyddi y cyfeiriodd yr Arglwydd Gwydion atynt, mae'n hollol bosib y bydd arian y grantiau hefyd yn arwain at gyflogaeth. Er enghraifft, ceisiadau am welliannau i neuaddau pentref, ceisiadau gan glybiau pêl-droed, mudiadau ieuenctid, capeli ac eglwysi a chyrff diwylliannol megis eisteddfodau a gwyliau lleol. Person o'r fro fydd yn cadeirio'r Grŵp, a chi fydd yn penderfynu pwy fydd yn derbyn yr arian a sut y bydd yn cael ei wario."

Cododd gwraig ganol oed mewn rhes yn agos at flaen y neuadd.

"Felicity Chetwynd, president of Esgair-goch Women's Institute. Mr Chairman, I'm somewhat alarmed. This is the first I've heard of this group, and we were not invited to send a representative. I wish to be reassured that applications for grants will be open to all, and not confined to Welsh-language bodies?"

Clywyd "Hear, hear!" o sawl cornel o'r neuadd.

Yn ei hateb, dangosodd Sioned Athlon ei bod yn ddynes fusnes hirben ac yn feistres ar drin cynulleidfa. "Thank you, Mrs Chetwynd. I'm glad you asked that question. The Community Action Group has only just started its work and is free to co-opt as it sees fit and I can assure you that Caerwynt will place the highest emphasis on transparency and openness in the process of applications for this money. The process will most certainly not be confined to Welsh-language groups."

Rhygnodd y cyfarfod yn ei flaen. Cafwyd cwestiynau am nifer y twrbeini, lefel y sŵn, a'r holi arferol gan aelodau'r Gwyrddion am yr effeithiau tebygol ar blanhigion a bywyd gwyllt. Yna, daeth y fwled.

"Annabel Rhys, yr Henblas."

Ar unwaith lledodd naws o barch drwy'r neuadd. Annabel Rhys a'i brawd Max oedd disgynyddion teulu bonedd Esgair-goch, a'i linach yn ymestyn dros ganrifoedd. Ar un adeg roedd holl ffermydd yr ardal ym mherchnogaeth yr ystâd ond bu raid gwerthu'r cyfan bron i dalu dyledion. Bellach, dim ond rhyw fwthyn neu ddau a chartref y teulu, yr Henblas, oedd ar ôl. Nid oedd unrhyw argoel fod hyn yn tolcio dim ar hyder Annabel Rhys; cododd, yn benderfynol, i danio'i chwestiwn:

"Mr Cadeirydd, fe hoffwn i ddyfynnu darn a ymddangosodd yn ddiweddar yn adran fusnes y *Western Mail. 'Caerwynt PLC has been a regular donor to Plaid Cymru coffers and this, no doubt, will stand the company in good stead in its plans for a raft of wind-farms in the uplands of mid Wales.'* A all yr Arglwydd Gwydion a Prys Ifans wadu neu gadarnhau'r gosodiad, ac os yw'n wir, sut mae hyn yn effeithio ar ddatblygiad Hyddgen?"

Clywyd chwibanu a bloeddiadau o "Cywilydd!" a "Shame!" o'r gynulleidfa ac edrychai'r ddau ar y llwyfan braidd yn anesmwyth. Yr Arglwydd Gwydion atebodd gyntaf.

"Mae Miss Rhys yn hollol gywir – ydy, mae Caerwynt wedi cyfrannu at goffrau Plaid Cymru. Dyw hynny ddim yn gyfrinach, mae'r wybodaeth yn yr adroddiad blynyddol. Ry'n ni hefyd wedi gwneud cyfraniad i goffrau Llafur a'r Toriaid. Roedd y cyfraniad i'r Blaid yn benodol ar gyfer ariannu nifer o ysgoloriaethau yn y Brifysgol Ffederal arfaethedig a doedd dim cysylltiad rhwng hynny a'n cynlluniau am ffermydd gwynt."

Ychwanegodd Prys Ifans, "Hoffwn gadarnhau sylwadau'r Arglwydd Gwydion. Mae cyfraniad Caerwynt yn hwb mawr i'r Brifysgol Ffederal ac fe fydd myfyrwyr o Geredigion a phob rhan arall o Gymru'n cystadlu am yr ysgoloriaethau. Ydych chi'n dweud eich bod chi yn erbyn cymorth fel 'na?"

Nid oedd Annabel Rhys wedi'i bodloni. "Mae hynna'n nonsens llwyr ac yn ymgais i daflu llwch i'n llyged ni. Mae'n hen bryd i bawb sylweddoli un peth – mae Caerwynt a Phlaid Cymru ym mhocedi'i gilydd."

Cafwyd curo dwylo brwd gan rai; fe geisiodd Annabel Rhys fynd yn ei blaen, ond fe'i ffrwynwyd gan Simon Parry. "Diolch, Miss Rhys, ry'ch chi wedi cael eich cyfle. Nawr rwy'n credu bod yr amser wedi dod i ni symud at y bleidlais. Felly..."

"Na, dim o gwbl, Simon Parry!"

Daeth y floedd o gefn y neuadd. Stocyn o ddyn yn ei drigeiniau oedd wedi codi ar ei draed, ac roedd yn amlwg o'i wisg a'i osgo ei fod yn un o ffermwyr y fro. Cyflwynodd ei hun.

"Seth Lloyd, Pen Cerrig. Dy'n ni ddim wedi clywed gair 'to gan y dyn fydd yn elwa fwya o ddatblygiad Hyddgen. Ar wahân i'r melinau ar dir y Comisiwn Coedwigaeth, a rhyw un neu ddau fan hyn a fan draw, bydd yr holl dwrbeini ar dir Martin Thomas y Cnwc. Deg ar hugain, os cofia i'n iawn. Hoffen i glywed beth sy 'da Mr Thomas i weud, a faint o arian fydd e'n neud mas o'r datblygiad 'ma?"

Fferrodd Martin Thomas wrth glywed llais cras Seth Lloyd, ei gymydog a'i elyn pennaf. Byth ers i Martin a'i deulu symud i'r Cnwc rhyw bum mlynedd yn ôl gwnaeth Lloyd bopeth posibl i rwystro'r fferm rhag llwyddo. Bu'r frwydr yn hir a phoenus, yn cynnwys cweryla am ffensys, llwybrau dŵr a honiadau o dresbas. Gwyddai Martin fod Lloyd yn gandryll ynghylch y fferm wynt; bu'n ddi-baid yn ei ymdrechion i atal y datblygiad ac un ymgais ola oedd ei gwestiwn i roi stop ar y cyfan. Edrychodd Simon Parry yn ymholgar i'w gyfeiriad ac ysgydwodd Martin Thomas ei ben yn araf. Roedd wedi derbyn cyngor i ddweud dim ac roedd am lynu at y cyngor hwnnw, doed a ddelo.

Ailgydiodd Parry yn ei swyddogaeth fel Cadeirydd. "Mr Lloyd, diolch am eich sylwadau. Dwi ddim yn credu y byddai'n addas i Martin Thomas ymateb; wedi'r cyfan, mae e'n *interested party*. Faint gawsoch chi, Mr Lloyd, am y bustych ym mart Dolgellau wythnos ddwetha?"

"Be ddiawl?!" rhuodd Seth Lloyd. "Dyw'r ffaith mod i'n gwerthu deg neu gant o fustych yn Nolgellau yn effeithio dim ar y pentre na'r fro 'ma. Ond mi fydd y blydi fferm wynt a'r mastiau yma am chwarter canrif a mwy, yn staen ar yr olygfa ac yn berygl i'r amgylchedd a'r bywyd gwyllt."

Ar hyn cafwyd chwerthin gwawdlyd a gwaedd gan rywun o'r llawr. "Ers pryd wyt ti, Seth Lloyd, a dy domen o ffarm wedi poeni taten am yr amgylchedd a'r bywyd gwyllt?"

Chwyddodd y chwerthin ac wrth i Seth Lloyd eistedd a'i wyneb fel taran, gwyddai Simon Parry fod y foment beryclaf drosodd. "Gyfeillion, mae'n bryd i ni gynnal y bleidlais. Mae'r papurau pleidleisio gan swyddogion y Cyngor Sir wrth y drws, a dim ond y rhai sydd wedi cynnig tystiolaeth eu bod nhw'n byw o fewn ffiniau'r datblygiad sydd â'r hawl i bleidleisio. Y ddau swyddog fydd hefyd yn cyfrif y pleidleisiau ac fe gyhoeddwn ni'r canlyniad cyn gynted ag y gallwn ni."

Cymerodd y broses bleidleisio gryn amser. Roedd rhai wedi dianc am smôc, ac eraill wedi aros yn eu seddau'n amyneddgar ond wrth weld Simon Parry a'r lleill yn camu'n ôl ar y llwyfan llifodd pawb yn ôl i'r neuadd.

Pesychodd Parry unwaith eto ac roedd ei ymarweddiad yn bradychu'r nerfusrwydd a deimlai.

"Gyfeillion, dyma ganlyniad y bleidlais ar ddatblygiad Fferm Wynt Hyddgen uwchben Esgair-goch:

Cyfanswm y pleidleisiau/ total votes cast – 622

Papurau pleidleisio a ddifethwyd/spoilt voting papers – 12

Dros y datblygiad/in favour of the development – 316

Yn erbyn y datblygiad/against the development – 294."

Ar hyn, cafwyd pandemoniwm gyda bloeddiadau o "Fix!" a "Cheat!" a sawl cais am ailgyfri. Prin y clywodd neb Parry'n datgan bod y gymuned felly wedi pleidleisio o blaid y datblygiad gyda mwyafrif o 22, ac ofer oedd ei ymgais i alw am drefn. Yn ddwy garfan, symudodd pawb i gyfeiriad y drysau – rhai'n teimlo iddynt gael eu twyllo, a'r gweddill yn edrych yn ddigon hapus gyda'r canlyniad. Yr hapusaf o bawb, yn sicr, oedd Martin Thomas; cododd o'i sedd gyda golwg o ryddhad pur ar ei wyneb ac wrth iddo yntau gerdded at y drws roedd rhai'n ei longyfarch yn gynnes ac eraill yn dweud dim.

Doedd Martin yn hidio dim am yr wynebau dig; roedd y fferm wynt bellach yn ffaith ac roedd hynny'n ddigon. Camodd yn hyderus at gefn yr adeilad ond yno, yn sefyll ar draws ei lwybr, roedd Seth Lloyd yn aros amdano.

"Meddwl bo ti wedi ennill, wyt ti? Paid â thwyllo dy hunan. Fe wna i bopeth posib i rwystro dy gynllunie cythrel di. Ro'n i'n ffarmo Pen Cerrig cyn bo ti mas o dy glytie, gwd boi, a sai'n mynd i ga'l y mastie 'na'n ffinio ar 'y nhir i! Ti'n clywed, Martin Thomas?! Well i ti watsho pob cam o hyn allan – ti a dy deulu. Y bastad twyllodrus fel yr wyt ti!"

"Ydy hynna'n fygythiad?" atebodd Martin. "Well i chithe hefyd fod yn ofalus – ma sawl un wedi clywed beth ddwedoch chi."

"Wrth gwrs ei fod e'n ffycin bygythiad, y cont." Poerai Seth Lloyd y geiriau a chamodd tuag at Martin gan sefyll drosto'n heriol. Edrychai fel petai ffeit ar fin torri ond yna clywyd llais clir a phenderfynol.

"'Na ddigon, Mr Lloyd. Sdim ishe'r iaith 'na fan hyn a dy'n ni ddim ishe clywed eich bygythiade chi chwaith. Ewch adre'n dawel nawr a weda i ddim gair pellach am y peth."

Trodd pawb i edrych ar Tom Daniel, perchennog y gorchymyn. Roedd Daniel yn Sarjant yn Swyddfa'r Heddlu yn Aberystwyth, ac er nad oedd ar ddyletswydd ar y pryd, gwyddai Seth Lloyd mai annoeth fyddai anwybyddu'r rhybudd. Gyda golwg guchiog ar ei wyneb, cerddodd at ddrws y neuadd a'i gau'n glep ar ei ôl.

"Diolch, Sarjant Daniel," dywedodd Martin. "Rodd pethe'n edrych yn gas am funud."

"Croeso. Nawr, pawb i adael yn dawel, os gwelwch yn dda. Dy'n ni ddim ishe unrhyw drafferth, y'n ni?"

Y tu allan i'r neuadd ceisiodd ffrindiau Martin ei berswadio i ddod i'r Farmers i ddathlu'i fuddugoliaeth ond gwrthododd. Cerddodd at ei landrofer yng nghornel dywyllaf y maes parcio. Edrychodd o'i gwmpas yn wyliadwrus rhag ofn bod Seth Lloyd yn cuddio ger un o'r ceir, yn aros amdano. Roedd geiriau ei gymydog wedi ei ysgwyd ac roedd yn ymwybodol y defnyddiai Lloyd unrhyw dric brwnt i rwystro'r datblygiad arfaethedig.

Gan geisio gwthio'r bygythiadau i gefn ei feddwl, datglôdd Martin ddrws y landrofer a chamu i sedd y gyrrwr.

Clymodd y gwregys diogelwch a throi'r allwedd; taniodd y peiriant gyda sŵn byddarol, ac mewn cwmwl o fwg disl gyrrodd o'r maes parcio.

Erbyn hyn, dim ond cwta ddeg munud o fywyd Martin Thomas oedd ar ôl.

Gyrrodd allan o'r pentref a'i oleuadau i gychwyn y siwrne o Esgair-goch i Drosgol, y pentre nesaf. Roedd hi'n bwrw'n drwm a throdd Martin y weipars ymlaen; nid eu bod nhw'n gwneud rhyw lawer o wahaniaeth. Gwichiodd y llafnau rwber ar draws y sgrin gan fethu clirio'r rhychau o wlybaniaeth. Roedd y weipars, fel gweddill y landrofer, yn hen ac ar derfyn eu hoes. Ynghanol clindarddach yr injan cysurodd Martin ei hun y gallai feddwl am brynu car newydd o'r diwedd – Range Rover efallai; mae'n siŵr y byddai incwm y fferm wynt yn gwneud hynny'n bosib. Dim rhagor o'r rhacsyn drewllyd, swnllyd yma – Range Rover coch tywyll amdani gyda seddi lledr gwyn, air-con, sat-nav a phob moethusrwydd. Car a fyddai'n adlewyrchu ei statws a'i gyfoeth newydd.

Llusgwyd Martin o'i freuddwydio pleserus pan ganodd ei ffôn boced. Trwy lwc roedd man pasio cyfleus wrth law a chyda phlwc pendant ar y llyw tynnodd i mewn i'r ochr a diffodd yr injan. Datododd y gwregys er mwyn estyn am y ffôn. Wrth iddo ymbalfalu yn y tywyllwch am y botwm ateb clywodd symudiad y tu ôl iddo a theimlo braich gref yn gafael am ei wddf. Dyma'r peth olaf iddo fod yn ymwybodol ohono. Tynhaodd y fraich mewn triongl marwol a brwydrodd Martin am ei anadl. Ond yn ofer. O fewn hanner munud roedd Martin Thomas yn anymwybodol ac yna, gydag un ochenaid ddychrynllyd, roedd yn farw gelain.

Dim ond wedyn y llaciodd y llofrudd ei afael. Rhoddodd ei fys ar wythïen yng ngwddf Martin i deimlo am bŷls. Dim byd. Agorodd ddrws cefn y landrofer a chamu allan. Rhegodd wrth weld golau car yn agosáu o gyfeiriad y pentref ond heb arlliw o banig neidiodd y llofrudd i'r sedd flaen a gwthio corff Martin i'r ochr. Plygodd yn isel dros y llyw gan droi ei wyneb o gyfeiriad y ffordd. Aeth y car heibio ac unwaith eto roedd pobman yn dywyll fel bol buwch a dim golwg o olau car o'r naill gyfeiriad na'r llall.

Gweithiodd y llofrudd yn gyflym. Taniodd yr injan gan fendithio'i lwc wrth iddi gydio ar yr ymgais gyntaf. Gyrrodd ymlaen a throi i'r dde i mewn i ffordd gulach a thawelach a arweiniai at y mynydd a fferm y Cnwc. Stopiodd i glymu'r gwregys. Er bod y ffordd yn beryglus, gyda dibyn serth islaw, rhoddodd y landrofer yn y gêr cyntaf, gwthio'r sbardun i'r llawr a rhyddhau'r clytsh. Llamodd y landrofer ymlaen ac yna gwasgodd y llofrudd yn galed ar y brêc. Gyda sgrech o brotest stopiodd y cerbyd a thaflwyd corff Martin i'r llawr.

Yn bwyllog, gyrrodd y llofrudd at fwlch gerllaw. Gofal pia hi, meddyliodd; byddai camgymeriad nawr yn chwalu'r cynllun yn llwyr. Diffoddodd yr injan a gafael yn Martin gerfydd ei wallt. Tynnodd y llofrudd y pen yn ôl a'i daro'n galed yn erbyn y dash-fwrdd. Camodd o'r landrofer gan osgoi cyffwrdd â'r clwyfau, a llusgodd y corff yn ôl i sedd y gyrrwr. Gyda'r un gofal tynnodd y ffôn o law Martin a rhyddhau'r brêc llaw rhwng y drws a sedd y gyrrwr. Cerddodd yn gyflym y tu ôl i'r cerbyd a rhoi gwthiad grymus iddo.

Yn araf, dechreuodd y landrofer symud gan rwygo'r ffens isel rhwng y ffordd a'r llethr. Ond yna stopiodd, ac mewn panig rhuthrodd y llofrudd i weld pam. Gorweddai hen goeden ar draws llwybr y cerbyd. Rhoddodd y llofrudd un gwthiad nerthol eto ac ar ôl gwegian rhwng y ffordd a'r ymyl am ychydig eiliadau llithrodd y landrofer i lawr y dibyn islaw a dod i stop gyda chlec uchel yn erbyn derwen.

Yn wyrthiol, roedd un o oleuadau blaen y landrofer yn

dal yn gyfan a gallai'r llofrudd weld y cerbyd yn glir. Syllodd ar yr olygfa gyda boddhad. Yna, heb oedi rhagor, aeth yn ôl i gyfeiriad y ffordd arall. Edrychodd o'i gwmpas ond roedd pobman yn dawel a dim golwg o neb yn unman. Neidiodd dros gât i mewn i gae a dechrau cerdded, gan gadw at gysgod y cloddiau. Yn sydyn, torrwyd ar y tawelwch gan ganiad ffôn boced Martin Thomas; mewn ffit o gynddaredd, gafaelodd y llofrudd yn y teclyn a'i hyrddio i nant fechan gyfagos.

Tywalltai'r glaw'n ddi-baid ac roedd y gwynt o gyfeiriad y môr yn oer a chaled – ond doedd hyn yn ddim o'i gymharu â'r oerni a'r caledi yng nghalon y llofrudd ysgeler. Yn ddiemosiwn a diedifar, cyflymodd ei gamau heibio cyrion y cae.

Dial oedd y bwriad, a dial a gafwyd.

# Pennod 2

YNG NGHEGIN FFERM y Cnwc roedd Sulwen Thomas yn clirio'r llestri swper. Fel bob nos, bu'n ymdrech galed i gael y ddau blentyn ieuengaf, Nerys ac Iwan, i'w gwlâu ac wrth edrych ar y llanast o'i chwmpas sylweddolodd Sulwen fod tipyn o waith i'w wneud eto cyn y gallai gymryd hoe. Cariodd y llestri brwnt o'r bwrdd i'r sinc gan osgoi'r teganau ar lawr y gegin. Rhedodd y dŵr poeth a gollwng y llestri fesul un i mewn i'r trochion. Gymaint haws fyddai'r orchwyl gyda pheiriant ond ni fedrent fforddio un, na chant a mil o bethau eraill chwaith. Roedd pob ceiniog sbâr – a doedd dim llawer o'r rheiny – yn mynd ar y plant ac i dalu biliau'r fferm ac, o'r herwydd, petheuach ail-law oedd rhan helaeth o offer a dodrefn y gegin. Felly roedd hi drwy weddill y tŷ hefyd ac roedd Sulwen wedi hen flino ar y tlodi di-ben-draw.

Syllodd ar ei dwylo yn y dŵr poeth. Ai dim ond deunaw mlynedd oedd ers iddi briodi Martin? Bryd hynny roedd ei dwylo'n wyn ac yn feddal fel melfed, ond erbyn hyn roedd y croen yn goch, yn rhychiog ac yn galed, a phob marc a chraith yn dyst i waith caled y fferm a magu tri o blant. Roedd symud i'r Cnwc fel penllanw breuddwyd i Martin a hithau ond yn araf, o fis i fis, trodd y freuddwyd yn hunllef. Rhybuddiwyd hi'n ddigon aml gan ei rhieni; Sulwen oedd eu hunig blentyn ac roedd Jac ac Eirlys Morgan yn bendant y gallai eu merch fod wedi gwneud yn well iddi'i hun na chael Martin Thomas yn ŵr. Beth oedd gan hwnnw i'w gynnig iddi, yn gweithio fel labrwr ac yn byw ar stad tai cyngor Esgair-goch? A hithau'n ferch dlos ac yn aeres i fferm y Pant gallai Sulwen fod wedi dewis unrhyw un o fechgyn y fro – dyna'r dôn gron o edliw a glywai'n gyson gan ei rhieni cyn ac ar ôl iddi briodi. Surodd y berthynas rhyngddynt dros y blynyddoedd ac anaml bellach oedd ymweliadau ei mam a'i thad â'r Cnwc. Taro i mewn adeg y Nadolig ac ar ben-blwyddi eu hwyrion, byth yn aros yn hir, a'r sgwrs yn fyr a lletchwith. Ei thad, un o amaethwyr mwya llwyddiannus a chyfoethog yr ardal, byth yn holi Martin sut oedd pethau yn y Cnwc, byth yn cynnig cyngor na byth yn estyn cymorth.

Wel, efallai fod yr hunllef ar fin dod i ben o'r diwedd. Rai misoedd yn ôl rhoddodd Martin bentwr o ddogfennau ar fwrdd y gegin a dechrau egluro cynllun Hyddgen i'w wraig.

"Edrych, Sul, dyma'n cyfle ni. Gyda hwn gallwn ni neud arian mas o'r Cnwc heb godi bys bach. Ma cwmni o Gaerdydd yn bwriadu datblygu fferm wynt ar dir y Comisiwn lan fanna ac yn nes mla'n ar 'yn tir ni. Dros ddeg ar hugain o dwrbeini ar y rhostir uchel – tir sy'n werth dim fel mae e, rhent o dair mil o bunnoedd am bob twrbein a chyfranddaliadau yn y cwmni. 'Na incwm ychwanegol o dros gan mil y flwyddyn, mwy na phum gwaith beth ry'n ni'n ga'l mas o'r Cnwc ar hyn o bryd. Beth ti'n feddwl o hynna? Bywyd mwy esmwyth i ni ac i'r plant, a gobaith, falle, am damed bach o barch gan dy dad a dy fam."

Bu'r ddau'n astudio'r dogfennau hyd oriau mân y bore a buan y sylweddolodd Sulwen fod Martin yn llygad ei le. Dyma eu cyfle i newid byd a dringo o bwll diflas gwylio pob ceiniog i fedru fforddio'r hyn a fu'n rhan annatod o'i magwraeth yng nghartref ei rhieni. Carpedi trwchus, dodrefn newydd sbon danlli a dillad newydd iddi hi a'r plant. Ni allai gofio pryd y prynodd ddilledyn iddi hi ei hun ddiwethaf, ac roedd y plant wedi gorfod bodloni ar bethau wedi'u pasio o un i'r llall.

Clywodd sŵn car ar glos y fferm yna daeth Catrin, yr hynaf o'r tri phlentyn, trwy ddrws y gegin. Trodd Sulwen ati a sylweddoli pa mor debyg oedd y ddwy. Etifeddodd y ferch dlysni ei mam, y gwallt tonnog tywyll, y llygaid porffor-las, yr wyneb hardd a'r pryd tywyll a roddai iddi olwg dramor. Gwisgai bar o jîns a chrys-t gwyn ac er bod y dillad yn tsiep a di-nod roedd gan Catrin y gallu i wneud i'r pilyn rhataf edrych yn smart. Camodd i mewn i'r gegin ac eistedd yn y gadair siglo o flaen yr Aga.

"Gest ti amser da yn y dre?" holodd Sulwen. "Gyda pwy o't ti?"

"O... y, ffrindie. Dad ddim wedi cyrraedd 'nôl eto?"

"Nag yw, rhaid bod y cyfarfod wedi mynd mla'n am fwy o amser nag odd e'n dishgwl. Dwi'n gobeithio bod popeth 'di mynd yn iawn. Ti'n gwybod bod heno'n noswaith bwysig. Os aiff y fôt o blaid bydd pethe'n newid fan hyn, a gallwn ni i gyd edrych mla'n at well byd."

Roedd ei mam wedi esbonio hanfodion cynllun Hyddgen iddi eisoes ac roedd Catrin yn llawn sylweddoli arwyddocâd y cyfarfod yn neuadd bentre Esgair-goch. "Odw, dwi'n gwybod bod lot yn dibynnu ar heno, ond rodd Dad yn obeithiol, odd e?"

"Odd. Ma'r cynllun wedi ca'l sêl bendith y Cynulliad a'r Cyngor Sir ac yn ôl dy dad ma Caerwynt wedi sicrhau'r arian ac wedi gwneud eu gwaith cartre'n drwyadl. Ma 'na siawns dda. Ond, gall unrhyw beth ddigwydd mewn cyfarfod. Sdim rhaid i fi ddweud wrthot ti bod 'da ni elynion."

"Dwi'n gwybod, Mam. Pobol fel Seth Lloyd a Ianto, ei fab hyfryd."

Bu Ianto'n gyd-fyfyriwr i Catrin yn y coleg chweched dosbarth lleol, yn ymgorfforiad perffaith o natur fygythiol ei dad ac yn llabwst o fwli. Ei brif bleser ef a'i griw bach o ffrindiau oedd pryfocio Catrin ar y bws ysgol a thaflu pob math o ensyniadau rhywiol a chorfforol ati. Un noson, ar ôl iddi ddioddef am wythnosau, ni allai Catrin ymatal rhagor – trodd arno a phlannu cic galed rhwng ei goesau. Chwarddodd pawb wrth wylio Ianto'n gwingo mewn poen a chafwyd bloedd o sedd gefn y bws, "'Na ti'r cachgi, ti wedi ca'l dy haeddiant. Ianto yn y panto, Ianto yn y panto!"

Mwynhaodd Catrin y fuddugoliaeth ond gwyddai fod yn rhaid iddi hi a Ianto ddod oddi ar y bws yn yr un man – ef i droi i gyfeiriad Pen Cerrig a hithau i'r Cnwc. Gyrrodd y bws ysgol oddi yno a'u gadael ar y ffordd dawel.

Camodd Ianto'n nes ati a phoeri arni, "Bitsh! Tro nesa, *ti* fydd yn teimlo'r boen a gei di *deimlo* beth sy 'da fi rhwng 'y nghoese."

Wrth iddi gerdded at ei chartref sychodd Catrin y llysnafedd oddi ar ei hwyneb ond nid anghofiodd fyth deimlad y bryntni seimllyd ar ei boch.

Celodd y cyfan oddi wrth ei rhieni. Gwyddai am yr elyniaeth rhyngddyn nhw a theulu Pen Cerrig ac nid oedd am ychwanegu at broblemau ei mam a'i thad. Gwyddai hefyd y byddai ei thad yn gandryll pe clywai am yr helynt gan fynd yn syth i'r coleg i gwyno – ymateb a fyddai wedi gwneud y sefyllfa'n waeth. Cadwodd Catrin yn ddigon pell oddi wrth Ianto Lloyd ac fe stopiodd y bwlian a'r ensyniadau.

"Ie, ti'n iawn, Catrin. Y Lloyds yw'r gwaethaf ond wedyn ma Annabel Rhys a'i brawd yn yr Henblas, y criw 'na ar y stad dai crand sy'n poeni y bydd y meline'n effeithio ar werth eu tai ac ar dderbyniad teledu Sky, a changen Gwyrddion yr Esgair sy'n protestio am bawb a phopeth. 'Sen ni'n dilyn y rheiny fydde dim datblygiade yn unman, a phawb yn byw mewn ogofâu."

"Ddylech chi ddim dweud 'na, Mam. Ma gyda nhw

bwynt – ma 'na anifeiliaid ac adar prin ar y rhostir ac ar dir y Comisiwn. Dwi wedi'u gweld nhw a…"

"Catrin, dwi ddim am glywed un gair arall," atebodd Sulwen Thomas yn galed. "Ma'n ddigon gwael gorfod gwrando ar yr hipis 'na'n siarad nonsens. Ond ti o bawb!" Sylwodd Sulwen ar unwaith ar y dagrau'n cronni yn llygaid tywyll ei merch ac edifarhaodd. "Ma'n flin 'da fi, ddylen i ddim fod wedi bod mor siarp. Ma holl fater y datblygiad 'ma wedi bod yn straen ar dy dad a finne, ond dyw hynny ddim yn rheswm dros fwrw gofid arnat ti." Ceisiodd esmwytho'r sefyllfa. "Nawr 'te, beth am baned tra bod ni'n dishgwl dy dad?"

Ond roedd Catrin wedi cael ei brifo ac atebodd yn dawel, "Na, dwi ddim yn credu, dwi am fynd lan llofft i ddarllen."

'Run fath bob tro, meddyliodd Sulwen. Wastad yn agor dy hen geg fawr heb ystyried y canlyniadau a nawr ma Catrin wedi dy adael di ar dy ben dy hun ar yr union noson pan ma angen cwmni a sgwrs. Dysga sut i fod yn fwy amyneddgar, wnei di?

Cliriodd Sulwen weddill y llestri a'r teganau a llenwodd y tegell â dŵr am baned haeddiannol. Ar derfyn dydd a hithau wedi blino'n lân dyma gyfle o'r diwedd am ennyd fer o orffwys. Eisteddodd yn y gadair siglo a'r baned yn ei llaw gan deimlo cynhesrwydd ac arogl tân coed yr Aga'n lapio o'i chwmpas fel blanced groesawgar. Yng ngwres a llonyddwch y gegin dechreuodd bendwmpian, ac yn fuan roedd hi'n cysgu'n drwm.

Sŵn y cwpan te'n cwympo'n deilchlon i'r llawr a'i dihunodd. "Drat," ebychodd wrth blygu i gasglu'r darnau a'u rhoi yn y bin gerllaw'r sinc. Roedd y tân yn yr Aga wedi llosgi'n isel a'r gegin yn oer. Edrychodd Sulwen ar y cloc uwchben y dresel a gweld ei bod hi'n chwarter i ddau – roedd hi wedi cysgu ers bron i dair awr. Daliai i deimlo'n ddryslyd, ac am eiliad ni allai ddirnad pam roedd hi yn y gegin yn hytrach na lan llofft. Yna, wrth i'r cyfan ruthro 'nôl ati fel rhyw drên ar wib, cofiodd. Aros am Martin oedd hi – roedd y cyfarfod yn y pentre wedi dod i ben ers oriau ac yntau heb gyrraedd adre. Roedd hyn yn anarferol – byddai bob amser yn dweud wrthi ymlaen llaw neu'n ffonio i egluro os oedd e'n mynd i fod yn hwyr neu os oedd rhywbeth wedi'i rwystro. Dechreuodd talp o ofid gronni yn ei chalon a rhedodd i fyny'r grisiau i stafell wely Catrin lle'r oedd ei merch yn cysgu'n dawel.

Plygodd Sulwen ati a sibrwd, "Catrin, dihuna. Dyw Dad ddim wedi dod adre, rhaid i ti ddod mas 'da fi i chwilio amdano fe."

Deffrodd Catrin ar unwaith. "Beth, dyw e ddim wedi dod 'nôl o'r cyfarfod? Faint o'r gloch yw hi?"

"Mae'n tynnu am ddau. Dere, plis. Gwisga'n glou, ewn ni mas i'r clos i weld a yw'r landrofer 'na."

Wrth gamu allan drwy ddrws cefn y tŷ gwelsant y glaw'n disgyn a thaflodd y ddwy eu cotiau amdanynt yn frysiog. Estynnodd Sulwen am y fflachlamp a daflai olau cryf ac a ddefnyddid gan Martin a hithau adeg ŵyna. Yng ngolau'r lamp rhedodd Catrin i'r beudy a throi swits llifoleuadau'r clos. Llanwyd y lle gan olau llachar halogen, ac ar amrantiad gellid gweld y cyfan – yr ail feudy, y tŷ peiriannau a'r sied wair – a'r glaw'n tasgu oddi ar y toeon. Doedd dim golwg o'r landrofer. Rhedodd y ddwy y tu hwnt i gyrraedd stribedi'r llifoleuadau a syllu i lawr y ffordd garegog a arweiniai o'r tŷ. Pwyntiodd Sulwen y fflachlamp i gyfeiriad y ffordd a'r cloddiau naill ochr, ond doedd dim byd anghyffredin i'w weld yno chwaith.

Chwipiai'r gwynt a'r glaw o gwmpas y ddwy. Cerddodd Sulwen rhyw ugain llath i lawr y ffordd gan daflu golau'r fflachlamp hwnt ac yma wrth fynd. Ni welai ddim o'i le a dychwelodd at Catrin. "Alla i ddim deall y peth. Dim golwg ohono fe. Dere, awn ni 'nôl i'r tŷ i ffonio."

Roedd Catrin a'i mam wedi gwlychu cryn dipyn a'u gwalltiau'n diferu. Heb boeni dim am hynny, estynnodd Sulwen at y ffôn ar y dresel ac yna oedodd. "Pwy ddylwn i alw? Os yw e wedi cael damwain galle fe fod yn Ysbyty Bronglais. Ond galle unrhyw beth fod wedi digwydd. Yr heddlu? Beth ti'n feddwl?"

"Ie, ffoniwch yr heddlu. Dwi'n siŵr 'u bod nhw'n ca'l eu galw i bob damwain. Fe fyddan nhw'n gwbod os yw Dad wedi'i gymryd i'r ysbyty."

A'i llaw yn crynu deialodd Sulwen 999 ac ar unwaith clywodd lais yn gofyn, "Emergency, which service, please?"

"Police, Aberystwyth Police Station."

Ar ôl ychydig o oedi clywodd lais cryf yn ateb, "Aberystwyth Police Station, emergency control centre. Sergeant Isaac speaking, how can I help you?"

"Chi'n siarad Cymraeg?"

"Odw."

A hithau mewn panig llwyr erbyn hyn baglai Sulwen dros ei geiriau a rhoddodd Catrin law ar fraich ei mam i geisio'i thawelu. Pwyllodd Sulwen rywfaint ac ailddechrau. "Martin Thomas, y gŵr – dyw e ddim wedi cyrraedd adre a ni'n poeni'n ofnadw amdano fe ac yn meddwl tybed ydy e wedi bod mewn damwain."

Ym mhrofiad Sarjant Isaac roedd pob math o resymau diniwed ac amheus dros fethiant y gwŷr i gyrraedd adre ar amser disgwyliedig ond, yn naturiol, ni soniodd air am hyn. "Pwyllwch nawr, Mrs Thomas. Enw'r gŵr a'r cyfeiriad?"

"Martin Thomas, y Cnwc, Esgair-goch."

"O'ch chi'n dweud 'i fod e ar ei ffordd adre. O ble rodd e'n teithio a phryd o'ch chi'n disgwyl ei weld e?"

"Rodd e'n gyrru o gyfarfod yn neuadd bentre Esgair-goch i gyfeiriad Drosgol ar ei ffordd adre. Wedyn bydde fe'n troi am y ffarm a dilyn hewl y mynydd. Dyle fe fod wedi cyrraedd tua hanner awr wedi deg, un ar ddeg fan hwyra."

"A beth am fanylion y car, Mrs Thomas – y *make*, y lliw a'r rhif cofrestru?"

"Hen landrofer gwyrdd tywyll..." Ni allai Sulwen gofio'r rhif a bu'n rhaid iddi droi at Catrin. Ychwanegodd, "WEJ 1422."

Atebodd Sarjant Isaac yn bwyllog, "Ma car patrôl gyda ni yn weddol agos i'r ardal. Fe gysyllta i â nhw nawr. Peidiwch â phoeni, Mrs Thomas, dwi'n siŵr fod 'na eglurhad syml dros hyn i gyd. Ddown ni 'nôl atoch chi pan fydd gyda ni ryw wybodaeth ac yn y cyfamser, os yw Mr Thomas yn troi lan, ffoniwch ni. Dyma'r rhif..."

* * *

Roedd Gari Jones a Meic Jenkins yng nghar patrôl Delta Papa 551 pan dderbynion nhw alwad Sarjant Isaac. Roedden nhw ar ganol eu shifft nos ac yn dychwelyd i Aberystwyth ar ôl delio gyda *domestic* yn y Borth. Meic oedd yn gyrru ac yn hytrach na mynd i gyfeiriad y dre trodd i'r chwith wrth adael Bow Street i gychwyn ar y siwrne fer i Esgair-goch.

"Oes brys?" gofynnodd. "Ddylen ni roi'r gole glas mla'n?"

"Na, dwi ddim yn meddwl. Doedd Sarj ddim yn swnio fel petai'n poeni rhyw lawer. Boi heb gyrraedd adre ar ôl noson mas, a'i wraig mewn panig. Wedi mynd ar yr êl gyda'i ffrindiau, 'na farn Isaac. 'Gewch chi weld, bois, fe ddaw e i'r golwg bore fory gyda uffar o ben tost' – 'na beth wedodd y Sarj."

Gyrrodd Meic y Volvo drwy bentre Esgair-goch. Roedd y lle'n hollol dawel a phrin fod hynny'n rhyfeddod gan ei bod yn agos at dri y bore. Sgleiniai golau'r lampau stryd ar y ffordd wlyb a rhegodd Meic wrth i'r glaw drymhau. "Damo, damo. Noson uffernol a ni'n gorfod mynd mas yn hwn i whilo am rywun sy'n fwy na thebyg yn cysgu'n drwm ar soffa un o'i fêts. Beth wedest ti oedd yr enw?"

"Martin Thomas, fferm y Cnwc – 'na'r manylion ges i 'da'r Sarj."

"Y Martin Thomas sy'n trial ca'l y meline gwynt ar ei dir? Heno odd y cyfarfod yn neuadd Esgair-goch. Fentra i fod y cynllun wedi'i basio a bod Mr Thomas wedi mynd i'r Farmers i ddathlu. Jyst fel o'n ni'n meddwl, Gari. A ni'n dou fan hyn yn gwastraffu amser achos bod ei wraig wedi cwyno nad yw e wedi cyrraedd adre ar y dot." Roedd Meic newydd fynd drwy ysgariad ac ofer oedd disgwyl am wrthrychedd yn ei farn am ferched, gwragedd priod yn enwedig.

"Ie, olreit," atebodd Gari. "Arafa lawr 'nei di a rho'r weipars ar y sbîd uchel. Ma'r glaw 'ma'n pistyllo lawr ac ma'n rhaid i ni fod yn siŵr nad y'n ni'n colli rhywbeth pwysig."

Ufuddhaodd Meic, a chyda goleuadau cryf y Volvo'n llenwi pob modfedd o'r ffordd gul chwiliodd y ddau blismon am arwydd o ddamwain, neu o'r landrofer ei hun. Mewn byr amser roeddent ym mhentre Drosgol – dim ond clwstwr o dai oedd yno a phobman yn dywyll fel y fagddu. Gyrrodd Meic yn ei flaen a bu'n rhaid iddo fynd am agos i filltir cyn gweld man pasio ger un o'r croesfannau gwartheg lle gallai droi 'nôl. Tu hwnt i'r groesfan arweiniai'r ffordd i ucheldir Hyddgen ac argae Nantymoch a gwyddai'r ddau nad oedd pwynt mynd ymhellach.

Baciodd Meic i'r man pasio a throi trwyn y car at ymyl

y ffordd gyferbyn. "Gofala beth ti'n neud," rhybuddiodd Gari. "Ma 'na ddibyn mawr o dan yr hewl."

Bu'n rhaid llywio'r car 'nôl ac ymlaen sawl gwaith cyn bod y Volvo'n wynebu cyfeiriad Esgair-goch. "Beth nawr?" gofynnodd Meic. "Ry'n ni wedi dilyn llwybr siwrne Martin Thomas heb weld dim. Ma'r boi'n siŵr o fod yn cysgu'n sownd yn rhywle tra bod ni mas fan hyn yn gwastraffu amser yn whilo. Dere, dwi wedi ca'l hen ddigon – 'nôl â ni i'r stesion."

"Dwi isie mynd 'nôl hefyd, Meic, ond ma'n rhaid i ni tsiecio'r hewl i'r ffarm. Cadwa'r sbîd lawr rhag ofn 'yn bod ni wedi colli rhywbeth. Yn ôl cyfarwyddiade'r Sarj, ma'r troad i'r Cnwc rhyw hanner milltir ar y chwith yr ochor draw i Drosgol."

Dyna a wnaed, ond er i'r ddau ailarchwilio'r ffordd a'r cloddiau, ni welwyd dim byd anghyffredin. Breciodd Meic a newid gêr cyn cymryd y gornel siarp i'r Cnwc. Roedd y ffordd fynydd yn gulach a gyrrodd Meic yn ei flaen yn arafach fyth.

"Stopia! Dwi'n meddwl i fi weld marcie ar y ffordd."

"Ti'n siŵr? Weles i ddim byd."

"Cer 'nôl a rho'r lampau ffog mla'n. Bydd gwell siawns i ni weld gyda'r rheiny. Ma'n nhw'n is."

Unwaith eto ufuddhaodd Meic ac yn y golau gwyn gwelai'r plismyn ddau stribed du ar y tarmac.

"Olion brecio caled," dywedodd Gari. "Mla'n â ti. Cymer ofal, Meic, ma dibyn ar yr ochr chwith."

Wrth iddynt nesáu at fwlch gwelsant rwyg amlwg yn y ffens. Stopiodd Meic y Volvo gan gadw'r injan i redeg a'r golau ymlaen. Gwisgodd y ddau eu cotiau trymion ac estynnodd Gari y fflachlamp o'r sedd gefn. Yn y ffos wrth ymyl y ffordd gul gwelsant rychau teiars, a thu hwnt i'r rheiny roedd boncyff gyda hollt sylweddol ynddo. Sgleiniodd Gari'r lamp at y dibyn ac yno, rhyw ugain llath islaw, gwelent y landrofer yn lledorwedd yn erbyn coeden fawr gydag un golau blaen yn taflu'i lewyrch gwan ar y llwyni o gwmpas.

Yng ngolau'r fflachlamp camodd y plismyn o'r ffordd ac i lawr y llethr. Roedd y tir gwlyb yn anwastad a baglodd Meic wrth i'w droed gydio mewn drysni. Cwympodd ar ei hyd. "Blydi hel, Gari, dwi'n credu mod i wedi troi mhigwrn. Yffarn dân, stopia am funud i weld os galla i roi mhwyse arno fe."

Roedd Gari wedi hen arfer â chwynion a gorddramateiddio'i bartner a gafaelodd ynddo'n ddiamynedd a'i hanner llusgo at y cerbyd. "Dere mêt, ma'n rhaid i ni weld a oes rhywun yn y landrofer 'ma. Tafla olau'r lamp ar y drws, plis."

Tynnodd Gari'n galed ar y drws ond methodd yn lân â'i agor. "Ma hwn 'di cael clamp o glec. Rho'r lamp ar y llwyn 'na er mwyn i ti a fi roi siot arni 'da'n gilydd." Gafaelodd y ddau yn y drws ac ar ôl ymdrech galed agorodd hwnnw'n sydyn gan daflu'r plismyn oddi ar eu hechel. Syrthiodd y ddau wysg eu cefnau i'r drysni a chafwyd mwy o regi wrth iddynt godi, yn wlyb diferol a'u cotiau'n blastr o fwd. Gan ailafael yn y fflachlamp cyfeiriodd Gari'r golau i mewn i gab y landrofer.

Yn sedd y gyrrwr gwelwyd gŵr yn ei dridegau hwyr wedi'i wisgo mewn cot Barbour a chapan brethyn. Roedd ei ben yn pwyso'n drwm yn erbyn y llyw a'i lygaid pŵl yn syllu'n wag ar ddüwch y sgrin o'i flaen. Sylwodd Gari a Meic ar unwaith ar y clwyf dwfn ar ei dalcen a'r olion gwaed.

Rhythodd y plismyn ar yr erchylltra am eiliad cyn i Meic dorri ar y distawrwydd. "Wel, ni wedi ffeindio Mr Martin

Thomas. Am unwaith, o'n i'n rong. Dodd e ddim yn saff wedi'r cwbl. Druan, ma fe wedi cael clec tipyn caletach na hangofer."

"Ti'n siŵr taw 'na pwy yw e?"

"Odw, yn bendant. Ma mrawd yn byw yn Esgair a dwi wedi gweld Martin Thomas sawl gwaith wrth y bar yn y Farmers. 'Na pwy yw hwn, sdim dowt."

Camodd Gari yn nes a rhoi ei law ar dalcen Martin Thomas gan osgoi cyffwrdd â'r gwaed. Roedd yr wyneb yn welw a'r cnawd yn hollol oer, ond o ystyried y tymheredd a'r glaw y tu allan doedd hynny ddim yn syndod. Yn ofalus, rhoddodd ei law ar y gwddw i deimlo am bŷls.

"Ody e'n fyw? Ti'n gallu teimlo rhywbeth?" gofynnodd Meic.

"Dim. Sdim byd allwn ni neud i helpu. Ma'r pwr dab y tu hwnt i unrhyw help. Edrych fel damwain i fi, Meic, beth ti'n feddwl?"

"Cytuno. Y marcie ar y ffordd lan fanna – wedi gorfod brecio'n sydyn i osgoi rhywbeth – cadno neu fochyn daear, falle – wedi sgidio ar yr hewl wlyb, mynd drwy'r ffens, llithro i lawr y dibyn a dim ond y goeden sy wedi'i atal e rhag cwympo dim pellach." Cymerodd Meic ddau gam yn ôl i daflu golau'r lamp ar deiars y landrofer. "A drycha ar rheina. Prin fod *tread* arnyn nhw o gwbl. O ystyried popeth, dodd dim gobaith 'da fe."

"A 'na beth sy wedi achosi'r ergyd i'r pen..." Oedodd Gari cyn ychwanegu, "wrth gwrs allwn ni byth â bod yn bendant taw'r ergyd laddodd e. Nid ti a fi fydd yn gorfod penderfynu achos ei farwolaeth. Well i ni beidio cyffwrdd â dim, jyst rhag ofn. Tase fe ddim ond wedi clymu'r gwregys, falle bydde siawns 'da fe. 'Na i gyd oedd ishe... Dere, awn ni 'nôl i'r car i drosglwyddo'r wybodaeth i'r Sarjant."

Dringodd Gari a Meic yn ôl i fyny'r llethr ac wedi iddo gyrraedd clydwch y Volvo gafaelodd Gari yn y radio. "Delta Papa 551 to control, Delta Papa 551 to control."

Mewn ateb clywyd llais Sarjant Isaac, "Delta Papa 551, receiving you."

"Sarjant, Gari Jones fan hyn. Ni wedi ffeindio Martin Thomas. Wel, a bod yn fanwl gywir, ni wedi ffeindio'i gorff e. Ar y ffordd fynydd yn arwain i'r Cnwc. Mae ei landrofer wedi sgidio oddi ar y ffordd rhyw hanner canllath o'r troad i'r ffarm a disgyn i lawr y dibyn. Ma marcie teiars yn glir ar yr hewl – edrych fel damwain." Dywedodd y llais o'r pen arall rywbeth ac atebodd Gari, "Ie, 'na chi, RTA."

Cafwyd rhagor o gwestiynau o'r orsaf yn Aberystwyth a rhagor o atebion gan Gari. "Ody, yn bendant, mae e wedi marw. Dim arwydd o bŷls. Dy'n ni ddim wedi cyffwrdd ag unrhyw beth. Does dim golwg o neb arall o gwmpas. Beth y'ch chi ishe i ni neud nawr?"

Gyda gorchymyn swta o'r orsaf daeth y sgwrs i ben. Rhoddodd Gari'r radio 'nôl yn y gawell. "Ni fod i aros fan hyn tan i'r ambiwlans gyrraedd," meddai. "Ma Sarj yn cysylltu â Bronglais nawr ond gan nad oes brys gallen nhw gymryd tipyn o amser. O ie, a dyma'r newyddion da – ni fod i roi pob help i griw'r ambiwlans i gael y corff o'r landrofer a'i gario fe lan i'r ffordd."

Ni chafwyd ymateb gan Meic; roedd e eisoes wedi cau'i lygaid ac yn gosod ei hun mor esmwyth ag y gallai yn sedd y gyrrwr. Edrychodd Gari ar ei wats a chan ei fod ychydig yn fwy cydwybodol na'i bartner ysgrifennodd ddarn byr yn ei lyfr nodiadau.

*3.45a.m. Mercher Hydref 14 2009, dod o hyd i gorff Mr Martin Thomas ar y ffordd fynydd yn arwain i'w gartref, fferm y Cnwc.*

*Archwiliad cyntaf gan PC Gari Jones a PC Meic Jenkins yn dangos i Mr Thomas gael ei ladd o ganlyniad i ddamwain ffordd.*

Rhoddodd y llyfr nodiadau yn ei boced ac ochneidio wrth ystyried amryw ofynion ei waith. Bu heno'n noson hir a chaled – o fewn un shifft roedden nhw wedi tawelu cweryl teuluol yn y Borth a delio gyda dyn wedi'i ladd mewn damwain ffordd. Caeodd yntau ei lygaid. Doedd dim mwy y gallent ei wneud tan i'r ambiwlans gyrraedd.

Ymhen tipyn clywsant sŵn cerbyd yn dringo o Esgair-goch, gwelsant ei oleuadau'n troi i gyfeiriad ffordd y mynydd a daeth yr ambiwlans i stop y tu ôl i'r Volvo. Aeth y plismyn allan o'r car i gyfarch y parafeddygon yn eu siacedi llachar melyn.

"Ble mae e?" gofynnodd un ohonynt.

"Lawr fanna," atebodd Meic. Edrychodd y pedwar dros ymyl y dibyn. Nodiodd y parafeddygon cyn mynd i nôl offer meddygol a stretsier metel ysgafn o'r ambiwlans a dechrau dringo i lawr at y landrofer.

Ymhen munud neu ddwy clywyd llais. "Ma fe wedi marw. Ma angen help i ga'l e mas o'r landrofer a lan i'r hewl."

Disgynnodd y plismyn, yn fwy hyderus y tro hwn gan eu bod yn lled-gyfarwydd â thyllau a phantiau'r llethr. Roedd angen gofal wrth dynnu corff Martin Thomas allan o'r cab – doedd dim modd pwyso yn erbyn y landrofer gan y gallai hynny effeithio ar falans y cerbyd a'i wthio ymhellach i lawr y dibyn. Llwyddwyd o'r diwedd, a gosodwyd y corff ar y stretsier gyda gorchudd blastig drosto a strapen o gwmpas y traed a'r canol i'w ddal yn ei le. Yna, gydag un person yn cydio ymhob cornel, cychwynnwyd ar y dasg lafurus o ddringo 'nôl at y ffordd. Daliai i fwrw'n drwm a bu'n rhaid aros fwy nag unwaith ar y llethr gwlyb i sicrhau nad oedd yr un o'r pedwar yn colli eu gafael.

Gyda chryn ymdrech llwyddwyd i gyrraedd pen y dibyn a gosodwyd y stretsier ar y ffordd er mwyn i ddynion yr ambiwlans a'r plismyn orffwys. Sychodd Gari'r gymysgedd o law a chwys oddi ar ei wyneb. Yn sydyn, daeth gwaedd o gyfeiriad fferm y Cnwc a rhedodd menyw tuag atynt. Roedd hi'n wlyb diferu ac roedd golwg wyllt arni. Mewn llais torcalonnus, gwaeddodd, "Martin, Martin, ble wyt ti, Martin?"

Wrth glywed yr enw sylweddolodd pawb mai gwraig Martin Thomas oedd yn dod tuag atynt. Brasgamodd Gari ati i geisio ei hatal rhag gweld yr olygfa hunllefus, ond methodd. Gwelodd y wraig y stretsier, rhuthrodd yn syth ato a phenlinio. Ar yr union eiliad honno cryfhaodd y gwynt a chodwyd ymyl y gorchudd plastig i ddatgelu'r wyneb gwelw a'r clwyfau. Sgrechiodd y wraig a syrthio ar ei hyd ar y ffordd gan wylo'n afreolus.

Syllodd y pedwar arni'n fud, yna plygodd Gari i lawr ati a gafael yn dyner ynddi. "Dewch nawr, Mrs Thomas, codwch," meddai'n dawel. Gwrthododd y wraig, gan ddal i wylo â rhyw sŵn hanner udo, hanner griddfan. Tarodd ei dwylo yn erbyn y tarmac gan weiddi, "Martin, Martin!" yn ei dagrau. Gafaelodd Gari ynddi'r eilwaith, yn fwy penderfynol y tro hwn ac o'r diwedd ildiodd y wraig a chodi ar ei thraed. Tynnodd Gari ei got a'i rhoi dros ei hysgwyddau cyn ei harwain i eistedd yn sedd gefn y Volvo.

Gyda'r wraig o'r golwg aeth y tri arall ati i godi'r stretsier a'i gario i mewn i'r ambiwlans. Daeth Gari atynt a dweud, "Meic, cer i'r car at Mrs Thomas, wnei di. Ma hi mewn tipyn o stad." Trodd at y parafeddygon, "Ma cytiau ar ei dwylo hi. O's gyda chi rywbeth i'w thawelu hi?" Nodiodd un o'r ddau ac wedi iddo estyn am y bag cymorth cyntaf aeth Meic ac yntau at y car.

Trodd Gari at yr ail barafeddyg. "Alla i ddefnyddio'ch radio chi i gysylltu â'r orsaf yn Aber? Dwi ddim yn siŵr beth i neud nesa. Mae'n amlwg na allwn ni byth â gadael Mrs Thomas ar ei phen ei hun."

Aeth y ddau i gaban yr ambiwlans er mwyn i Gari allu siarad unwaith eto gyda Sarjant Isaac. "Gwrandwch, Sarjant, ma cymhlethdode fan hyn. Wrth i ni gario corff Martin Thomas o'r cerbyd, daeth ei wraig ar ein traws ni." Clywyd y llais o'r pen arall yn holi ac atebodd Gari, "Na, ma hi'n saff yn y car gyda Meic ac un o'r parafeddygon. 'Na pam dwi'n trafod hyn i gyd o'r ambiwlans – dwi ddim am iddi hi glywed. Beth ddylen ni neud nawr, Sarj?"

Ar ôl ychydig o oedi cafwyd y cyfarwyddiadau. Rhoddodd Gari'r radio i'r parafeddyg a dweud wrtho, "Reit, ma'n rhaid tsieco bod Mrs Thomas yn iawn ac wedyn fe gewch chi'ch dau fynd 'nôl. Ni fod i fynd â hi lan i'r Cnwc ac ma dwy blismones ar eu ffordd i ofalu amdani hi a'r teulu."

# Pennod 3

Gorweddai Gareth Prior yn ei ystafell wely yn y gwesty yn ninas Llundain yn y cyflwr esmwyth hwnnw rhwng cwsg ac effro. Wrth geisio dihuno, ni allai ddeall pam mai mewn gwesty oedd e yn hytrach nag yn ei fflat yng Nghilgant y Cei, Aberystwyth. Yna, mewn fflach, cofiodd. Y Swyddfa Gartref oedd wedi trefnu cynhadledd ar y thema 'Combating Crime in Rural Britain' ac fe'i gwahoddwyd ef, fel un o gywion disgleiriaf Heddlu Dyfed-Powys, i roi cyflwyniad byr. Petrusodd dipyn cyn derbyn ond fe'i perswadiwyd gan ei Brif Gwnstabl, Dilwyn Vaughan; ym marn hwnnw dylai Gareth ystyried y gwahoddiad fel anrhydedd a byddai perfformiad slic ganddo'n hwb sylweddol i Heddlu Dyfed-Powys ac i'w yrfa bersonol yntau. Digon hawdd i Vaughan siarad, meddyliodd Gareth; nid fe fyddai'n gorfod sefyll o flaen cynulleidfa o tua chant o brif swyddogion heddluoedd Prydain.

Ac yntau bellach yn llwyr ar ddihun cododd o'i wely i agor y llenni – roedd yn fore llwyd arall ym mis Hydref a'r glaw mân yn hanner cuddio adeiladau'r ddinas. Draw yn y pellter gallai weld tŵr Coleg Kings lle astudiodd am radd mewn Hanes ac yna am radd uwch. Dewis anghyffredin iddo felly oedd gyrfa yn yr heddlu. Ar ddiwedd ei ddyddiau coleg ceisiodd am le fel Graduate Trainee gyda Dyfed-Powys, ac yn dilyn cyfnod o hyfforddiant dwys cafodd gyfle i ymuno â chynllun dyrchafiad cyflym yn y CID. Gwelai'r cyfan fel siawns i ddianc o fywyd caeedig academia i swydd real yn y byd go iawn ac yn y ddwy flynedd ers ei ddyrchafu'n Insbector profodd fwy na'i siâr o realiti, gyda llawer o hwnnw'n hyll a chreulon. Edrychodd eto ar dŵr y Coleg gan gofio'r darlithoedd a'r seminarau, y rhan helaethaf ohonynt yn ddiflas a rhai – yr ychydig rai – yn wirioneddol ysbrydoledig.

Un peth oedd gwrando ar ddarlith, ond roedd *traddodi* darlith yn rhywbeth hollol wahanol a heddiw *fe* fyddai'r perfformiwr. Trodd o'r ffenest at y bwrdd bychan wrth ymyl y gwely i daflu golwg dros ei nodiadau. Edrychodd arnynt neithiwr; yn wir, dyna'r peth olaf a wnaeth cyn mynd i gysgu a chymerodd gipolwg arall arnynt jyst i wneud yn siŵr fod pob gair a choma yn ei le. Gerllaw'r nodiadau roedd ei liniadur ac agorodd Gareth y clawr, troi'r peiriant ymlaen a tsiecio'r sleidiau PowerPoint y byddai'n eu defnyddio i gefnogi'r prif bwyntiau. Aeth trwy bob sleid yn gyflym a gweld bod y rheiny hefyd yn iawn – pob llun yn glir, yr ystadegau'n gyfredol a dim camgymeriadau sillafu. Nid oedd yn berson nerfus wrth reddf ond poenai gryn dipyn am y cyflwyniad gan y gwyddai y byddai ei wrandawyr yn bachu ar unrhyw lithriad neu gamgymeriad. Caeodd glawr y gliniadur a gosododd ei nodiadau mewn pentwr taclus. Ar ben y pentwr roedd rhaglen y gynhadledd ac edrychodd Gareth arni a darllen y geiriau, 'Wednesday October 14, 16.00 – Drugs, a rural problem' ac yna ei gyfraniad ef, 'Offenders in a University Town' – Inspector Gareth Prior, Dyfed-Powys Police'. Pedwar o'r gloch, prynhawn olaf y gynhadledd, *death slot* os bu un erioed – y cynadleddwyr yn dechrau blino ac yn edrych ymlaen yn eiddgar at y cinio ffurfiol a oedd yn cloi eu trafodaethau. Gallai hynny fod yn fendith ac yn felltith – efallai na fyddent mor wyliadwrus wedi'r cyfan, ond ar y llaw arall gwyddai mai anos fyth fyddai ymgais i ennyn diddordeb ac i ddylanwadu arnynt.

Aeth i'r stafell ymolchi *ensuite* i eillio a chymryd cawod. Wrth i'r dŵr poeth dywallt dros ei gorff gweithiodd y sebon i'w groen a theimlai'n well ac yn fwy hyderus. Sychodd ei hun gyda'r tywel gwyn trwchus a defnyddiodd y sychwr trydan ar ei wallt. Syllodd arno'i hun yn nrych y stafell ymolchi: wyneb cadarn, dim awgrym o grychni eto, llygaid llwyd, y gwallt yn dechrau britho – ond dyna fe, meddyliodd Gareth, henaint ni ddaw ei hunan. Doedd ei gorff ddim mewn cystal cyflwr ag y bu. Sylwodd gydag euogrwydd ar y bloneg sbâr o gwmpas ei ganol. Mwy o amser yn y *gym* felly a llai o'r ciniawa pleserus a gwin ym mwytai Aberystwyth.

Wrth baratoi am yr ymweliad â Llundain roedd wedi pacio dillad i ymlacio a rhai ffurfiol ond nid oedd angen pendroni llawer am beth i'w wisgo ar gyfer y cyflwyniad. Roedd pawb a roddodd gyflwyniadau ddoe mewn siwtiau, felly estynnodd Gareth am ei siwt laslwyd Aquascutum. Talodd bris uchel amdani ond cysurodd ei hun ar y pryd y byddai'n para'n dda, bod y deilwriaeth o'r safon orau a'i bod yn gweddu'n berffaith i ddigwyddiad fel heddiw. Gwisgai grys gwyn a thei sidan coch tywyll gyda llinyn o las yn rhedeg drwyddi – dim yn rhy llachar ond jyst digon i sylwi arni – a'r cyfan yn datgan ei fod yn berson a ofalai am ei ddelwedd a'i olwg.

Cymerodd un cip eto yn y drych cyn cloi drws yr ystafell o'i ôl a disgyn yn y lifft i fynd am ei frecwast. Gorfu iddo aros wrth fynedfa'r bwyty cyn cael ei dywys i sedd wag a'i osod i rannu bwrdd gyda phump o brif gwnstabliaid gogledd Lloegr. 'Good morning' swta gafwyd ganddynt, ac ailgydio yn eu siarad siop, heb ymdrech o gwbl i'w gynnwys yn y drafodaeth. Nid bod Gareth yn poeni iot am hynny; canolbwyntiodd ar ei frecwast o rawnffrwyth a thost gan wylio'r pump arall yn taclo a chladdu'r *full English.* Wedi cael eu gwala, cododd pawb a'i adael ar ei ben ei hun. Yna, clywodd symudiad cadair a throdd i weld Ditectif Sarjant Meriel Davies, aelod arall o dîm y CID yn Aberystwyth, yn sefyll y tu ôl iddo.

"Gweld bod ti wedi ca'l cwmni difyr dros frecwast," dywedodd, gan wenu.

"Bore da, Mel. Ie – dynion pwerus mewn iwnifform. Dere, dwi'n credu bod paned arall yn y *cafetière*."

Eisteddodd Mel wrth ei ochr. "Wel, dy bapur di'n barod? Ni i gyd yn edrych ymlaen," ac ychwanegodd yn brofoclyd, "yn enwedig Dilwyn Vaughan, ein tad ni oll."

"Paid, plis. Dwi'n difaru'n enaid mod i wedi derbyn y gwahoddiad. Bydd y *chiefs,* fel y pump fan hyn, yn cymryd pob cyfle i feirniadu. Alla i 'u clywed nhw nawr – beth ma cyw o insbector o gefn gwlad Cymru'n wybod am gangiau a throseddau go iawn fel llofruddiaeth a threisio?"

"Insbector Gareth Prior, paid ag iselhau dy hun. Ni 'di delio gyda llofruddiaethau ac achosion difrifol yn Aber 'fyd, cofia. Ffydd, Gareth, ffydd a hyder. Dweud y gwir a'i ddweud e'n blaen." Wrth yfed ei choffi edrychodd Mel ar ei bòs. "Ti'n edrych yn smart iawn. Bydd yr *outfit* yn gwneud argraff, o leia, sdim ots beth ddwedi di!"

"Diolch! Dim rhy lliwgar, ody e? Dwi ddim ishe iddyn nhw 'y nghofio i fel y boi fflash 'na o Aber."

"Dim peryg, Gareth. Sdim angen i ti boeni am y siwt na'r araith. Bydd popeth yn iawn, dwi'n siŵr. Hei, drycha ar yr amser! Ma'n rhaid i ni symud, ma trafodaethau'r bore ar fin dechre."

Roedd neuadd y gynhadledd bron yn llawn a chan fod y seddau gwag yn brin gwahanwyd Gareth a Mel. Cafodd Gareth ei hun yn eistedd nesa at ddau o weision sifil y Swyddfa Gartref ac wrth iddynt edrych yn y rhaglen ar deitl y cyflwyniad nesa dywedodd un yn frwdfrydig wrth y llall, "adding value at a pan-regional level; this should be interesting".

Cymdeithasegydd difrifol o brifysgol yn yr Alban oedd

y siaradwr a bu'n traethu am 'holistic approaches' a 'policy silos' (beth bynnag oedd y rheiny) gan orffen gyda'r frawddeg fythgofiadwy, "True value at pan-regional level will be attained by securing buy-in from partners and enabled through wide-ranging consultation which will be part of strategy development." Cymeradwyodd y ddau was sifil yn frwd a daeth Gareth i'r casgliad nad oedd wedi deall nemor air o'r papur dienaid a jargonllyd.

Dilynwyd y sesiwn gan y baned arferol ac yna'r ail gyflwyniad gan ystadegydd a brofodd y wireb fod yna'r fath beth â chelwydd, celwydd noeth ac ystadegau. Bwriadai Gareth ymuno â Mel am ginio ond gafaelodd un o'r gweision sifil yn ei fraich gan ddweud, "Inspector Prior, a table has been set aside for today's speakers, so if you would follow me..." Suddodd ei galon a threuliodd yr awr nesaf yn pigo ar salad llipa a gwrando ar y darlithydd o'r Alban yn canu clodydd 'synergistic stake-holders', gyda'r ystadegydd a'r gweision sifil yn amenio pob gair. Ar ddiwedd y pryd ni allai ddioddef rhagor. Cerddodd allan o'r neuadd a mynd at ddrws ffrynt y gwesty am ychydig o awyr iach. Fodd bynnag, ni chafodd gyfle i ddianc oherwydd yn sefyll yno roedd ei brif gwnstabl, Dilwyn Vaughan.

"Prior, yr union berson. Popeth yn barod, gobeithio? Chi sy â'r sesiwn ola. Gair bach o gyngor. Peidiwch â mynd mla'n yn rhy hir. Y cinio ffurfiol sy'n dilyn a bydd pawb am gael cyfle i baratoi ar ei gyfer. A chofiwch fod enw da Dyfed-Powys yn gorffwys yn sgwâr ar eich sgwydde chi. Pob lwc."

A chyda hynny, trodd Vaughan ar ei sawdl a mynd i mewn i'r gwesty. Diolch yn fawr, meddyliodd Gareth, ma hynna wedi gwneud i fi deimlo lot gwell.

O flaen mynedfa'r gwesty roedd ffordd brysur, a thraffig Llundain yn gwibio heibio'n ddiddiwedd, ond yr ochr draw i'r ffordd gallai Gareth weld coed a gwyrddni un o barciau'r ddinas. Gan fod y glaw wedi cilio a haul yr hydref yn tywynnu'n wan penderfynodd chwarae triwant a cholli sesiwn cyntaf y pnawn. Croesodd y ffordd a mynd i mewn drwy gatiau'r parc. Roedd y lle'n gymharol dawel – mamau'n gwthio bygis a dynion yn mynd â'u cŵn am dro. Er bod ychydig o flodau'n dal yn y borderi roedd tlysni'r haf wedi hen bylu a'r llwybrau'n drwch o ddail melynfrown. Cofiodd Gareth fel y byddai'n mwynhau crwydro'r parciau yn ystod ei ddyddiau coleg; mwynhau'r lawntiau helaeth, y llwyni ac yn fwy na dim mwynhau'r llonyddwch yng nghanol dwndwr y ddinas. Cafodd yr un mwynhad yn awr ac ymlaciodd wrth ddilyn y llwybr. Yn sydyn, sylweddolodd ei fod wedi cerdded ymhellach nag y bwriadai a chyflymodd ei gamau i droi 'nôl am y gwesty.

Aeth ar ei union i'w ystafell wely i gasglu ei nodiadau a'r gliniadur. Tynnodd grib trwy'i wallt, sythu'r tei a chymryd un cip yn y drych cyn disgyn yn y lifft a chroesi'r cyntedd at neuadd y gynhadledd. Roedd sesiwn cynta'r prynhawn newydd orffen a phawb yn ymlwybro am baned. Camodd Gareth ar lwyfan bychan i ymuno â'r tri arall oedd i siarad, cysylltodd ei liniadur â'r system glyweled a rhoi ei nodiadau ar y bwrdd o'i flaen. Ymhen rhyw bum munud ymunodd gŵr canol oed â nhw a chyflwyno'i hun fel cadeirydd trafodaethau'r prynhawn. O un i un dychwelodd y cynadleddwyr i'r neuadd. Edrychodd Gareth arnynt a gweld torf flinedig a oedd eisoes wedi gwrando ar res o gyflwyniadau – torf oedd a'i meddwl bellach ar wledda a diota'r noson oedd o'u blaenau yn hytrach nag unrhyw beth oedd ganddo ef i'w ddweud. Aeth y siaradwyr eraill drwy'u pethau ac yna, gyda'r nerfau'n tynhau, clywodd y cadeirydd yn sôn am "promising young star of Dyfed-Powys Force,

Inspector Gareth Prior, who will discuss Drug Offenders in a University Town".

I gyfeiliant curo dwylo poléit safodd Gareth i wynebu'r gynulleidfa. Symudodd lygoden y gliniadur ac ymddangosodd llun o'r Hen Goleg yn Aberystwyth a Bae Aberteifi ar y sgrin fawr y tu ôl iddo.

Cychwynnodd. "Since the late 19th century, Aberystwyth has been a major Welsh educational centre, with the establishment of a university college there in 1872. The town's population was officially 16,928 in the April 2001 census. During nine months of the year, there is an influx of students – to a total number of 8,841 in July 2009 – giving a total population of some 25,700. In my presentation I will concentrate on the sixteen to twenty-two age group, and particularly on the interaction between town and gown."

Gyda chefnogaeth cyfres o sleidiau PowerPoint soniodd Gareth am y defnydd o gyffuriau ymhlith y grŵp oedran dan sylw a sut y gostyngwyd lefel y troseddau yn Aberystwyth a'r cyffiniau yn sgil rhaglen addysgu yn yr ysgolion uwchradd a'r Brifysgol. Daeth at ran olaf ei gyflwyniad a gwyddai y byddai pob gair o hyn tan y terfyn yn codi nyth cacwn.

"I know that what I'm about to say will be controversial, and I would like to state at the outset that these views are my own, and not those of Dyfed-Powys Police. The drugs education programme designed by myself and other senior officers in the force has led me to the conclusion that a serious examination of the legalization of drugs is long overdue. Our prisons are twice as full as they would be without prohibition, property crime has doubled and the cost of prohibition-related crime is sixteen billion pounds a year. My experience, and I'm sure the experience of many of you sitting here today, leads me to the basic point that, with drugs legalization, it is not a question of *if*, but a question of *when*."

Bu distawrwydd llethol am eiliad ac yna cafwyd cymeradwyaeth frwd gan ganran sylweddol o'r gynulleidfa, gyda'r gweddill yn edrych yn guchiog ac amheus. Gwahoddwyd cwestiynau o'r llawr a'r cyntaf i godi oedd un o'r gweision sifil y cyfarfu Gareth ag ef yn ystod y dydd.

"Giles Seymour, Assistant Private Secretary, Home Office. I would suggest that every country that has gone down the path of decriminalization of drugs has found the policy to be an abject failure."

Atebodd Gareth. "With all due respect, that is not the case. If you look at the latest statistics in three countries that have moved towards legalization – Canada, Portugal and the Netherlands – there have been significant reductions in drug-related crime. All that I have said is that we need to begin the discussion."

Cafwyd rhagor o gwestiynau gyda Gareth yn delio â phob un mewn dull deheuig a meistrolgar. Edrychodd y cadeirydd ar ei wats a gwahoddodd un cwestiwn arall.

"Chief Superintendent Tony Lambert, Metropolitan Police. Whilst I found many of your comments interesting, Inspector Prior, and your conclusions thought-provoking, I'm not sure how valid they are. When you compare crime levels in your own area with what we have to deal with in the Met, it all begins to look a bit shaky."

"I do see your argument, Chief Superintendent, but in my view it is a difference of degree not a difference in kind. Whether the victim lives in Acton or Aberystwyth, a burglary is still a burglary, rape is still rape and murder is still murder."

Tynnodd y cadeirydd y sesiwn i ben a chamodd Gareth

oddi ar y llwyfan. Cafodd ganmoliaeth gan rai, gydag eraill yn dweud dim a chadw'n ddigon pell, ac yna gwelodd Dilwyn Vaughan yn cerdded tuag ato. Disgwyliai gerydd a beirniadaeth ond cafodd ei synnu ar yr ochr orau.

"Llongyfarchiadau, Prior, roedd hi'n hen bryd i rywun wneud y sylwadau am gyfreithloni rhai cyffuriau – wrth gwrs, dwi'n falch eich bod chi wedi datgan mai eich safbwynt personol chi oedd e. Dwi ddim am i Ddyfed-Powys gael enw am fod yn or-ryddfrydol. A da iawn am roi'r twpsyn Lambert 'na yn ei le. Bues i'n gweithio gyda fe yn y Met. Ffŵl hunanbwysig os bu un erioed." Cododd Vaughan ei law ar berson yng nghefn y neuadd ac wrth symud at un o'i fêts, dywedodd dros ei ysgwydd, "Cyfle am ddrinc falle cyn cinio?"

Ie, meddyliodd Gareth, yn union fel y rhan fwya o fosys, yn falch o dderbyn clod ond yn cyflym gilio os daw condemniad. Casglodd ei bapurau ynghyd ac wrth iddo gerdded at y drws gwelodd Mel.

"Dweud y gwir a'i ddweud e'n blaen, Gareth. 'Nes i fwynhau pob gair ac yn wahanol i'r tri arall fe lwyddest ti i gadw pawb ar ddihun a gwneud iddyn nhw feddwl gyda'r ergyd ola. Paid â thalu unrhyw sylw i'r siwtie o'r Swyddfa Gartre. Dy'n nhw'n gwybod dim am ferched ifanc yn puteinio i dalu am gyffurie a disgyblion ysgol yn cael eu rhwydo gan y siarcod sy'n delio'n y stwff. Na, pob clod i ti am fod yn ddigon dewr i ddweud beth oedd angen ei ddweud."

"Diolch, Mel." Tynnodd Gareth anadl ddofn cyn bwrw mlaen at ei eiriau nesaf. "Dwi ddim yn gwbod amdanat ti ond dwi ddim yn ffansïo mynd i'r cinio heno. Gwisgo siwt a dici-bo, hen areithie undonog a'r *loyal toast*. Ma bwyty Eidalaidd rownd y gornel – fyddet ti'n hoffi mynd yno am swper?"

Edrychodd Mel ar ei bòs. Yn y ddwy flynedd ers iddi

ei adnabod bu yn ei fflat yng Nghilgant y Cei sawl gwaith a mwynhau sawl pryd o fwyd yn ei gwmni. A rhaid iddi gyfaddef, roedd yn gwmni da, yn eang ei wybodaeth am gelf a llenyddiaeth a bob amser yn osgoi'r hen siarad syrffedus am waith a oedd yn gig a gwaed i'r rhan fwyaf o'r plismyn roedd hi'n eu hadnabod. Ond roedd pobl eraill yn y cwmni ar yr adegau hynny ac felly roedd y gwahoddiad i swper heno'n wahanol. Dim ond y ddau ohonynt, ymhell o lygaid busneslyd Aber a sbecian awgrymog cyd-weithwyr.

"Ie, hyfryd." Gan nad oedd am ymddangos yn orfrwdfrydig ychwanegodd, "Dwi inne ddim yn meddwl y gallen i ishte drwy'r cinio, chwaith."

"Ardderchog – cwrdd wrth y dderbynfa am hanner awr wedi saith?"

"Edrych mla'n yn barod."

Wrth ddatgloi drws ei ystafell teimlai Gareth ryw ysgafnder newydd. Dadwisgodd, ac wrth iddo dynnu crys glân y bore sylwodd fod hwnnw bellach yn frwnt ac yn llaith gan chwys. Bu'r profiad o gyflwyno'r papur yn straen arno; roedd yn falch fod y cyfan drosodd ac y gallai ymlacio yng nghwmni Mel. Gorweddodd ar y gwely ac o fewn pum munud roedd yn cysgu'n drwm. Roedd yn saith o'r gloch pan ddihunodd a bu'n rhaid iddo frysio a bodloni ar gawod gyflym cyn ailwisgo.

Disgynnodd yn y lifft unwaith yn rhagor ac aeth i eistedd ger derbynfa'r gwesty. Gallai glywed chwerthin uchel o gyfeiriad y bariau ac roedd lefel y sŵn yn brawf bod y dathlu eisoes wedi cychwyn. Agorodd drysau'r lifft a chamodd Dilwyn Vaughan allan yng nghwmni prif gwnstabl un o heddluoedd Cymru, y ddau mewn siwtiau ffurfiol, crysau gwyn a theis dici-bo. Oherwydd nad oedd am i Vaughan ei weld trodd Gareth ychydig o'r neilltu yn ei gadair, ond doedd dim angen iddo boeni. Yn ddwfn mewn sgwrs, croesodd y ddau'n syth i'r bar i gyfarch aelodau eraill o gymuned glòs y prif gwnstabliaid.

Agorodd drysau'r lifft eto a'r tro hwn Mel oedd yno. Daeth draw ato a sylwodd Gareth ar unwaith ar ei dillad. Gwisgai got ysgafn ddu, trowsus llwyd, blows sidan batrymog, bŵts lledr du ac roedd cadwyn aur am ei gwddf.

"Ti'n edrych yn smart," meddai wrthi. "Nawr 'te, os ga i awgrymu, ewn ni'n syth i'r bwyty a chael diod yno. Dyw e ddim yn bell. Mae gen i ambarél os daw hi i'r glaw ond dwi'n credu ei bod hi'n sych ar hyn o bryd."

*Bianco Rosso* oedd enw'r bwyty ac fe'u tywyswyd i far bychan i roi cyfle iddynt astudio'r fwydlen. Cafwyd dau wydraid o *prosecco* ar awgrym Gareth a gwerthfawrogodd Mel ei flas. "Dwi'n cofio ca'l hwn pan es i i'r Eidal ar wyliau llynedd. Ro'n i wedi sylwi ar wragedd yr Eidal, wedi'u gwisgo'n smart i gyd, yn mynd mas ar ddechrau'r noson ac yn yfed gwin gwyn *prosecco*, a phenderfynodd fy ffrind a finne y dylen ni neud yr un peth."

Gofynnodd Gareth yn ofalus, "Dwi'n nabod y ffrind 'ma, Mel?"

"Na, ffrind coleg, mae'n byw yn Abertawe. Ni'n cwrdd nawr ac yn y man i roi'r byd yn ei le."

Roedd y fwydlen yn dilyn patrwm arferol yr Eidal o gynnig antipasto, cwrs cyntaf ac ail gwrs. "Dyw e ddim yn helaeth, ody e," dywedodd Gareth. "Mae hynny'n arwydd da fel arfer – y bwyd yn fwy tebygol o fod yn ffres. Nawr 'te, beth hoffet ti? Rhywbeth i gychwyn?"

Dewis rhannu plataid o fwyd môr fel cwrs cyntaf wnaeth y ddau, yna cyw iâr a risotto madarch i Mel, a Gareth yn penderfynu ar samwn wedi'i goginio mewn saws mascarpone a pherlysiau. Archebodd Gareth botel o Valpolicella ac ymhen ychydig dywedwyd wrthynt fod eu bwrdd yn barod. Gan adlewyrchu'r enw *Bianco Rosso* roedd waliau'r stafell fwyta yn wyn a choch tywyll am yn ail gyda phaentiadau modern yn hongian ar bob wal. Roedd yr un lliwiau ar y byrddau, gyda llieiniau claerwyn a chadeiriau lledr coch. Ychwanegai'r goleuadau isel a'r gerddoriaeth Eidalaidd at y naws gynnes, anffurfiol.

Rhoddwyd Gareth a Mel i eistedd wrth yr unig fwrdd gwag. "Fuest ti'n ffodus i gael lle."

"Do, mae'n amlwg ei fod e'n boblogaidd. Ffonies i'n gynharach."

Wrth iddo ynganu'r geiriau sylweddolodd Gareth ei fod wedi gadael y gath o'r cwd a bod 'na elfen o gynllunio yn ei wahoddiad. Gwenodd gyda rhyw olwg hanner euog ar ei wyneb; ymatebodd Mel yn yr un modd a'i gwên yn dangos ei bod hithau hefyd wedi deall nad hap a damwain oedd y cyfan.

Rhoddwyd y plataid o fwyd môr ar y bwrdd ac wrth iddynt ei fwyta gallent wylio'r cogyddion yn paratoi'r prydau yn y gegin agored. Mewn byr amser, gweinwyd y prif gyrsiau ac roedd y cwbl yn edrych yn ardderchog.

"Mmm, mae'r cyw iâr yn flasus," dywedodd Mel, "ac alle'r risotto byth â bod yn well. Ac mae'r gwin yn ddi-fai. Chi'n dipyn o *connoisseur*, Gareth Prior."

"Dwi ddim yn gwybod am hynny, beth sy'n bwysig i fi yw dy fod ti'n mwynhau. Mel, ni wedi gweithio gyda'n gilydd nawr ers dwy flynedd, gobeithio bo ti ddim yn meindio i fi ofyn, ond beth oeddet ti'n neud cyn ymuno â'r heddlu?"

"Athrawes o'n i. Es i i'r coleg yng Nghaerdydd ac ar ôl gorffen y cwrs es i ddysgu mewn ysgol yng Nghwm Tawe, ddim yn bell o ble ces i'n magu yn Nhreforys. Ro'n i'n dysgu Cymraeg a Cherddoriaeth."

"Ar un olwg, ma symud o'r dosbarth i fod yn blismones yn gam rhyfedd. Eto, os nad wyt ti'n meindio, ga i ofyn pam?"

Ni chafodd Gareth ateb ac ofnai ei fod wedi mynd yn rhy bell. "Mae'n flin 'da fi. Ddylen i ddim fod wedi holi."

Cododd Mel ei golwg o'r pryd o'i blaen ac edrych yn syth ato. "Na, mae'n iawn. Dodd y rheswm pam wnes i adael dysgu'n ddim byd i wneud â'r gwaith – ro'n i'n hoffi bod yn athrawes. Ces i broblemau yn 'y mywyd personol. Ro'n i wedi priodi Dewi'n ifanc, yn rhy ifanc, falle. Cariad ysgol. Roedd e'n athro hefyd. Ar y dechrau rodd popeth yn iawn ond wedyn fe wnes i ddarganfod ei fod e'n ca'l affêr. I dorri'r stori'n fyr, nath e ngadael i ac aeth y cyfan ar chwâl. Colles i afael ar y dosbarthiadau ac rodd pob diwrnod yn yr ysgol yn hunllef. Pob diwrnod yn f'atgoffa i o Dewi. Ymddiswyddo wnes i a theimlo'n flin ac yn grac wrtha i fy hunan. Ffrind ysgol achubodd fi. Rodd hi'n blismones a hi awgrymodd y dylen i ystyried gyrfa hollol wahanol ac ymuno â'r heddlu. Cyfnod byr ar y bît, cyfle i symud i'r CID a chael cynnig i ymuno â'r tîm yn Aberystwyth. Ac er ei fod e'n edrych yn gam rhyfedd, ma 'na rai pethau'n gyffredin, ti'n gwbod, fel disgyblaeth a delio gyda phroblemau plant a phobl ifanc. Y gwahaniaeth mawr yw ein bod *ni*'n gorfod delio gyda'r problemau y dylid fod wedi eu datrys yn y cartre neu'r ysgol." Oedodd Mel cyn ychwanegu fel rhyw fath o glo, "a dyna hanes 'y mywyd bach syml i."

"Dyw e ddim yn swnio fel bywyd bach na syml. Dwi ddim yn siŵr y gallen i fod wedi gwneud beth wnest ti – gyrfa newydd, lle newydd, pobl newydd. Tipyn o her."

"'Na jyst beth odd ei angen arna i ar y pryd." Edrychodd Mel arno eto. "Fy nhro i nawr. Pam ma dyn dysgedig â dwy radd yn Insbector yn yr heddlu yn hytrach nag yn ddarlithydd neu'n brifathro?"

"Mewn ffordd, ma'n hanes i a dy hanes di'n debyg. Dihangfa odd yr heddlu i finne hefyd. Ces i'n magu yng Nghwm Gwendraeth, Nhad yn weinidog ac yn rhoi pwyslais mawr ar y 'pethe' ar yr aelwyd. Dod fan hyn i Lundain i'r coleg, graddio mewn Hanes ac wedyn gwneud gwaith ymchwil. Rodd fy rhieni'n meddwl, jyst fel ti, y bydden i'n mynd yn ddarlithydd neu'n brifathro ysgol uwchradd. Ond rodd hynny'n rhy gaeedig, yn rhy saff. Pan weles i'r hysbyseb am y swyddi gyda Heddlu Dyfed-Powys fe gofies i fod dad-cu wedi bod yn blisman yn heddlu'r hen Sir Gaerfyrddin ac wedyn rodd e'n teimlo fel cam naturiol. Rodd e'n dipyn o sioc i fy rhieni a ches i fwy fyth o sioc pan ges i fy mhenodi." Tro Gareth oedd hi i oedi wedyn cyn ychwanegu, "'Na ddigon am y gorffennol, dwi'n credu. Mwy o win, Mel? Iechyd da!"

Trawyd y gwydrau yn erbyn ei gilydd ac wrth i'r naill edrych i fyw llygaid y llall, cytunodd Mel, "Ie, iechyd da."

Ni allent wrthsefyll temtasiwn y *tiramisù* a gorffennwyd y pryd gyda dwy baned o goffi cryf. Cynigiodd Mel rannu'r gost, ond gwrthododd Gareth y cynnig ar ei ben. "Dim o gwbl. Fi estynnodd y gwahoddiad a fi sy'n talu," meddai'n bendant.

"Diolch am noson arbennig. Dwi wedi mwynhau pob munud."

"Dyna i gyd sy'n bwysig i fi."

Daeth merch ifanc, dramorol yr olwg at y bwrdd a llond ei chôl o rosys cochion.

"A red rose for your love, sir," meddai gan estyn un o'r blodau. Fel arfer byddai Gareth wedi anwybyddu'r fath beth ond roedd heno'n wahanol. Prynodd rosyn coch ac wrth ei gyflwyno i Mel dywedodd gyda mymryn o swildod, "Rhywbeth bach i gofio am y noson."

Gwridodd Mel wrth ei dderbyn ond roedd hi'n amlwg wedi'i phlesio.

Wrth gamu allan o'r bwyty gwelsant fod glaw mân y prynhawn wedi dychwelyd a gwisgodd Mel ei chot ysgafn. Agorodd Gareth ei ambarél ac wrth iddynt glosio dan ei gysgod teimlai gynhesrwydd ei chorff. Heb sylwi rhyw lawer ar y glaw cerddodd y ddau'n hamddenol am y gwesty, yn mwynhau pob cam yng nghwmni ei gilydd a'r ddau'n synhwyro nad oeddent am i'r noson ddod i ben.

Wrth iddynt groesi cyntedd y gwesty a mynd am y lifft daeth Dilwyn Vaughan o'r bar a cherdded atynt. Roedd yntau ar yr un perwyl ac yn mynd am ei stafell wely. "Noswaith dda, Prior, a chithe, Sarjant Davies. Wnes i ddim gweld 'run ohonoch chi yn y cinio."

Gareth atebodd, "Naddo, syr. Ro'n i wedi gwneud trefniadau i gwrdd â ffrindiau coleg. Ma Sarjant Davies yn eu hadnabod nhw hefyd."

Edrychodd Vaughan ar y rhosyn coch yn llaw Mel.

"Edrych fel noson ramantus i fi, Sarjant."

Mel oedd â'r ateb parod y tro hwn. "Chi'n gwbod fel mae, syr. Y tramorwyr 'ma'n gwerthu rhosynnau mewn bwytai. Rodd hi'n ferch mor bert, allen i byth â gwrthod."

Agorodd drysau'r lifft a chamodd y tri i mewn. "Chi ar yr un llawr â fi rwy'n credu, Prior, y seithfed. A chithe, Sarjant?"

Dywedodd Mel yn dawel, "Y pedwerydd, syr."

Gwasgodd Vaughan y botymau ac esgynnodd y lifft. Clywyd llais mecanyddol yn dweud 'Fourth floor, doors opening', ac yn unol â'r cyhoeddiad agorwyd y drysau ac aeth Mel am ei hystafell. Esgyn eto a Vaughan yn dweud, "Piti i chi golli'r noson hefyd. Cinio gwerth ei gael a *speeches* da iawn." Y llais eto, 'Seventh floor, doors opening'. "Ie, piti, gallen i fod wedi'ch cyflwyno chi i rai o'r *chiefs* eraill. 'Na fe, chi oedd yn gwybod orau, Prior. Nos da nawr."

"Nos da, syr," ac ar ôl i Vaughan fynd yn ddigon pell, ychwanegodd, "ie, fi *oedd* yn gwybod orau."

Datglôdd y drws a mynd i mewn i'w stafell wag, ddi-gwmni. Dyma beth yw diweddglo ffrwt i'r noson, meddyliodd. Pam, pam roedd yn rhaid i Vaughan fynd am y lifft ar yr union adeg â Mel ac yntau? Eisteddodd ar y gwely'n ddiflas ac yn sydyn canodd y ffôn. Atebodd Gareth a chlywodd y llais yn dweud, "Stafell pedwar un saith, dwi'n disgwyl amdanat ti."

# Pennod 4

"POPETH YN DAWEL neithiwr, Tom? Dim byd mawr wedi digwydd?" gofynnodd Ditectif Cwnstabl Clive Akers i Tom Daniel.

"Nag oes. Gawson ni noson ddigon tawel, am unwaith. O ie, un peth. Ma Sam Tân wedi mynd i ryw gyfarfod pwysig yng Nghaerfyrddin, felly ti sydd wrth y llyw, Clive. Duw a'n helpo!"

Sam Tân oedd llysenw'r Prif Arolygydd Sam Powell, bòs Gareth, Mel ac Akers a phennaeth y CID yn Aber. Cafodd y llysenw oherwydd ei arfer cyson o annog y lleill gyda'r ymadrodd, "Dewch, siapwch hi, tân i'r bryniau, tân i'r bryniau!" Ditectif henffasiwn oedd Powell a ddringodd yn boenus o araf drwy'r rhengoedd. Credai'n gryf mewn llusgo drwgweithredwyr i'r Orsaf a'u holi'n galed hyd nes iddynt gyfaddef i rywbeth, i unrhyw beth, doedd dim llawer o wahaniaeth ganddo. Roedd e braidd yn amheus o Gareth, yn eiddigeddus o'i ddyrchafiad sydyn ac yn bendant o'r farn nad prifysgol oedd y lle gorau i ddysgu sgiliau plismona. Gwastraff amser oedd mynychu cynadleddau yn ei farn ef ac wrth i Gareth adael am Lundain dywedodd Powell wrtho'n blaen, "Ysgol brofiad yw'r ysgol orau, Prior; mas ar y bît ddysges i'r cyfan, nid o fla'n compiwtar ac yn sicr nid mewn rhyw siop siarad wedi'i threfnu gan y Swyddfa Gartre."

Wrth fynd i mewn i'w swyddfa diawliodd Akers wrth weld y mynydd o waith papur ar ei ddesg – nodiadau i'w paratoi ar gyfer achosion llys, ystadegau troseddu ac adroddiad ar ladrad o archfarchnad a oedd i fod yn barod rai dyddiau 'nôl. Roedd yn casáu gwaith papur â chas perffaith ac yn gynyddol o'r farn fod ymdrechion yr heddlu i ddal troseddwyr yn cael eu boddi mewn llif di-ben-draw o ffurflenni a chyfarwyddiadau diangen. Uchelgais Clive Akers oedd dyrchafiad cyflym, ond derbyniai, yn anfoddog, fod cyfnodau diflas y tu ôl i ddesg yn angenrheidiol os oedd am ddringo'r ysgol ac esgyn i swydd Insbector. Dyna oedd ei darged tymor hir ond, am y tro, rhaid bodloni ar y targed tymor byr o daclo'r gwaith papur.

Ar ôl teirawr o ymlafnio, roedd ar fin gadael am ginio pan ganodd y ffôn.

"Clive Akers, CID Aberystwyth, shwt alla i fod o help?"

"Bore da, Akers, Dr Angharad Annwyl. Ydy Insbector Prior yna?"

Dr Angharad Annwyl oedd y patholegydd yn Ysbyty Bronglais, ac felly hi yn gyfrifol am holl *bost mortems* yr ardal ac, yng nghyd-destun gwaith yr heddlu, am ymchwilio i farwolaethau amheus. Felly, pan glywodd yr enw gwyddai Akers fod yr alwad yn arwyddocaol. "Mae'n flin 'da fi, Dr Annwyl, mae Insbector Prior ar ei ffordd 'nôl o gynhadledd yn Llundain. Dim ond fi sy 'ma ar hyn o bryd, ond bydd e 'nôl yn gynnar yn y pnawn. Ga i gymryd neges?"

"Dwedwch wrth Insbector Prior am fy ffonio i y funud mae'n cyrraedd 'nôl. Mae'n ymwneud â marwolaeth person a fu mewn damwain ffordd yn gynnar fore Mercher. Martin Thomas. Daethpwyd ag e i'r morg fel *road traffic accident* ond mae 'na gryn amheuaeth am wir achos ei farwolaeth. Ffonio ar unwaith, Akers, iawn?"

Aeth Akers i chwilio am Tom Daniel a'i gael yn y cantîn yn gorffen ei ginio. "Beth y'ch chi'n wbod am ddamwain ffordd yn gynnar fore Mercher, Tom? Martin Thomas?"

"O'n i'n gwybod bod Martin Thomas wedi cael ei ladd.

Isaac oedd ar ddyletswydd yn y stafell reoli nos Fercher. Dyle'r wybodaeth i gyd fod ar y cyfrifiadur. Aros funud i fi gael gorffen y frechdan 'ma a ddo i gyda ti."

Trodd Akers at rwydwaith gyfrifiadurol Dyfed-Powys ac at yr adran lle câi damweiniau ffordd eu cofnodi. Gyda Tom yn edrych dros ei ysgwydd teipiodd y dyddiad ac ymddangosodd y manylion ar y sgrin:

2.40 am: Mercher, Hydref 14: Derbyn galwad ffôn frys oddi wrth Mrs Sulwen Thomas, fferm y Cnwc, Esgair-goch, yn dweud nad oedd ei gŵr, Mr Martin Thomas, wedi cyrraedd adre ar ôl cyfarfod yn neuadd y pentre. Galwad yn cael ei derbyn gan Sarjant Tom Isaac.

2.45 am: Trosglwyddo'r manylion i PC Gari Jones a PC Meic Jenkins yn Delta Papa 551.

3.45 am: Jones a Jenkins yn canfod corff Mr Martin Thomas ar y ffordd fynydd yn arwain at ei gartref. Galw am ambiwlans. Archwiliad cychwynnol gan y plismyn a'r parafeddygon yn dangos i Mr Thomas gael ei ladd o ganlyniad i ddamwain ffordd.

4.10 am: PC Jones yn cysylltu i ddweud bod Mrs Thomas wedi dod ar draws y cyfan a'i bod mewn cyflwr o sioc. Cyfarwyddiadau i Jones a Jenkins fynd â Mrs Thomas adref. Dwy blismones ar eu ffordd i ofalu amdani hi a'r teulu.

4.15 am: Cludo corff Martin Thomas i Fronglais ar gyfer *post mortem*.

DIWEDD

"'Na ti," meddai Tom Daniel, "'na'r hanes i gyd. Pam y diddordeb anghyffredin mewn damwain ffordd?"

"Dwi newydd dderbyn galwad ffôn oddi wrth Dr Angharad Annwyl o'r ysbyty. Hi wnaeth y PM ar Martin Thomas ac yn ôl yr hyn ddwedodd hi nid y ddamwain laddodd e."

"Beth! Ody Dr Annwyl yn siŵr?"

"Ches i ddim rhagor o fanylion ond fe wedodd hi fod amheuaeth am wir achos y farwolaeth. Ma hi am i Insbector Prior ei ffonio cyn gynted ag y daw e 'nôl o Lundain."

"Wel, wel. Ro'n i'n nabod Martin Thomas yn reit dda. Ni'n dou'n byw yn Esgair-goch; wrth gwrs, rodd e'n byw yn y Cnwc uwchben y pentre. Ma'r rhan fwya o feline fferm wynt Hyddgen yn mynd i gael eu codi ar dir y Cnwc, a'r tro diwetha weles i Martin odd yn y cyfarfod i roi caniatâd i'r datblygiad fynd yn ei flaen. Aeth y fôt o blaid y fferm wynt ac ar ôl rhyw damed bach o helynt aeth e o'r cyfarfod mewn hwylie da."

"Beth chi'n feddwl, 'tamed bach o helynt'?"

"Dim byd, mewn gwirionedd. Dyw pawb yn yr Esgair ddim o blaid datblygiad Hyddgen ac roedd 'na ychydig o weiddi a galw enwe. Ges i air ag un neu ddau ac fe dawelodd pethe. Aeth Martin mas o'r neuadd a dyna'r tro dwetha i fi 'i weld e."

* * *

Fel y tybiodd Akers, cyrhaeddodd Gareth a Mel yn gynnar yn y prynhawn. Trosglwyddwyd neges y Doctor ac yn dilyn sgwrs ffôn gydag Angharad Annwyl dywedodd Gareth, "Ma'n rhaid i ni fynd i Fronglais ar unwaith. Chi'n gwybod rhai o'r manylion yn barod, rwy'n credu, Akers. Gawn ni drafod yn sydyn yn y car."

Roedd morg Bronglais wedi'i guddio yng nghornel mwyaf di-nod yr ysbyty. Drws o bren tywyll, plât bychan yn cyfleu pwrpas y lle a chloch wrth ymyl y plât. Canodd Gareth y gloch a daeth technegydd at y drws wedi'i wisgo mewn gŵn a chapan gwyrdd a bŵts rwber gwyn. Tywysodd y technegydd y tri i swyddfa y tu draw i'r morg lle roedd Dr Annwyl yn disgwyl amdanynt.

"Pnawn da, Insbector, a chithau hefyd Sarjant Davies ac Akers. Diolch am ddod mor fuan. Fel sonies i wrth Akers, amheuon sy gen i am farwolaeth Mr Martin Thomas. Mewn gwirionedd, does dim amheuaeth. Dyma'r hyn ry'ch chi *yn* ei wybod. Daethpwyd â Mr Thomas yma ychydig wedi pedwar fore Mercher. Oherwydd bod archwiliadau ar y safle'n nodi iddo gael ei ladd o ganlyniad i ddamwain ffordd, wnes i ddim cychwyn ar y PM tan ganol prynhawn ddoe. Doedd dim rheswm dros ruthro ac roedd yn rhaid i Mr Thomas aros ei dro.

"Rŵan at yr hyn dy'ch chi *ddim* yn ei wybod. Fe wnes i'r archwiliad meddygol arferol a chanfod bod Mr Thomas mewn iechyd da; ar wahân i gytiau a chlwyfau ar ei dalcen doedd dim marciau ar y corff. Ond roedd yr archwiliad pelydr-x yn adrodd stori wahanol. Drychwch ar hwn."

Croesodd Dr Annwyl at sgrin ar y wal y tu ôl iddi a gosod cyfres o luniau pelydr-x arni. Daeth at lun o benglog, a chwyddo darn o'r llun i ddangos rhan isaf y benglog a'r gwddf mewn manylder. Gan ddefnyddio beiro pwyntiodd at asgwrn siâp pedol yng nghanol pen blaen y gwddf, ychydig o dan yr ên. "Dyma'r asgwrn hyoid, yr unig asgwrn yn y sgerbwd dynol nad yw'n gysylltiedig ag asgwrn arall – mae'n ca'l ei ddal yn ei le gan gewynnau'r thyroid. Deall?"

Nodiodd y tri ac fe aeth y doctor yn ei blaen. "Mae'r llun pelydr-x yn dangos yn glir bod yr asgwrn hyoid yng ngwddf Martin Thomas wedi'i dorri. Drychwch." Chwyddwyd y llun unwaith eto i ddangos yr asgwrn yn fwy manwl a gellid gweld rhwyg ar ei draws. "Oherwydd ei leoliad dyw'r asgwrn hyoid ddim yn agored i niwed damweiniol ac yn ddieithriad mae toriad yn golygu bod y person wedi cael 'i ladd yn fwriadol."

"Felly, Doctor, yr hyn ry'ch chi'n ei ddweud yw bod Martin Thomas wedi cael ei lofruddio?" gofynnodd Gareth.

"Cywir, mae bron yn sicr ei fod e wedi cael ei dagu o ganlyniad i rywun yn rhoi braich o gwmpas y gwddf o'r cefn a thynhau. Y term Saesneg yw *chokehold*. Galla i ddangos i chi sut mae'r weithred yn cael ei chwblhau. Insbector, eisteddwch yn y gadair fan hyn ac Akers, sefwch chi y tu ôl iddo. Akers, plygwch eich braich ar y benelin, ei rhoi mewn siâp V o gwmpas y gwddf a thynhau. Cymerwch ofal, plis – dwi ddim eisiau corff arall ar 'y nwylo heddiw."

Dilynodd Akers gyfarwyddiadau'r doctor ac ymhen eiliadau gellid gweld Gareth yn ymladd am ei anadl. "'Na ddigon. Mae'n dangos pa mor effeithiol a chyflym yw'r tagu. Mae'n gwasgu ar y bibell anadlu, yn rhwystro llif y gwaed yn y gwddf, a hwnnw yn ei dro'n atal llif y gwaed i'r ymennydd. Effaith – anymwybodol o fewn tua hanner munud, marwolaeth ymhen llai na dwy funud. Mae *chokeholds* yn beryglus dros ben a dyna pam maen nhw wedi ca'l eu gwahardd fel dull o reoli pobl anystywallt gan y rhan fwya o heddluoedd y byd gorllewinol."

Daeth Akers i mewn i'r drafodaeth. "Beth am yr esboniad cyntaf, sef bod Martin Thomas wedi marw mewn damwain ffordd?"

Atebodd Dr Annwyl, "Dyna lle mae'r llofrudd wedi ceisio bod yn glyfar. Ond doedd o ddim cweit digon clyfar. I gael y darlun cyflawn dewch drws nesa."

Drws nesa roedd y morg ei hun, ac er bod Gareth, Mel ac Akers wedi bod yno o'r blaen roedd y lle'n dal i ddanfon ysgryd lawr eu cefnau. Un rheswm am hynny wrth gwrs oedd y tymheredd isel, ac ar hyd y wal bellaf gellid gweld rhes o oergelloedd a label ar bob drws. Ffenestri uchel, teils gwyn ar y muriau a'r llawr ac yng nghanol y llawr roedd slab o farmor gyda goleuadau uwchben a thiwbiau islaw. Er bod y ffenestri agored yn sicrhau rhywfaint o awyr iach roedd arogl y cemegyn *formaldehyde* yn treiddio i bob twll a chornel.

"Dewch i mewn," gwahoddodd Dr Annwyl gan ychwanegu gyda hiwmor tywyll, "does neb arall yma ar wahân i'r truan ei hun." Cerddodd at fwrdd metel lle gorweddai corff Martin Thomas wedi'i orchuddio gan gynfasen werdd gyda dim ond yr wyneb yn y golwg. "'Nôl at ddiffyg clyfrwch y llofrudd. Drychwch ar hwn." Rhoddodd y Doctor ei llaw ar y cytiau a'r clwyf amlwg ar dalcen y corff. "Mae'r clwy'n unol ag anafiadau yn sgil damwain ffordd ac roedd adroddiad y plismyn ar y safle yn dweud nad oedd Mr Thomas yn gwisgo gwregys diogelwch. Yr hyn roedden ni i fod i'w dderbyn oedd bod Mr Thomas wedi brecio'n sydyn, sgidio, colli rheolaeth ar y cerbyd a tharo'i ben yn erbyn y llyw. Ond mae archwiliadau meicrosgop o'r clwy'n dangos olion hadau a phridd."

"A beth yw arwyddocâd hynny, Doctor?" holodd Gareth.

"Mae'r llofrudd yn dilyn y camau oedd i fod i'n twyllo ni i gredu mai damwain ffordd oedd achos y farwolaeth. Un o'r camau hynny oedd ergydio pen Mr Thomas yn erbyn rhan o du mewn y cerbyd i greu'r clwy – y llawr, o bosib. A dyna'r eglurhad am olion yr hadau a phridd ar y clwy."

"Felly, beth yw'ch dadansoddiad chi o'r digwyddiadau a arweiniodd at farwolaeth Martin Thomas?"

Meddyliodd Dr Annwyl am eiliad cyn ateb. "Ar hyn o bryd, dyma sut rwy'n gweld pethau. Mae Mr Thomas yn gyrru adref o gyfarfod yn Esgair-goch. Yn ddiarwybod iddo mae rhywun yn cuddio yng nghefn y landrofer. Mae'n stopio am ryw reswm, wn i ddim pam, mae'r llofrudd yn estyn o'r cefn gan roi braich o gwmpas ei wddf yn union fel y gwnaeth Akers i chi, Insbector. Wedyn yr ymgais i ffugio.

Dyna'r esboniad rhag blaen, Insbector, ond fe gewch chi adroddiad llawn o fewn deuddydd. Mae un peth yn hollol sicr – llofruddiaeth ac nid damwain oedd achos marwolaeth Martin Thomas."

Aeth pawb yn ôl i swyddfa Dr Annwyl, gyda'r tri ditectif yn falch o adael tawch annifyr y morg. "Diolch, Doctor," dywedodd Gareth. "Mae 'da fi ddau gwestiwn. Unrhyw syniad o amser y farwolaeth?"

"Yn fanwl, nag oes. Daethpwyd â Mr Thomas yma fel RTA ac fe fuodd e yn yr oergell am tua deg awr. Erbyn hynny roedd unrhyw dystiolaeth feddygol am amser y farwolaeth wedi hen ddiflannu. Mae'n debyg y bydd adroddiadau'r plismyn ar y safle yn rhoi gwell syniad."

Edrychodd Gareth ar Akers ac atebodd hwnnw, "Mae'r manylion gyda ni – bues i'n eu tsiecio nhw'n gynharach y pnawn 'ma."

"Yr ail gwestiwn, Insbector?" holodd Dr Annwyl.

"Y *chokehold*. Pa fath o berson fyddai'n gwybod am y dechneg? Ydy'r llofrudd yn debygol o fod yn arbenigwr mewn rhyw faes, neu a all unrhyw un ddysgu sut i neud y *chokeholds* 'ma?"

Gwenodd y meddyg. Trodd at y cyfrifiadur ar ei desg a symud y llygoden at eicon ar y sgrin i ddadlennu tudalen hafan Google. Teipiodd Angharad Annwyl y gair *chokehold* yn y bocs chwilio ac ar unwaith cafwyd yr wybodaeth:

> A chokehold is a grappling hold that strangles the opponent and can lead to swift unconsciousness and death. Chokeholds are used in martial arts, combat sports, and in hand to hand combat operations. Due to the risk of fatal injuries, virtually all western law enforcement agencies discourage, restrict or forbid its use.

"Dyna'r gwaharddiad ar y defnydd o'r dull gan heddluoedd. Am y gweddill, fe allai'r llofrudd fod yn cymryd rhan mewn campau fel jiwdo neu'n gyfarwydd ag ymladd. Does dim byd yn bendant. Gallai'r llofrudd fod wedi mynd at y cyfrifiadur a chael digon o wybodaeth yn y fan honno i feistroli'r dull."

Ymunodd Akers â'r drafodaeth unwaith eto. "Ydy hyn yn golygu ein bod ni'n chwilio am ddyn?"

"Yn fwy na thebyg, ond dwi ddim yn barod i fod yn bendant ar hyn o bryd. Rhaid cadw meddwl agored oherwydd bod 'na ffaith arall i'w hychwanegu. Mae *chokehold* yn gallu cael ei ddefnyddio gan unigolyn cymharol fychan o gorff yn erbyn person mwy. Felly, alla i byth â datgan i sicrwydd mai dyn neu ddynes yw'r llofrudd."

Mewn ymgais i grynhoi'r sylwadau'r Doctor, dywedodd Gareth, "Er mwyn i ni gael y cyfan yn glir, fe all y llofrudd fod yn ddyn neu ddynes, does dim rhaid iddo fe neu hi fod o gorff mawr, mae 'na bosibilrwydd o ddiddordeb mewn chwaraeon fel jiwdo ac fe allai e neu hi fod yn gyfarwydd ag ymladd. Dyna fel mae ar hyn o bryd, ie?"

"Ie, dim rhyw lawer, rwy'n cydnabod. Rwy wedi cymryd samplau o'r croen ar wddf Mr Thomas rhag ofn fod olion ffibrau neu rywbeth arall allai fod o help, ac wedi eu danfon i'r labordai yng Nghaerdydd i'w profi ar offer mwy soffistigedig nag sydd efo ni yma. Rwy'n gobeithio bydd y canlyniadau 'nôl yn fuan ac os oes 'na rywbeth i'w ychwanegu fe fydd yn yr adroddiad llawn. Gyda llaw, mae'n bwysig gwneud profion fforensig ar y landrofer."

Ffarweliodd y tri â Dr Annwyl ac wrth iddynt gerdded at y car roedd pob un ohonynt yn falch o gael bod allan yn yr awyr iach unwaith yn rhagor. Mel ofynnodd y cwestiwn amlwg, "Achos o lofruddiaeth, syr – ble dylen ni ddechre?"

"Y cam cynta yw cael manylion am symudiadau olaf

Martin Thomas. Akers, y ddau blisman a alwyd i'r ddamwain – enwe plis?"

"PC Gari Jones a PC Meic Jenkins."

"Trefnwch i'r ddau ddod i'r orsaf mor fuan â phosib. A hefyd, Akers, rhaid cael gafael ar y landrofer. Gwybodaeth am gefndir Martin Thomas, unrhyw syniadau?"

Eto, Akers atebodd, "Ma Tom Daniel yn byw yn Esgair-goch, roedd e'n adnabod Mr Thomas ac roedd e yn y cyfarfod yn neuadd y pentre y noson y lladdwyd e."

"Dyna'r cyfarfod y cyfeiriodd Dr Annwyl ato?"

"Ie. Chi wedi clywed, mae'n debyg, am y bwriad i adeiladu fferm wynt ar fynydd Hyddgen uwchben Esgair-goch?" Nodiodd Gareth a Mel. "Ma'r rhan fwya o'r meline'n mynd i gael eu codi ar dir Martin Thomas ac roedd cyfarfod wedi'i drefnu yn neuadd y pentre i roi caniatâd i'r datblygiad fynd yn ei flaen. Aeth y fôt o blaid, gadawodd Mr Thomas am adre'n syth wedyn ac ar y ffordd, wel, mae'r Doctor newydd roi'r fersiwn cywir o'r hyn ddigwyddodd."

* * *

Yn nerbynfa Swyddfa'r Heddlu roedd Tom Daniel yn ceisio tawelu meddwyn a oedd yn ymwelydd cyson â'r lle. Ar ôl cael gair byr gydag Akers trosglwyddodd y dasg amhleserus honno i blismon arall a dilyn y tri ditectif i'w swyddfa. Gareth siaradodd gyntaf. "Tom, ry'n ni newydd gael cadarnhad gan Dr Annwyl fod Martin Thomas wedi cael ei lofruddio. Mae Akers yn dweud 'ych bod chi'n ei nabod e ac wedi sôn am y cyfarfod hwnnw yn neuadd y pentre. Beth allwch chi ddweud wrthon ni am Martin Thomas ac am ei noson ola?"

Ar ôl clywed i sicrwydd fod Martin Thomas wedi cael ei lofruddio sylweddolodd Tom Daniel y byddai arwyddocâd arbennig i'w atebion, felly dechreuodd yn bwyllog, gan fesur ei eiriau'n ofalus. "Ganed a maged Martin Thomas yn Esgair-goch. Rodd y teulu'n byw ar y stad tai cyngor ac ro'n i'n nabod ei rieni'n dda – ma'r ddau wedi marw erbyn hyn. Teulu cymharol dlawd, y tad a'r fam yn gweithio'n galed i gadw'r blaidd o'r drws – fe fel gyrrwr tanceri llaeth a hithe fel glanhawraig yn y coleg. Martin odd yr unig blentyn a sticodd e ddim rhyw lawer yn yr ysgol – gadael yn un ar bymtheg a cha'l job fel labrwr gyda chwmni adeiladu lleol. Ath e i'r Coleg Addysg Bellach a dysgu'i grefft fel brici ac os rwy'n cofio'n iawn buodd 'na ryw sôn ei fod e'n mynd i ddechre'i gwmni adeiladu ei hunan. Ddath dim byd o hynny – dim digon o arian, mae'n debyg. Fel sonies i, rodd y teulu'n dlawd – ddim yn dlawd yn yr ystyr nad odd bwyd ar y ford ond do'n nhw ddim yn gallu fforddio llawer o foethe. Dim car, dim gwylie, a phrin y gwelech chi'r tad yn mynd mas am ddrinc i'r Farmers. Ac wedyn ath pethe o ddrwg i waeth – cafodd y tad drawiad ar y galon a bu'n rhaid i'r fam roi'r gore i'w gwaith i edrych ar ei ôl e. Ar ôl marwolaeth ei gŵr ceisiodd hi ga'l gwaith yn y pentre ond heb fawr o lwc. Martin odd yn dod â'r unig arian i'r tŷ."

Oedodd Tom Daniel gan greu'r effaith ei fod yn cychwyn ar bennod newydd yn yr hanes. "Wedyn, digwyddodd dau beth pwysig – Martin Thomas yn priodi Sulwen Morgan, y Pant, ac yn fuan ar ôl hynny prynon nhw fferm y Cnwc. Sulwen yw unig ferch Jac ac Eirlys Morgan, a'r Pant yw'r fferm orau yn yr Esgair – ma digon o gyfoeth fan 'na. Rodd Sulwen yn ferch ifanc hynod o bert ac yn ymddangos yn dipyn o *catch* i Martin. Ond nid fel 'na y trodd pethe mas. Rodd Jac ac Eirlys yn anfodlon gyda'r briodas, yn meddwl y galle'u merch fod wedi ca'l gwell gŵr na labrwr ac, yn ôl beth glywes i, oerodd y berthynas rhwng Sulwen a'i rhieni. Anaml iawn y bydden nhw'n mynd i'r Cnwc. Galw i weld yr wyrion o bryd i'w gilydd – ma 'na dri, Catrin, Nerys ac Iwan. Eto, yn ôl yr hanes, chododd Jac Morgan ddim bys bach i helpu Martin a Sulwen er y galle fe wneud hynny'n hawdd. Ma Jac Morgan yn ddyn caled, ac er ei fod e'n gefnog does byth digon o arian i ga'l iddo fe. Ei obaith mawr odd gweld Sulwen yn priodi mab un o ffermydd mawr yr ardal ac yn sgil hynny'n ymestyn tiroedd a chwyddo cyfoeth teulu'r Pant."

Edrychodd Mel yn ymholgar ar Tom Daniel. "Ond rodd gan Martin Thomas fferm. Dodd hynny ddim yn ddigon i Mr a Mrs Morgan?"

"Pan briododd Martin a Sulwen dodd dim fferm ganddyn nhw. Labrwr odd Martin ac fe ddechreuodd y ddau eu bywyd priodasol mewn tŷ cownsil ar y stad lle magwyd e. Gallwch chi ddychmygu nad oedd hynna'n plesio Jac ac Eirlys. Yn ail, fferm fynydd gyda thir gwael yw'r Cnwc ac roedd Martin a Sulwen yn gorfod gweithio'n galed i ga'l unrhyw elw mas o'r lle. Yn drydydd, ac rwy'n credu taw dyma'r ffaith bwysica, ma Jac Morgan yn ddyn capel mawr, yn ben-blaenor ac yn ffyddlon ymhob oedfa. Dodd teulu Martin byth yn tywyllu'r capel ac fe briododd Martin a Sulwen yn yr offis yn y dre yn hytrach nag yn y capel. Dodd hynny ddim yn ddechre da i'r berthynas rhwng y pâr priod a Mr a Mrs Morgan." Oedodd Tom Daniel unwaith yn rhagor ac ychwanegodd, gan fesur ei eiriau hyd yn oed yn fwy gofalus na chynt, "A bod yn gwbwl onest, y farn gyffredinol yn yr Esgair yw bod Jac Morgan yn fwy o gapelwr nag yw e o Gristion."

Roedd yr olwg ar wynebau'r lleill yn dangos bod y tri'n deall ystyr y sylw. Fodd bynnag, roedd un ffaith nad oedd yn eglur i Akers. "Os oedd Martin Thomas mor dlawd, shwt oedd e'n gallu fforddio prynu fferm?" holodd.

"Ie, pwynt teg, Clive. Ma un peth yn sicr, fydde fe ddim

wedi ca'l benthyciad o'r banc ac rodd y lle'n costio dros bedwar can mil. Y stori ar led ar y pryd odd bod gan dad Martin frawd yn ffermio yn Seland Newydd. Rodd y brawd hwnnw wedi marw a gadael pres i Martin yn ei ewyllys a dyna sut y prynwyd y Cnwc. Ac er bod y tir yn wael, gyda datblygiad y fferm wynt arfaethedig rodd Martin Thomas yn ishte ar ffortiwn."

"Be ddigwyddodd yn y cyfarfod yn neuadd y pentre?" holodd Gareth.

"Rodd y neuadd yn llawn dop ac mae'n bwysig i chi sylweddoli mai hwn odd y cyfarfod tyngedfennol. Ma'r Cynulliad a'r Cyngor Sir eisoes wedi rhoi sêl bendith ar y datblygiad. Yn y cyfarfod, tro'r trigolion odd hi i leisio barn ac yn bwysicach na dim rodd 'na bleidlais ar y diwedd. Rodd siaradwyr ar y llwyfan ac fe godwyd pwyntiau o'r llawr gan rai unigolion. Ath y fôt o blaid y fferm wynt. Yn agos, ond o blaid."

Ar orchymyn Gareth, estynnodd Akers ddarn o bapur a dechrau cymryd nodiadau.

"Ar y llwyfan yn llywio'r cyfarfod rodd Simon Parry, cadeirydd y Cyngor Sir. Wedyn Prys Ifans, gweinidog Plaid Cymru yn y Cynulliad gyda chyfrifoldeb am bolisi ynni, a dau gynrychiolydd o gwmni Caerwynt, buddsoddwyr yn y datblygiad; yr Arglwydd Gwydion, cadeirydd bwrdd Caerwynt a'r brif reolwraig, Sioned Athlon. Bu Prys Ifans, yr Arglwydd Gwydion a'r rheolwraig yn dadlau'r achos dros y fferm wynt a chafwyd cwestiynau am nifer y twrbeini a faint o swyddi fydde'n dod yn ei sgil – y sylwadau arferol gan y bobl arferol. Yna codwyd dau gwestiwn arall ac yn wyneb beth ddigwyddodd i Martin Thomas ma'r ddau'n bwysig.

"Yn gyntaf, Annabel Rhys, yr Henblas. Os oes 'na fyddigions yn yr Esgair, y Rhysiaid yw'r rheiny, ond dyw eu dylanwad nhw ddim beth odd e. Triodd Annabel Rhys awgrymu bod Caerwynt a Phlaid Cymru ym mhocedi'i gilydd – ond gwrthododd Ifans a Gwydion y cyhuddiad yn bendant. Beth bynnag, yr hyn sy'n allweddol yw bod Annabel Rhys a'i brawd Max yn groch yn erbyn y fferm wynt. Mae hi wedi arwain protest gyhoeddus yn erbyn y datblygiad a phob tro mae'r pwnc yn cael ei drafod ar y radio neu'r teledu, mae hi'n siŵr o gael ei phig i mewn. Mae hi'n rhoi'r argraff yn gyhoeddus taw poeni am faterion amgylcheddol y mae hi, ond ma pawb yn gwbod mai hunanoldeb sy wrth wraidd y cyfan. Bydd rhan helaeth o'r melinau ar fynydd Hyddgen yn cael eu gosod gyferbyn â'r Henblas a'r Rhysiaid yn colli golygfa berffaith. A dyma'r eironi – Annabel a Max werthodd fferm y Cnwc i Martin Thomas yn y lle cynta, ac ma 'na rai yn Esgair-goch sy'n ddigon parod i ddweud bod y Rhysiaid wedi tynnu'r cyfan ar eu pennau'u hunain a'i bod hi'n rhy hwyr iddyn nhw brotestio nawr."

"Diddorol. Do'n i ddim yn sylweddoli bod y datblygiad wedi creu'r fath gynnen," dywedodd Gareth.

"Dy'ch chi ddim yn gwbod ei hanner hi, ac ma hynna'n dod â fi'n dwt at yr ail sylw. Seth Lloyd, Pen Cerrig, daniodd yr ergyd. Lloyd yw cymydog Martin Thomas a'i elyn penna. Pan ddaeth y Cnwc ar y farchnad rodd pawb yn meddwl mai Lloyd fydde'n bachu'r lle – rodd tir y Cnwc a Phen Cerrig yn ffinio a bydde dod â'r llefydd at ei gilydd yn creu un fferm ddeche yn hytrach na dwy fferm dlawd. Ond reit ar y funud ola dyma Martin yn cynnig mwy o arian a Seth Lloyd yn colli'r lle. Felly rodd 'na elyniaeth o'r cychwyn cynta ac, yn naturiol, rodd datblygiad Hyddgen yn dân ar groen Lloyd. Nid yn unig rodd e wedi colli'r Cnwc ond nawr rodd e'n mynd i golli incwm sylweddol y fferm wynt hefyd."

“Ro’ch chi’n sôn am ergyd, Tom,” dywedodd Mel, “allwch chi gofio union eirie Seth Lloyd?”

“Gallaf. Buodd e’n hwthu a mwgu am sut bydde’r datblygiad yn anharddu’r Esgair gan ennyn dipyn o chwerthin ymhlith y gynulleidfa. Dyw Lloyd ddim ar flaen y gad fel gwarchodwr byd natur, ac mae Pen Cerrig yn domen o hen beiriannau a sbwriel dros y lle i gyd. Wel, bu bron iddi fynd yn ergydio rhwng y ddau ar ôl i’r cyfarfod ddod i ben a dyna’r helynt drafodes i gyda Clive.”

Edrychodd Gareth a Mel ar Akers a dywedodd hwnnw, “Ie, ond pan sonioch chi am y peth yn gynharach, Tom, doeddech chi ddim yn meddwl bod hynny’n arwyddocaol, mewn gwirionedd.”

“Rodd hynny cyn i fi wybod bod Martin Thomas wedi ca’l ei lofruddio, Clive. Ma’r sefyllfa’n wahanol nawr. Beth bynnag, dyma ddigwyddodd. Rodd Martin Thomas ar fin gadael y cyfarfod ond rodd Lloyd yn barod amdano fe wrth ddrws cefn y neuadd. Trodd pethe’n gas, gyda Lloyd yn rhegi a thaflu pob math o ensyniade at Martin. Bu’n rhaid i fi ddod rhwng y ddau i atal y cweryl rhag troi’n ffeit.”

Gan lawn sylweddoli arwyddocâd hyn, pwysodd Gareth am fwy o fanylion. “Allwch chi gofio’n union beth ddwedodd Lloyd? Odd ’na fygythiad?”

“Yn bendant. Addawodd Seth Lloyd y bydde fe’n gwneud popeth posib i atal y datblygiad a dweud y dyle Martin Thomas a’i deulu wylio pob cam o hyn allan. Gofynnodd Martin odd e’n ei fygwth ac atebodd Lloyd, ‘Wrth gwrs ei fod e’n ffycin bygythiad, y cont’. Ma’n flin ’da fi am yr iaith ond ’na’i union eirie fe. ’Na pryd y torres i ar draws yr helynt a rhybuddio Lloyd i adael y neuadd heb ragor o stŵr. Gadawodd Martin yn fuan ar ôl hynny a dyna’r tro ola i fi’i weld e’n fyw.”

“Felly,” dywedodd Gareth, “mae’n deg dweud nad odd Martin Thomas yn brin o elynion?”

“Yn brin o elynion? Nag odd glei! Yn ogystal â’r Rhysiaid a Seth Lloyd a’i deulu ma gyda chi Gyfeillion y Ddaear yn poeni am effaith y datblygiad ar fywyd gwyllt yr ardal a grŵp yn y pentre o’r enw Glasgwell – y teip gewch chi ym mhobman yn cwyno am ostyngiad yng ngwerth eu tai a’r ffaith y gallen nhw golli derbyniad teledu lloeren. Fel tasai hwnnw’r peth pwysica’n y byd. Dyw e ddim yn ormod i ddweud bod datblygiad Hyddgen wedi hollti Esgair-goch ac rodd Martin Thomas yng nghanol yr holl fusnes.”

“Diolch, Tom, defnyddiol dros ben. Mae hynna’n rhoi mwy na digon o *leads* i ni.”

Dychwelodd Tom Daniel at ei ddyletswyddau ac aeth Gareth yn ei flaen. “Ma ’na nifer o agweddau sy angen sylw pellach. Fel hyn rwy’n gweld man cychwyn yr achos – cael y ddau blisman, Jones a Jenkins, i mewn, trefnu archwiliad fforensig ar y landrofer, a dilyn trywydd Seth Lloyd a’r Rhysiaid. Ac wedyn bydd raid i ni ddysgu popeth allwn ni am ran gwmni Caerwynt yn y datblygiad. Cytuno?”

Nodiodd Mel ac Akers, ac ychwanegodd Gareth, “Ac wrth gwrs, fe fydd yn rhaid i rywun fynd i ddweud wrth Sulwen Thomas nad damwain ffordd oedd achos marwolaeth ei gŵr.”

# Pennod 5

"PAM STOPIODD MARTIN Thomas ar ffordd fynyddig ar noson lawog?" gofynnodd Mel. "Dwi ddim yn deall. Rodd e'n gyfle perffaith i'r llofrudd estyn o'r cefn a'i ladd. A sut odd y llofrudd yn gwbod ei fod e'n mynd i stopio?"

Akers atebodd. "Dyw hyn ddim llawer o help falle, ond galla i feddwl am sawl rheswm – rhywbeth yn bod ar y landrofer, symud i'r ochr i adael i gar arall basio neu lanhau'r sgrin. Neu falle doedd pethau ddim fel yr awgrymodd Dr Annwyl – falle bod y llofrudd wedi bygwth Martin Thomas a gwneud iddo stopio."

Synfyfyriodd Gareth cyn ychwanegu, "Cywir, Clive, ond ystyriwch rywbeth arall. Pam ma unrhyw un yn stopio'r dyddie hyn?"

"I ddefnyddio ffôn, wrth gwrs."

"Nawr, os y'ch chi'n derbyn hynna fel y rheswm dros stopio, rodd y llofrudd *yn* gwybod bod Mr Thomas yn mynd i wneud neu dderbyn galwad ar yr union amser yna, neu'n agos at yr amser. Dilynwch y ddadl ymhellach – y posibilrwydd fod y llofrudd yn nabod Mr Thomas yn dda, a hyd yn oed os nad odd yn ei nabod rodd e'n gwybod am ei symudiadau. Yn gwybod ei fod e yn y cyfarfod, yn gwybod ei fod wedi gadael neu o bosib yn 'i wylio fe'n gadael."

"Rhywun odd yn y cyfarfod, felly?" holodd Mel.

"Dyna'r man cychwyn, ie, ond rhaid meddwl yn ehangach. Galle'r llofrudd fod wedi cuddio yng nghab y landrofer yn ystod y cyfarfod. Neu sleifio allan o'r neuadd a chuddio ar y funud ola."

Roedd Akers yn amheus. "Tipyn o risg, syr. Galle rhywun

fod wedi'i weld e. Beth am y lleill oedd yn gadael ar yr un pryd? A beth petai Martin Thomas wedi cymryd cip yn y cab cyn dechre ar ei siwrne?"

"Wel, rodd hi'n noson dywyll a gwlyb. A ble rodd Martin Thomas wedi parcio'r landrofer? Falle ei fod o olwg pawb ac fe fyddai'n ddigon hawdd i berson neidio i'r cefn heb i neb sylwi. Ac o ran edrych yn y cab, wel, fyddech chi'n debygol o wneud hynny? Na, y peth naturiol fydde rhedeg rhag y glaw, neidio'n syth i sedd y gyrrwr a chychwyn am adre. I ddychwelyd at y rhesymau dros stopio, dwi'n cytuno, gall fod sawl rheswm ond mae galwad ffôn yn sicr yn un ohonyn nhw. Ma'n rhaid chwilio am ffôn symudol yn y landrofer ac ym mhocedi Martin Thomas. Akers, allwch chi fynd ar ôl yr atebion, plis?"

"Ma'r landrofer yn y garej tu allan ac ma'r criw fforensig wrth eu gwaith nawr. Fe af i'w holi nhw ac yna rhoi galwad i Dr Annwyl ym Mronglais."

Wrth i Akers adael y swyddfa cafwyd cnoc ysgafn ar y drws a daeth Gari Jones a Meic Jenkins i mewn. Gwahoddodd Gareth y ddau i eistedd a throi atynt, "Ry'ch chi wedi clywed, mae'n siŵr, mai mwrdwr ac nid damwain odd achos marwolaeth Mr Martin Thomas?" Nodiodd y ddau. "Dwi am i chi fynd 'nôl at y noson ar y mynydd a mynd dros beth yn union weloch chi."

Cychwynnodd Gari Jones ar yr hanes – roedd y ddau wedi delio â ffrwgwd mewn tŷ yn y Borth ac ar y siwrne 'nôl i'r orsaf derbyniwyd yr alwad i fynd i Esgair-goch. Teithio drwy'r pentref ac at y lle nesaf, Drosgol, ac yna troi'n ôl a gyrru at hewl y Cnwc. Gweld yr olion brecio ar y ffordd ac, islaw, y landrofer wedi llithro i lawr y dibyn. Y ddau'n mynd i lawr at y cerbyd a gweld corff Martin Thomas yn sedd y gyrrwr.

"Shwt o'ch chi'n gwbod i sicrwydd taw 'na pwy odd e?" gofynnodd Mel.

Meic Jenkins atebodd, gyda thinc o wawd yn ei lais, "Wel, boi mewn landrofer, rodd 'na siawns dda, on'd odd e? Ma 'da fi frawd yn byw yn Esgair ac ro'n i wedi gweld Martin Thomas yn yfed yn y Farmers, tafarn y pentre."

Siaradodd Mel eto. "Syniad o amser hyn i gyd? P'un ohonoch chi sylweddolodd ei fod e wedi marw?"

"Agos at chwarter i bedwar," atebodd Gari. "Es i mewn i'r cab, a rhoi bys ar wddf Mr Thomas i chwilio am bŷls a theimlo dim. Aethon ni'n dau lan at y car a galw am yr ambiwlans – a cyn i chi ofyn, na, naethon ni ddim cyffwrdd ag unrhyw beth."

Roedd Gareth yn awyddus i holi ymhellach. "Beth am ddillad Mr Thomas? Oedden nhw'n wlyb neu'n sych? A'i sgidie fe – olion mwd arnyn nhw?"

Doedd y ddau ddim yn deall arwyddocâd y cwestiynau. "Sori, ond sai'n gweld be sy 'da chi nawr, syr," dywedodd Gari.

"Petai dillad Mr Thomas yn wlyb, bydde siawns dda ei fod e wedi bod allan o'r cerbyd am gyfnod o amser, cyn neu ar ôl iddo fe gael ei ladd. Gallai mwd ar ei sgidie ddangos ei fod e wedi cael ei lusgo 'nôl mewn i'r landrofer."

Glynodd Gari at fersiwn gwreiddiol ei stori. "Naethon ni ddim sylwi ar y dillad; fel wedes i, naethon ni ddim cyffwrdd ag unrhyw beth ac felly mae'n anodd ateb. Wrth gwrs, pan gariwyd Mr Thomas o'r cerbyd rodd hi'n bwrw'n drwm. Cafodd ei ddillad eu gwlychu bryd hynny."

"Weloch chi ffôn symudol yng nghab y landrofer, cyn neu ar ôl symud y corff? Neu glywed ffôn yn disgyn wrth symud y corff?"

Edrychodd Gari a Meic y naill ar y llall cyn i Meic ateb,

"Naddo, dodd dim golwg o ffôn yn y cab nac ar y llawr. Ond cofiwch, rodd hi'n dywyll ac yn bwrw'n drwm a galla i ddim rhoi ateb pendant, syr."

"Un cwestiwn arall, ac rwy'n siŵr eich bod chi'n cytuno bod hyn yn hynod o bwysig. Weloch chi, neu glywoch chi, unrhyw un arall yn y cyffinie?"

Fel petai'r ddau mewn parti llefaru, atebodd Gari a Meic gyda sicrwydd, "Naddo, syr, neb o gwbl."

* * *

Yn union wedi i'r plismyn ddychwelyd at eu gwaith gadawodd Gareth a Mel am fferm y Cnwc. Roedd car Gareth – Mercedes Coupé glas tywyll – ym maes parcio'r orsaf, ac wrth i'r ddau gerdded tuag ato camodd Gareth i ochr y teithiwr ac agor y drws yn gwrtais i Mel. Eisteddodd hithau yn y sedd ledr foethus, caeodd Gareth y drws a chroesi i sedd y gyrrwr. Taniodd y peiriant a gyrru o'r maes parcio.

Roedd Gareth yn canolbwyntio ar yrru trwy draffig Aberystwyth ac ni ddywedodd air tan iddynt ddringo rhiw Penglais a disgyn yr ochr draw ar y siwrne fer i Esgair-goch. Cychwynnodd gyda rhywfaint o swildod, "Mel, dwi am ddweud... hynny yw... byddwn i wedi dweud ar y trên ar y ffordd adre o Lundain ond rodd 'na bobl o gwmpas drwy'r amser. Beth dwi'n trio dweud yw gymaint y gwnes i fwynhau dy gwmni di. A diolch... diolch am bopeth." Gwridodd. "Mae'n flin 'da fi, dwi ddim yn dda iawn am fynegi fy nheimladau."

Edrychodd Mel arno gyda gwên chwareus ar ei hwyneb. "Does dim angen i ti ymddiheuro. Ac o beth alla i gofio, dodd gyda ti ddim problem yn dangos dy deimladau pwy nosweth." Pwysodd draw a rhoi'i llaw yn ysgafn ar ei fraich.

"A bod yn onest, Gareth Prior, wnes i fwynhau cymaint â ti."

Wrth i Gareth deimlo cyffyrddiad ei llaw, llifodd yr atgofion yn ôl. Roedd am ddangos nad rhyw garu un-noson oedd y cyfan; roedd am iddi wybod ei fod o ddifrif.

"Ddoi di draw i'r fflat heno am bryd ysgafn – hynny yw, os nad oes gyda ti drefniadau eraill?"

"Bydden i wrth 'y modd."

Heb air pellach gyrrodd Gareth yn ei flaen drwy bentref Esgair-goch a throi am ffordd y mynydd. Ar unwaith bron gwelsant stribedi'r olion brecio y soniodd Gari a Meic amdanynt. Aeth y ddau allan o'r Merc ac edrych ar y llethr islaw. Roedd yr olygfa'n union fel y disgrifiwyd hi gan y plismyn – toriad yn y ffens, boncyff bychan ar ochr y ffordd wedi hollti ac, yn nes i lawr, un arall mwy sylweddol. Gellid gweld bod y glaswellt wedi'i wastatáu gan y traed yn dringo o fan gorffwys y landrofer at y ffordd.

"Bydd raid gwneud archwiliad o'r safle," dywedodd Gareth, "ond dwi ddim yn obeithiol; gormod o gerdded 'nôl a mla'n, ac mae amser a'r tywydd yn ein herbyn. Ond rhaid rhoi cynnig arni, yn enwedig i weld a oes ffôn lawr 'na."

Ailgychwynnwyd y car ac ymhen rhyw hanner milltir daethpwyd at glos y Cnwc. Roedd Audi newydd sbon wedi'i barcio ger un o'r tai allan ond doedd dim golwg o neb a'r lle'n hollol dawel Yna, torrwyd ar draws y tawelwch gan ddau gi defaid ac fe dywyswyd Gareth a Mel at ddrws cefn y tŷ gan y cŵn a oedd erbyn hyn yn cyfarth yn ddi-baid. Agorwyd y drws gan ddyn tal, tenau a edrychai fel enghraifft nodweddiadol o ffermwr cefnog. Gwisgai siwt frethyn o liw brown tywyll, crys â phatrwm sgwarog a thei felen wedi'i haddurno â lluniau bychain o lwynogod. Ond yr wyneb yn hytrach na'r wisg a ddenodd sylw Gareth – wyneb tenau, llygaid tywyll treiddgar, trwyn pigfain, hollt o geg, a'r cyfan yn cyfleu naws caled a garw.

Gwaeddodd y dyn yn gras ar y cŵn, "Jess, Ffan, 'na ddigon!" ac yna trodd at yr ymwelwyr a holi'n swta, "Ie?"

"Mr Jac Morgan, ie?"

Nodiodd y gŵr. Dangosodd y ddau eu cardiau warant a dywedodd Gareth, "Ditectif Insbector Gareth Prior a Ditectif Sarjant Meriel Davies. Ry'n ni wedi dod i gael gair gyda Mrs Sulwen Thomas."

"All hyn ddim aros? Ma pethe'n anodd 'ma dan yr amgylchiade."

"Ma'r ddau ohonon ni'n sylweddoli hynny, Mr Morgan, ond gan fod hyn yn ymwneud â marwolaeth Mr Martin Thomas rwy'n ofni y bydd raid i ni siarad â Mrs Thomas ei hun."

Cododd Jac Morgan ei aeliau – mewn chwilfrydedd ai mewn rhyfeddod, ni ellid dweud. Am eiliad ni symudodd oddi ar drothwy'r drws ac yna, yn araf, camodd yn ôl i arwain y ddau blismon i gegin y ffermdy. Eisteddai gwraig yn ei phedwardegau o flaen yr Aga. Roedd ei galar yn eglur, gydag ymylon ei llygaid yn goch, ei hysgwyddau'n grwm a golwg o straen ac anobaith llwyr ar ei hwyneb. Y tu ôl iddi safai ei merch, Catrin, hithau hefyd yn agos at ddagrau, ond yn ymwybodol bod yn rhaid iddi ddangos rhywfaint o ddewrder i gynnal ysbryd ei mam. Yn y stafell drws nesa gellid clywed sŵn rhaglen deledu, lleisiau plant iau a, bob yn hyn a hyn, llais gwraig hŷn – y fam-gu, Eirlys Morgan, mae'n siŵr. Edrychodd Sulwen a Catrin ar yr ymwelwyr mewn syndod ac yna cyflwynwyd y ddau gan Jac Morgan:

"Sulwen, dyma Insbector Gareth Prior a Sarjant Davies. Ma'n nhw am ga'l gair am farwolaeth Martin. Wedes i nad odd hi'n gyfleus, ond roedden nhw'n mynnu."

Ni ddywedodd Sulwen Thomas air a gwyddai Gareth na allai bellach osgoi trosglwyddo'r wybodaeth a fyddai'n sioc aruthrol iddi. "Mrs Thomas, mae'n flin gyda ni ddod ar eich traws… ym, ond mae 'na achos cryf i gredu nad damwain ffordd odd achos marwolaeth eich gŵr, ond llofruddiaeth."

Bu distawrwydd llethol, gyda Sulwen Thomas a'i merch yn rhythu ar ei gilydd cyn i'r ddwy ddechrau beichio crio. Closiodd Catrin at ei mam ac roedd poen y ddwy'n amlwg; er iddynt glywed a deall y geiriau, roeddent rywfodd wedi methu ag amgyffred arwyddocâd y neges. Er gwaethaf eu gofid, sylwodd Gareth a Mel na wnaeth Jac Morgan unrhyw beth i gysuro'i ferch na'i wyres, dim ond holi'n oeraidd, "Shwt allwch chi fod yn siŵr?"

Nid oedd Gareth am orfanylu. "Mae'r archwiliad *post mortem* – mae hynny'n arferol yn sgil marwolaeth sydyn – yn dangos bod Mr Thomas wedi cael ei ladd yn y landrofer."

Fel petai'n fwriadol am achosi mwy o boen i'w ferch a'i wyres, gofynnodd Jac Morgan yr eilwaith, "Shwt?"

Tynnodd Gareth anadl ddofn. Roedd y cwestiwn wedi'i ofyn ac felly nid oedd dewis ganddo ond ateb. "Mae'r ymchwiliadau cychwynnol yn dangos bod rhywun wedi cuddio yng nghab y landrofer, wedi estyn o'r cefn a thagu Mr Thomas i farwolaeth."

Edrychai Sulwen a Catrin Thomas fel petaent ar fin llewygu a chroesodd Mel at y sinc i nôl glasied o ddŵr bob un iddynt. O dipyn i beth tawelodd y ddwy ac yna dywedodd Gareth, "Mrs Thomas, mae'n wir flin 'da ni. Dwi'n gwybod bod hyn yn anodd ond gobeithio y byddwch chi'n sylweddoli bod rhaid i ni fynd ar ôl un neu ddau o fanylion."

Edrychodd Sulwen Thomas arno'n fud cyn ateb yn fecanyddol, "Odw, dwi'n deall."

"Allwch chi fynd dros bopeth ddigwyddodd nos Fercher ddwetha?"

Dechreuodd Sulwen Thomas adrodd yr hanes. Martin yn gadael am y cyfarfod tyngedfennol yn neuadd y pentre a Catrin a hithau'n disgwyl yn eiddgar amdano er mwyn cael canlyniad y bleidlais. Catrin yn mynd i'w gwely a hithau'n gwneud paned. Syrthio i gysgu o flaen yr Aga, dihuno am chwarter i ddau a sylweddoli, gyda braw, nad oedd ei gŵr wedi cyrraedd adre. Codi Catrin o'i gwely a'r ddwy'n mynd allan i chwilio amdano. Doedd dim golwg ohono, felly dyma ffonio'r heddlu yn Aberystwyth. Y bennod olaf yn yr hanes hunllefus oedd rhedeg i lawr y ffordd a dod ar draws y plismyn a'r parafeddygon yn cario corff ei gŵr i mewn i'r ambiwlans.

"Diolch, Mrs Thomas, alla i ddeall nad odd hynna'n hawdd. Ma 'na ambell bwynt arall, ond cyn dod at y rheiny, a oedd gan Mr Thomas ryw fath o swyddfa yn y tŷ? Fyddech chi'n fodlon i Sarjant Davies wneud archwiliad o'r lle?"

Gwrthwynebodd Jac Morgan ar unwaith. "Dwi ddim yn credu bod hynna'n iawn. Oes rhaid i chi gael *search warrant* neu rywbeth?"

"Chi'n hollol gywir, Mr Morgan, ac fe allwn ni gael gwarant, dim problem. Ond bydd hynny'n cymryd amser, a'n pwrpas ni dros ofyn nawr yw cyflymu'r broses o ddod o hyd i'r llofrudd."

"Sulwen, dwi ddim yn credu y dylet ti roi caniatâd. Ma 'na bethe preifat lan fan 'na."

Syllodd Sulwen Thomas yn hurt ar ei thad cyn datgan yn benderfynol, "Dy'ch chi ddim yn gweld, Dad? Nid preifatrwydd sy'n bwysig, ond ffeindio'r person nath ladd Martin. Ma'r swyddfa lan lofft, Sarjant. Aiff Catrin gyda chi i ddangos y ffordd."

Prin y gellid galw'r stafell yn swyddfa – doedd hi'n ddim llawer mwy na sgwaryn bychan gyda ffenest yn edrych allan dros y clos ar y wal bella, a hen ddesg a silffoedd ar hyd wal arall. Ar ôl tywys Mel, aeth Catrin yn ôl at ei mam a dechreuodd Mel ar y gwaith o fynd drwy'r cyfan gyda chrib fân. Roedd y silffoedd yn drwm o ôl-rifynnau'r *Farmer's Weekly*, cylchlythyrau o Adran Cefn Gwlad y Cynulliad, dau lyfr ar fanteision ynni gwynt, a bocs o doriadau papur newydd am ddatblygiad Hyddgen. Dim byd llawer fan 'na, dywedodd Mel wrthi'i hun, ond rhoddodd y bocs toriadau o'r neilltu gan feddwl y gallai fod yn ddefnyddiol. Dechreuodd chwilota drwy ddroriau'r ddesg a chanfod y petheuach arferol – papur sgwennu, beiros, pensiliau a chasgliad o fandiau rwber. Aeth o un drôr i'r llall heb weld dim byd o werth cyn dod at y drôr gwaelod ar yr ochr dde. Synnodd o weld bod hwnnw wedi'i gloi. Symudodd Mel y pentwr papurau ar y ddesg a gweld bwndel o allweddi ar ddolen. Rhoddodd gynnig ar un allwedd ar ôl y llall, gan lwyddo ar y pedwerydd cynnig, a gyda chlic agorodd y drôr yn rhwydd. Bu'n rhaid i Mel dwrio drwy bentwr o filiau a bonion llyfrau siec cyn gweld dwy ffeil drwchus – un yn cynnwys cyfrifon ym manc Marcher yn enw Martin a Sulwen Thomas a'r llall yn dwyn y teitl 'Cytundeb rhwng Martin a Sulwen Thomas a Caerwynt Cyf'. Rhoddodd y ddwy ffeil gyda'r bocs toriadau ac yna trodd at y gliniadur ar y ddesg – yr unig beth oedd ar ôl bellach heb ei archwilio. Agorodd y clawr a gwasgu botwm i droi'r peiriant ymlaen gan ddatgelu'r *screensaver* – llun o'r trên bach yn esgyn tuag at gopa'r Wyddfa. Cliciodd ar yr eicon *My Computer* a chlicio eto i ddangos cyfresi o ffolderi a ffeiliau'n ymwneud â manylion rhedeg y fferm a dwy ffolder gyda'r enwau <Caerwynt 1> a <Caerwynt 2>. Sylweddolodd y gallai'r rhain fod yn hynod berthnasol i'r ymchwiliad a bod angen amser i fynd drwyddynt yn fanwl. Caeodd y gliniadur a'i osod gyda'r bocs toriadau a'r ddwy ffeil bapur.

Roedd Catrin yn aros amdani ar dop y stâr, yn dal llythyr yn ei llaw. "Dath hwn gyda'r post heddi," meddai. "Wnes mo'i ddangos e i Mam, ma gyda hi ddigon ar ei meddwl yn barod."

Rhoddodd yr amlen i Mel. Doedd y marc post ddim yn eglur ond roedd yr enw a'r cyfeiriad yn ddigon plaen – Martin Thomas, Y Cnwc, Esgair-goch, Ceredigion. Cyn cyffwrdd â'r papur tu mewn, gwisgodd Mel bâr o fenig rwber ysgafn. Dim ond wedyn y gafaelodd yn y dudalen wen o'r amlen a darllen y geiriau:

*NO TO HYDDGEN WIND FARM. THE FIGHT-BACK STARTS NOW.*

Roedd pob llythyren wedi'i thorri allan yn unigol o benawdau papur newydd a'r cyfan wedi'u gludo at ei gilydd i greu'r neges. Edrychodd Mel ar y geiriau am eiliad cyn gofyn i Catrin, "Unrhyw syniad pwy alle fod wedi anfon hwn?"

Edrychai Catrin fel petai ar fin enwi rhywun ond ailfeddyliodd. "Galle hi fod yn rhestr hir. Dwi'n siŵr eich bod chi wedi clywed yn barod bod Dad wedi gneud lot o elynion gyda datblygiad y fferm wynt. Felly, nago's, dim syniad pendant."

Rhoddodd Mel y llythyr yn ei phoced yn ofalus a dychwelodd y ddwy i'r gegin lle roedd Gareth yn dal i holi, Sulwen Thomas yn dal i ateb yn dawel a Jac Morgan yn dal i wylio fel barcud. Dangosodd Mel y gliniadur a'r ffeiliau i Sulwen gan ddweud, "Mrs Thomas, gyda'ch caniatâd chi hoffwn fynd â'r rhain i Swyddfa'r Heddlu i wneud archwiliad manwl. Bydd y cyfan yn cael ei gadw'n ddiogel ac, wrth gwrs, yn gwbwl gyfrinachol."

Taflodd Sulwen Thomas olwg ar y pentwr cyn dweud, "Ie, ewch â nhw – unrhyw beth allai fod o help."

Cododd Gareth ond cyn gadael roedd am ddilyn dau drywydd arall. "Mrs Thomas, odd gan eich gŵr ffôn symudol?"

"Odd. A dweud y gwir rodd Catrin a finne'n disgwyl iddo'n ffonio ni'n syth ar ôl y cyfarfod."

"Felly, rodd y ffôn gyda fe?"

"Wel nag odd, Insbector, a dyna pam nath e ddim ffonio. Gadawodd Martin mewn hast ac fe anghofiodd e'r ffôn. Druan â fe, ddath e byth i'r arfer o'i gario fe, a nawr..."

"Mrs Thomas, un peth arall," dywedodd Gareth. "Pam aethoch chi allan yr eildro i chwilio am eich gŵr?"

Plethodd a dadblethodd Sulwen Thomas y macyn yn ei dwylo sawl gwaith cyn ateb. "Alla i ddim egluro pam, ond rodd gyda fi'r teimlad ym mêr 'yn esgyrn bod rhywbeth ofnadw wedi digwydd. Allwn i byth eistedd yn y tŷ un funud arall – rodd rhaid i fi fynd i weld. Allwch chi ddeall hynny, Insbector?"

"Galla, wir. Diolch am ateb mor onest ac am fod mor barod i helpu. A diolch i ti, Catrin. Mae'n flin gyda ni am orfod dod ar eich traws. Byddwn ni'n cadw mewn cysylltiad ac mae'n bosib y bydd raid eich holi ymhellach."

Roedd Sulwen Thomas eisoes wedi troi 'nôl i gell ei galar. Arweiniwyd Gareth a Mel at y drws gan Jac Morgan. Dywedodd yn yr un llais cras ag o'r blaen, "Gobeithio na fydd raid i chi boeni lot rhagor ar Sulwen a'r teulu. A gobeithio y byddwch chi'n cadw'r papure'n saff. 'Sen i wedi ca'l 'yn ffordd, fyddech chi ddim wedi ca'l mynd â nhw."

Atebodd Gareth yn amyneddgar ond yn bendant, "Mr Morgan, dim ond un pwrpas sydd dros gael y papure, sef gweld a oes rhywbeth yn eu plith all fod o help i ddod o hyd i lofrudd eich mab-yng-nghyfraith. Rhywbeth y byddech chi, gymaint â ni, yn awyddus i'w wneud, dwi'n siŵr."

Ni chafwyd ymateb gan Jac Morgan. Yn hytrach, edrychodd dros ysgwydd Gareth at y Mercedes gan ddweud yn wawdlyd, "Plismona'n talu'n dda, mae'n amlwg."

Syllodd Gareth a Mel arno'n syfrdan. Ni allai Gareth wrthsefyll y demtasiwn a chan edrych draw at yr Audi newydd yn y clos dywedodd, "Efallai'n wir, Mr Morgan, ond dim cweit cystal â ffermio."

Trodd Jac Morgan ar ei sawdl a dychwelyd i'r tŷ. Erbyn hyn roedd ei wraig, Eirlys a'r ddau blentyn iau, Nerys ac Iwan, wedi ymuno â'r lleill. Rhedodd y ddau fach at eu mam a daeth cysgod o wên dros wyneb Sulwen. Gofynnodd Nerys, yr hynaf o'r ddau, "Mam, pryd ma Dad yn dod 'nôl?"

Roedd y distawrwydd a'r lletchwithdod yn iasol. Mwythodd Sulwen wallt golau ei merch a dweud, "Nerys cariad, dwi wedi trial egluro na fydd Dad *yn* dod 'nôl. Mae e… mae e wedi marw a'r cyfan allwn ni neud nawr yw cofio am Dad a'i gadw fe'n agos aton ni fel 'na."

"Fi'n cofio Dad, *fi'n* cofio Dad," llafarganodd Iwan. "O'n ni'n ca'l sbri gyda Dad on'd o'n ni, Nerys?"

Gafaelodd Catrin yn nwylo'r ddau fach, "Dewch, beth am ga'l gêm o *Happy Families*? Chi'n licio *Happy Families* on'd y'ch chi?"

Gadawodd y ddau'n llawen yng nghwmni eu chwaer hŷn; ar y foment honno roedd gêm o *Happy Families* yn fwy apelgar na realiti a thrallod teulu go iawn. Torrodd Jac Morgan ar draws y tawelwch lletchwith yn y gegin. "Sulwen, ddylet ti ddim fod wedi gadael i'r plismyn fynd â'r ffeiliau a'r compiwtar. Welest ti beth odd un ohonyn nhw – y cytundeb gyda Caerwynt. Duw a ŵyr beth ddaw i'r golwg."

"Beth sy'n bod, Dad? Ofni gollwch chi mas mewn rhyw ffordd ar ddêl y ffermydd gwynt?"

Am y tro cyntaf, siaradodd Eirlys Morgan. "Dyw hynna ddim yn deg, Sulwen..."

"Ody, Mam, yn hollol deg. Dy'ch chi ddim wedi twyllu'r lle 'ma ers misoedd. Pan odd gwir angen help ar Martin a finne, naethoch chi ddim codi bys bach. A nawr, pan ma'r sefyllfa'n wahanol a dyfodol y ffarm yn edrych yn well, ry'ch chi 'ma. Peidiwch â chamddeall, dwi'n ddiolchgar i chi am ddod i roi help llaw gyda'r plant. Ond bydde wedi bod yn braf eich gweld chi 'ma pan odd Martin a finne'n gweithio bob awr o'r dydd i roi'r Cnwc ar ei thraed."

"Tasen ni wedi ca'l 'yn ffordd..." dechreuodd Jac Morgan, cyn i'w wraig geisio'i atal.

"Jac, paid."

"Na Eirlys, ma'n bwysig ca'l pethe'n glir. Tase dy fam a finne wedi ca'l 'yn ffordd fyddet ti 'riod wedi ca'l dim i neud â Martin Thomas a fyddet ti ddim yn yr helynt 'ma nawr."

Cododd Sulwen Thomas o'i chadair a'i llygaid yn tanio. "A dyna'ch Cristnogaeth chi, ife Dad? Wel, dydd Sul nesa pan fyddwch chi'n eistedd yn y sêt fawr, meddyliwch am beth ry'ch chi newydd weud, a meddyliwch am Catrin, Nerys, Iwan a finne. Wedyn gofynnwch am faddeuant."

★ ★ ★

Yn ôl yn Swyddfa'r Heddlu roedd Akers yn aros am Gareth a Mel.

"Ma'r criw fforensig yn dal i weithio ar y landrofer," meddai. "Olion gwaed ar y llawr a'r dash-fwrdd ac mae 'na brofion DNA yn cael eu gwneud arnyn nhw. Ma 'na bentwr o sache ar lawr y cab lle galle rhywun fod wedi cuddio.

Ond sdim golwg o ffôn yno nac yn nillad Martin Thomas, chwaith."

Cysylltodd Gareth hyn â'r wybodaeth a gafwyd yn y Cnwc. "Dyw hynna ddim yn syndod. Ma Mrs Thomas newydd ddweud wrthon ni bod ffôn boced gan ei gŵr a'i bod hi wedi disgwyl iddo fe ffonio i roi'r newyddion am ganlyniad y cyfarfod. Ond – ac mae e'n ond mawr – anghofiodd e fynd â'r ffôn, rhywbeth sy'n rhoi ergyd i'n syniad ni fod Martin Thomas wedi stopio i neud neu dderbyn galwad. Felly, ble ma hyn i gyd yn ein harwain ni, Mel?"

"Hyd y gwela i, rhaid mynd 'nôl at y rhesymau dros stopio. Rhywbeth yn bod ar y landrofer, symud i'r ochr i adael i gar arall basio, glanhau'r sgrin... ma'r rheina i gyd yn bosib. Neu mae'r llofrudd, rywffordd, yn gorfodi Martin Thomas i stopio."

"Elfen o fygythiad, felly. Os y'n ni'n derbyn hynny, dyle fod olion o wrthdaro corfforol yn y landrofer. Fydde Martin Thomas byth wedi ildio heb ymdrechu i frwydro 'nôl. Soniodd y bois fforensig rywbeth am hynny, Akers?"

"Naddo, ond 'nes i ddim gofyn chwaith."

Estynnodd Mel i'w phoced i ddangos yr amlen wen i'r ddau. "Tra y'n ni'n sôn am fygythiad, dylech chi weld hwn. 'Nes i mo'i ddangos e yn y car, syr, oherwydd ro'n i am i chi a Clive ei weld e 'run pryd. Rhoddodd Catrin hwn i fi lan lofft yn y Cnwc. Dyw ei mam yn gwybod dim amdano."

Darllenodd Gareth ac Akers y neges ac yna gofynnodd Gareth, "Odd gan Catrin unrhyw syniad pwy alle fod wedi anfon hwn?"

"Ges i'r teimlad fod Catrin ar fin enwi rhywun ond fe stopiodd yn sydyn a dweud nad oedd ganddi syniad pendant."

"Pryd gyrhaeddodd y llythyr?"

"Dath e gyda'r post heddi."

"Felly, dodd pwy bynnag anfonodd e ddim yn gwbod bod Martin Thomas wedi ca'l ei ladd. Dy'ch chi ddim yn bygwth rhywun sy wedi marw. A'r neges, yn Saesneg, *NO TO HYDDGEN WIND FARM. THE FIGHT-BACK STARTS NOW.*" Ystyriodd Gareth am ennyd cyn gofyn, "Pwy sy wedi cyffwrdd y llythyr, Mel?"

"Wel, staff Swyddfa'r Post, y postmon a Catrin sy wedi cyffwrdd â'r amlen. Ond y dudalen ei hun, dim ond Catrin a'r un luniodd y neges a'i bostio. Ddylen ni neud profion olion bysedd a DNA?"

"Ie, dyle fod 'na rywbeth. Wedyn allwn ni ond byw mewn gobaith bod yr un olion ar y gronfa ddata."

Canodd y ffôn ar y ddesg a chan mai ef oedd agosaf ato, Akers atebodd. Siaradodd am eiliad ac yna pasio'r ffôn i Gareth.

Tom Daniel oedd yno. "Gareth, gair bach o rybudd. Ma Sam Tân ar ei ffordd lan, ac mae e am dy waed di."

Ac ar unwaith bron daeth y Prif Arolygydd Sam Powell at y drws. Hoeliodd ei sylw ar Gareth a gweiddi'r gorchymyn, "Prior, fy swyddfa i, nawr!"

Roedd copi o'r rhifyn cyfredol o'r *Western Mail* ar ddesg Sam Powell a darllenodd Gareth y pennawd, SENIOR DETECTIVE URGES DRUGS FREEDOM. A'i wyneb yn fflamgoch gwaeddodd Powell, "Beth ar y ddaear yw ystyr y nonsens 'ma, Prior?"

Sylweddolodd Gareth nad oedd dim amdani ond dweud y gwir. "Ges i wahoddiad, syr, i siarad yn y gynhadledd ac fe wnes i'n glir mai fy safbwynt personol i odd e. Wnes i ddim meddwl am eiliad y bydde fe'n ca'l sylw yn y wasg."

"'Na'ch trafferth chi, Prior. Chi ddim *yn* meddwl hanner digon cyn dweud pethe twp. A nawr bydd pob jynci o fan hyn i Lerpwl yn heidio i Aber gan feddwl 'yn bod ni'n *soft touch*. Dweud pethe twp a meddwl pethe twp – syniade coleg, nid syniade'r byd go iawn. Dwi wedi'ch rhybuddio chi o'r bla'n ond chi 'di mynd yn rhy bell tro hyn. Dwi'n mynd i gwyno'n swyddogol i'r Prif Gwnstabl."

Ni ddywedodd Gareth air. Tybiai na fyddai'r Prif Gwnstabl yn rhoi llawer o glust i gŵyn Powell – wedi'r cyfan, onid oedd Vaughan ei hun wedi cymeradwyo'i safbwynt yn y gynhadledd? Taw pia hi, felly.

Syllodd Powell arno, gan synhwyro nad oedd ei daranu'n ennyn ymateb, felly taflodd fygythiad pellach. "Mwrdwr y ffarmwr 'ma, Prior, bydda i'n gwylio pob cam. Un mistêc ac fe fydd cwyn arall yn mynd at y Prif Gwnstabl. Deall?"

# Pennod 6

Y GWAWL LLWYD ar batrwm llenni'r stafell wely oedd y peth cyntaf i Mel sylwi arno. Hynny, a chlywed sŵn y tonnau'n torri ar forglawdd yr harbwr. Sylwi, clywed, ac yna cofio am y noson yng nghwmni Gareth yn ei fflat yng Nghilgant y Cei. Swper (a sylweddoli ei fod yn dipyn o *chef*!), potelaid o Pinot Grigio a gorwedd ar y soffa ym mreichiau'i gilydd i wrando ar CD o Nina Simone. Cusanu a symud i'r stafell wely fel petai hynny'r peth mwya naturiol yn y byd. Roedd y caru'n ddwysach y tro hwn, llai o frys a mwy o bleser, a'r ddau'n rhoi eu hunain yn llwyr i ofynion nwyd a serch.

Serch? A hithau wedi cael ei thwyllo a'i phriodas wedi chwalu, gwyddai Mel yn well na neb nad yr un peth oedd nwyd a serch. Edrychodd ar Gareth yn cysgu'n dawel wrth ei hochr a holodd ei hun a allai hi ymserchu yn y dyn hwn, a dod i'w garu? Gwyddai ei fod yn garedig a chywir ond y tu hwnt i hynny ni allai fod yn siŵr. Sylweddolodd nad oedd yn nabod Gareth yn dda iawn; roedd yn ddyn preifat ac, fel y cyfaddefodd ef ei hun, yn cael anhawster bod yn agored. Felly, rhaid bod yn ofalus a chael sicrwydd fod Gareth Prior yn berson y gallai ymddiried ynddo.

Cododd o'r gwely a cherdded i'r lolfa. Byseddodd y llyfrau ar y silffoedd – cyfrolau academaidd ar hanes Prydain ac Ewrop, bywgraffiadau, ac ambell nofel gan awduron fel Ian McEwan a John le Carré. Casgliad helaethach o CDs – jazz, stwff poblogaidd a cherddoriaeth glasurol gan gyfansoddwyr megis Dvorak, Elgar a Sibelius. Y lluniau ar y waliau – paentiadau gan Nick Holly a Mary Lloyd Jones, ac un a ddenodd ei sylw'n arbennig, sef llun o lowyr yn dychwelyd o'r ffas. Edrychodd Mel yn hir ar hwn ac er bod y cefndir a'r prif liwiau'n dywyll roedd golau yn llygaid a wynebau'r glowyr.

Clywodd symudiad y tu ôl iddi a theimlodd freichiau Gareth ar ei hysgwyddau. "Licio fe?"

"Ydw, er ei fod e'n drwm o ddu a brown mae 'na olau a gobaith ynddo fe, on'd oes e? Dyna beth dwi'n hoffi amdano fe. Cofia, mae'r ffaith fod tad-cu yn löwr yn help."

"'Na un peth sy gyda ni'n gyffredin, rodd tad-cu'n löwr hefyd. 'Na pam brynes i'r llun – y cysylltiad teuluol, a'r hyn welest ti, y gobaith yn y llygaid. Reit, beth am frecwast?"

Oedodd Mel. Nid oedd am frifo'i deimladau ond roedd hi'n awyddus i warchod ei phreifatrwydd, am y tro. "Na, dim diolch. Bydde'n well 'da fi fynd adre. Dwi'n credu mai dyna fydde ore..."

Closiodd Gareth ati a'i chusanu'n ddwfn. "Os taw dyna beth ti ishe. Dwi'n deall yn iawn, ond cofia, sdim angen i ti boeni am bobl eraill. Ry'n ni'n dau'n rhydd, a hawl ganddon ni i chwilio am hapusrwydd mewn bywyd."

"Nid hynna yw e, Gareth. Dwi jyst ddim yn siŵr, a rhaid i fi fod yn ofalus."

"Popeth yn iawn. Cyn i ti fynd, ma 'na un peth y dylwn i weud wrthot ti. Dwi'n hollol o ddifri, ti'n gwbod."

* * *

Daeth pawb a fu'n ymwneud â'r achos at ei gilydd yn y stafell ymchwiliad yn Swyddfa'r Heddlu. Ar ochr dde'r stafell eisteddai'r bechgyn fforensig a rhai o blismyn yr orsaf, gan gynnwys Tom Daniel, Gari Jones a Meic Jenkins. Gyferbyn â nhw eisteddai Gareth, Mel, Akers a'r Prif Arolygydd Sam Powell. Cododd Gareth i wynebu pawb.

"Gyfeillion, y ffeithiau hyd yn hyn." Pwyntiodd at lun ar fwrdd tu ôl iddo. "Fel y gŵyr y rhan fwya ohonoch chi, llun yw hwn o Martin Thomas a lofruddiwyd ar ei ffordd adre o gyfarfod yn neuadd bentre Esgair-goch yn gynnar fore Mercher dwetha. Jones a Jenkins ddaeth o hyd i'r corff, a'r dybiaeth gyntaf odd bod Mr Thomas wedi marw o ganlyniad i ddamwain ffordd. Nid fel 'na odd hi. Mae archwiliad y patholegydd, Dr Annwyl, yn dangos yn glir ei fod e wedi cael ei dagu gan rywun yn estyn o gab ei landrofer. Defnyddiodd y llofrudd yr hyn a ddisgrifiwyd gan Dr Annwyl fel *chokehold* – dull peryglus iawn sy'n gadael person yn anymwybodol o fewn hanner munud a marwolaeth yn dilyn yn fuan ar ôl hynny. Galle unrhyw un ddysgu sut i neud hyn, ond mae Dr Annwyl yn awgrymu y dylen ni dalu sylw neilltuol i rai sy'n ymddiddori mewn campau fel jiwdo neu sy'n gyfarwydd ag ymladd."

Pwyntiodd Gareth at fap ar y bwrdd. "Dyma'r safle ar y ffordd fynydd i gartre Martin Thomas, y Cnwc. Rodd hi'n noson wlyb a'r ffordd yn llithrig. Mewn ymgais i daflu llwch i'n llyged ni, mae'r llofrudd yn creu olion brecio ar y ffordd ac wedyn, yn ôl pob tebyg, yn gwthio'r landrofer dros y dibyn i'r pant islaw. Mae'n amlwg fod Mr Thomas eisoes wedi'i ladd cyn i hynny ddigwydd. Unrhyw gwestiwn hyd yn hyn?"

Cododd Gari Jones ei law. "Ro'ch chi'n dweud bod y llofrudd wedi gwthio'r landrofer i lawr y pant. Ma tipyn o bwyse mewn landrofer. Alle un person fod wedi neud hynny?"

"Digon teg, Gari, ond cofiwch ei bod hi'n noson wlyb a bod y llethr yn go serth. Un gwthiad a byddai'r landrofer wedi mynd i lawr yn ddidrafferth. Beth bynnag, dewch 'nôl at yr union adeg pan laddwyd Martin Thomas. Y llofrudd wedi cuddio yn y cefn, ond sut odd e'n gwbod y bydde Mr

Thomas yn stopio? Dyma'r syniadau sy gyda ni ar hyn o bryd – y cerbyd wedi torri i lawr, neu'n symud i adael i gar arall basio. Cofiwch ry'n ni'n sôn am ffordd gul gydag ambell le pasio. Y llofrudd wedyn, mewn rhyw ffordd, yn gorfodi Mr Thomas i stopio'r landrofer." Trodd Gareth at yr arbenigwyr fforensig a holi, "Unrhyw arwyddion o ymladd yng nghab y landrofer neu yn y tu blaen? Rhywbeth i awgrymu bod Mr Thomas wedi ceisio ymladd yn ôl?"

Atebodd un ohonynt. "Daethon ni o hyd i smotiau o waed ar lawr y landrofer – ar yr ochr chwith – ac fe alle hynny fod yn arwydd o ffeit. Debyg iawn mai gwaed Mr Thomas yw e. Fe fydd profion DNA yn dangos i sicrwydd. Rodd olion bysedd dros y car i gyd a bydd raid cymharu'r rheiny ag olion bysedd Mr Thomas a gweddill y teulu. Os oedd y llofrudd wedi cynllunio i ladd, fydde fe ddim mor ddiofal â gadael olion bysedd, fydde fe?"

Ymunodd Sam Powell yn y drafodaeth. "Ry'ch chi wedi sôn am resymau dros stopio. Beth am i ddefnyddio'i ffôn?"

"Pwynt teg, syr, ac fe fuon ni'n trafod y syniad. Rodd gan Mr Thomas ffôn symudol ac rodd ei wraig a Catrin y ferch yn disgwyl galwad oddi wrtho. Glywon nhw 'run gair ac mae'r rheswm dros hynny'n hollol syml. Gadawodd Martin Thomas am y cyfarfod mewn hast ac fe anghofiodd fynd â'r ffôn gyda fe. Dim byd mwy, dim byd llai."

Trodd Gareth at y bwrdd unwaith eto a phwyntio at restr o enwau. "Dyma'r *leads* sy angen sylw. Yn gyntaf, Seth Lloyd, Pen Cerrig – cymydog a gelyn pennaf Martin Thomas. Rodd Tom Daniel yn y cyfarfod yn yr Esgair ac fe glywodd e Lloyd yn bygwth Mr Thomas. Dim amheuaeth am hynny – roedd Lloyd am ddial ar Martin Thomas a'i deulu. A sôn am ddial, pan aeth Sarjant Mel Davies a finne i'r Cnwc ddoe i dorri'r newyddion am y llofruddiaeth rhoddodd Catrin, merch Mr

Thomas, lythyr i Mel. Bydd angen archwiliad fforensig ar hwnnw ond rodd y neges yn ddiamwys." Darllenodd Gareth o'i nodiadau. "No to Hyddgen Wind Farm. The fight-back starts now."

Siaradodd Sam Powell unwaith yn rhagor. "Y'ch chi'n awgrymu, Prior, mai Lloyd ddanfonodd y llythyr?"

"Alla i byth â dweud. Bydd Akers a finne'n talu ymweliad â Mr Lloyd yn syth ar ôl y cyfarfod hwn. Yr ail ar y rhestr yw Annabel Rhys a'i brawd Max, byddigions yr ardal. Y ddau'n danbaid yn erbyn cynllun y meline gwynt ac wedi dweud eu barn yn hollol glir yn y cyfarfod. Bydd raid eu holi nhw. Yn drydydd, nid person ond sefydliad – Cwmni Caerwynt, y prif fuddsoddwyr yng nghynllun Hyddgen. Ma'r cytundeb rhwng Mr a Mrs Thomas a Chaerwynt gyda ni ac ma 'na ffeiliau ar liniadur Mr Thomas. Bydd angen mynd drwy'r rheiny'n fanwl. Ac yn bedwerydd, bydd raid cychwyn ar y broses o holi'r rhai odd yn y cyfarfod. Drwy lwc ma gyda ni restr fel man cychwyn, sef y rhai odd â'r hawl i bleidleisio."

"Beth am grwpiau protest?" holodd Akers.

"Ie, dylen ni'u cadw nhw mewn cof ac fe alle fod cysylltiad rhwng y rhai odd yn protestio yn erbyn cynllun Hyddgen a'r neges ddi-enw. Dwi am fod yn hynod ofalus, ond sylwch fod y person neu'r personau ddanfonodd y neges wedi dewis gwneud hynny yn Saesneg."

Cododd Mel ei llaw. "Apêl i'r cyhoedd, syr? Mae'n bosib fod rhywun arall yn gyrru ar hyd y ffordd allan o Esgair-goch ac wedi gweld rhywbeth."

"Wnewch chi gysylltu â'r wasg 'te? Ma 'na ddigon o waith i ni i gyd, ac os nad oes gan neb gwestiwn pellach..."

Siaradodd Powell eto, "Ry'ch chi wedi cyfeirio at y llofrudd sawl gwaith fel 'fe' a rhaid ystyried y mater o wthio'r landrofer dros y dibyn. Chi'n siŵr mai dyn yw'r llofrudd?"

"Na, ac fe awgrymodd Dr Annwyl y gallai'r *chokehold* gael ei ddefnyddio gan unigolyn cymharol fychan o gorff yn erbyn person mwy. Mae 'na resymau cryf dros ddweud ein bod ni'n chwilio am ddyn ond allwn ni byth â bod yn sicr."

* * *

Gan fod tiroedd y Cnwc a Phen Cerrig yn ffinio, roedd yr hewl i'r ddau le'n cyd-redeg am ryw hanner milltir cyn ymrannu gyda throad siarp i Ben Cerrig ar y dde. Ar unwaith dirywiodd cyflwr y ffordd a chan gofio am waelod isel y Merc gyrrodd Gareth yn ofalus i geisio osgoi'r mwd a'r pyllau dwfn. Ochneidiodd yn dawel wrth deimlo'r car yn gwegian o un twll i'r llall ac yna'n disgyn i ddŵr a oedd yn fwy o lyn nag o bwll. Doedd sylw Akers, "Hyn ddim yn neud lles i'ch car chi, syr," ddim gyda'r callaf a phan barciodd Gareth ar y clos doedd e ddim yn ei hwyliau gorau.

Roedd Tom Daniel yn llygad ei le pan ddisgrifiodd Pen Cerrig fel tomen o fferm. Roedd paent yn plicio oddi ar ddrysau a ffenestri'r tai allan, a'r cafnau'n llawn chwyn. O flaen y drysau roedd pentyrrau o sachau plastig a chasgliad o offer fferm a bwcedi – rhai'n loyw a rhai'n drwm gan rwd. Roedd Mitsubishi 4x4 wedi'i barcio yn y garej nesa at y tai allan, yn fwd ac yn faw o un pen i'r llall. Gellid gweld tri pheiriant yn y cae agosaf, y rhain eto'n rhydlyd, a'r drain a dyfai o'u hamgylch yn arwydd pendant nad oedd yr un o'r tri wedi cael eu symud ers blynyddoedd. Nid oedd arwydd o fywyd yn unman, ac yn wahanol i'r Cnwc nid oedd golwg o gŵn nac unrhyw anifail arall ar y clos.

Cerddodd y ddau tuag at y tŷ, rhyw hanner can llath i ffwrdd. Curodd Gareth ar y drws ac er iddo glywed sŵn cerddoriaeth y tu mewn ni chafwyd ateb. Roedd ar fin galw allan pan glywyd llais yn datgan yn heriol, "A pwy fyddech chi, 'te? Diawled o dresbaswyr neu beth?"

Trodd Gareth ac Akers ac yno, gyferbyn â hwy, safai Seth Lloyd. Nid oedd yr un o'r ddau wedi'i glywed yn agosáu a chafodd Gareth y teimlad anghynnes fod Lloyd yn cuddio yn y tai allan ac wedi gwylio pob symudiad ers iddynt adael y car. Gwisgai grys brwnt, hen siaced frethyn, trowsus yn drwch o staeniau a phâr o welingtons gwyrdd. Yn ei law chwith cariai gwningen a oedd, yn ôl y gwaed a ddiferai ohoni, newydd gael ei saethu. Yn ei law arall roedd dryll deuddeg bôr.

Edrychodd Seth Lloyd arnynt â llygaid oeraidd yn llawn dicter a chasineb. Holodd yr eilwaith a'r tro hwn ni ellid amau'r bygythiad yn ei lais. "Wel? Pwy ddiawl y'ch chi?" Gafaelodd yn dynnach yn y dryll. "Dewch mla'n y bygyrs, gwedwch pwy y'ch chi!"

"Insbector Gareth Prior ydw i a dyma'r Ditectif Gwnstabl Clive Akers, Heddlu Dyfed-Powys. Ry'n ni wedi dod i gael gair gyda chi am lofruddiaeth eich cymydog, Martin Thomas."

"Cymydog! Hy! 'Na'r cymydog gwaetha gath neb eriôd. Gwynt teg ar ei ôl e, 'na i gyd sy 'da fi i weud a gallwch chi a'ch mêt adel nawr. Sdim byd rhagor 'da fi i weud."

Pwyntiodd Akers at y dryll a gofyn, "Oes trwydded gyfredol gyda chi i hwnna, Mr Lloyd?"

"Beth ddiawl...? Wrth gwrs bod e!"

"Fyddwch chi'n meindio os ewn ni gyda chi i'r tŷ, syr, jyst i wneud yn siŵr?"

"A beth os wy'n gwrthod?"

"Byddwch chi'n ca'l eich cyhuddo'n ffurfiol o'r drosedd o wrthod dangos trwydded – trosedd ddifrifol sy'n cario dirwy sylweddol, syr."

Yn anfoddog, cerddodd Seth Lloyd yn dawel at y tŷ ac

arwain y ddau blismon i mewn i gegin fechan. Roedd yr un blerwch yma – y sinc o dan y ffenest yn llawn llestri budron, bwrdd yng nghanol y stafell yn llawn dop o bapurach ac olion pryd o fwyd, ac yn erbyn un wal roedd dresel a rhes o jygiau llychlyd ar y silffoedd. Ar fwrdd bychan roedd set deledu henffasiwn a'r sain yn bloeddio pennod ddiweddaraf rhyw opera sebon. Rhwng y teledu a'r tân eisteddai gwraig mewn cadair esmwyth a'i sylw wedi'i hoelio ar y sgrin. Gwisgai beiriant cymorth clyw ac wrth edrych arni deallodd Gareth pam na ddaeth neb i ateb y drws. Syllodd y wraig yn hurt ar yr ymwelwyr ac yna gofynnodd mewn llais uchel, "Pwy yw'r rhain, Seth?"

Yn hytrach nag ateb, camodd Lloyd at y teledu a'i ddiffodd. Ymatebodd ei wraig yn ffyrnig. "Hei, paid, o'n i'n watsho hwnna. Pwy wedest ti yw'r rhain?"

"Dau blisman yn holi am leisens y dryll. Ti ddim wedi gweld y papure, wyt ti, Hilda?"

"Beth? 'Nes i ddim clywed."

"Leisens y dryll, Hilda. Ble ma fe?"

"Sdim ishe gweiddi. Drâr canol y dresel."

Agorodd Lloyd y drôr a dechrau chwilota drwy'r papurau a'r ffurflenni. Ar ôl ymbalfalu am sbel gafaelodd mewn darn o bapur a'i estyn yn fuddugoliaethus i Akers. "'Na chi, Sarjant."

Edrychodd Akers ar y drwydded. "Ma hon wedi dod i ben ers mis, Mr Lloyd. Byddech chi wedi ca'l llythyr oddi wrth yr heddlu yn eich atgoffa chi i'w hadnewyddu. Dy'ch chi ddim wedi gwneud hynny ac felly does dim trwydded gyfredol gyda chi. Mae hynny'n drosedd ddifrifol ac ma pob hawl gyda ni i fynd â'r dryll oddi arnoch chi."

"Beth! Mynd â'r dryll? A shwt dwi fod i gadw'r defed yn saff rhag y cadnoid? Y? Atebwch hynna, Sarjant."

"Eich cyfrifoldeb chi yw hynny, syr, a'ch cyfrifoldeb chi hefyd oedd adnewyddu'r drwydded. Un mater arall. Y cwpwrdd lle ry'ch chi'n cadw'r dryll. Chi'n ymwybodol, mae'n siŵr, fod y gyfraith yn mynnu bod dryll yn cael ei gadw mewn cwpwrdd â chlo arno. Ble mae e?"

A'i wyneb fel taran pwyntiodd Lloyd at gwpwrdd metel wedi'i folltio i'r wal wrth ymyl y dresel. "Hwnna'n ddigon da, yw e? A cyn i chi ofyn, ma'r drws ar agor achos mod i'n defnyddio'r dryll. Fel gwelwch chi."

"Popeth yn iawn, Mr Lloyd. A'r allwedd?"

Edrychai Lloyd fel petai ar fin ffrwydro. Gwelai Gareth fod angen tawelu'r dyfroedd a dychwelyd at wir bwrpas eu hymweliad. "Mr Lloyd, bydd plisman yn galw draw ymhen deuddydd ac rwy'n siŵr y byddwch chi wedi dod o hyd i'r allwedd erbyn hynny. Does gyda ni ddim dewis ond mynd â'r dryll. Cyflwynwch chi'r cais i adnewyddu'r drwydded ac rwy'n addo y bydd y gwaith papur yn ca'l ei wneud mor fuan â phosib. Nawr 'te, syr, falle'ch bod chi'n barod i ateb cwestiynau am farwolaeth Martin Thomas."

"Fel wedes i, sdim byd 'da fi i weud."

Roedd Gareth yn dechrau blino ar ystyfnigrwydd y dyn. "Ystyriwch yn ofalus, Mr Lloyd. Un ffordd neu'r llall fe fydd yn rhaid i chi ateb cwestiynau."

Mwmblodd Seth Lloyd fygythiad o dan ei anadl cyn dweud, "Iawn 'te, os oes rhaid fe ateba i'r cwestiynau cythrel sy 'da chi ac wedyn falle ga i lonydd."

"Diolch, syr. Ry'ch chi'n gwybod, mae'n debyg, fod Martin Thomas wedi cael ei ladd yn ei landrofer ar ei ffordd adre o'r cyfarfod yn neuadd Esgair-goch. Fe ddown ni 'nôl at y cyfarfod mewn munud, ond sut berthynas odd rhyngoch chi a Mr Thomas? Ddisgrifioch chi fe fel y cymydog gwaetha gafodd neb erioed. Pam hynny, Mr Lloyd?"

Edrychodd Lloyd yn wyliadwrus ar Gareth ond roedd ei agwedd a'i ateb yn dal yn herfeiddiol. "Achos dyna'n union beth odd e. Cymydog gwael, bob amser yn cwyno am lwybre dŵr a ffensys. Tase fe'n edrych ar ôl ei blydi ffensys e'i hunan fydde'i greaduried e ddim wedi crwydro ar dir Pen Cerrig, fydden nhw? A nawr rodd e'n mynd i roi'r meline gwynt lan fan 'na, rhai ohonyn nhw'n agos at y ffin rhwng y ddwy ffarm. *Fe* fydde'n ca'l y pres a *ni* fydde'n ca'l y sŵn a'r niwsens."

"Rhywbeth diweddar odd yr elyniaeth rhyngoch chi a Mr Thomas, felly?"

"Wel, rodd 'na gwmpo mas wedi bod am ffensys a phethe. Man a man i fi fod yn onest, y fferm wynt odd gwir achos y gynnen erbyn hyn. Rodd Thomas yn fêts mowr â chwmni Caerwynt a chyn i neb wbod bron dyma ni'n clywed y bydde dege o feline lan ar y mynydd – ar ei dir e a thir y Comisiwn. Rodd y cyfan yn drewi. Pawb yn llanw pocedi'i gilydd. Cowbois Caerwynt, y Cownsil, y gang ddiwerth 'na lawr yng Nghaerdydd – a Martin Thomas ar ben y domen ddrewllyd yn ishte ar ffortiwn."

"Felly, tase Caerwynt am osod y meline ar dir Pen Cerrig, fyddech chi wedi gwrthod?" Sylwodd Gareth fod Hilda Lloyd, a oedd yn gwneud ymdrech lew i glustfeinio ar bob gair, yn gwenu'n faleisus. Aeth Gareth yn ei flaen. "Ga i ofyn eto, Mr Lloyd, ai rhywbeth diweddar odd y drwgdeimlad 'ma rhyngoch chi'ch dau?"

"Ie."

Erbyn hyn roedd Gareth wedi cael digon o'r chwarae plant. "Nage, Mr Lloyd – rodd yr elyniaeth yn estyn 'nôl dipyn pellach na'r cynllunie am y fferm wynt, on'd odd e?"

"'Sdim syniad 'da fi am beth chi'n sôn."

"Dewch nawr, dwi'n cyfeirio at y ffaith 'ych bod chi'n

awyddus i brynu'r Cnwc pan ddaeth y lle ar y farchnad a bod Martin Thomas wedi cynnig pris uwch na chi. Fe gawsoch chi'ch trechu, Mr Lloyd, a dyna odd wrth wraidd yr elyniaeth."

"Ma *rhywun* wedi bod yn cario clecs, oes e? A chithe, mister Insbector, yn ddigon parod i wrando. Tra'n bod ni'n sôn am brynu'r Cnwc, ble gath Thomas yr arian? 'Na beth licen i a sawl un arall wbod."

Cyn i Gareth gael cyfle i ateb clywyd sŵn motor-beic yn cyrraedd y clos. Diffoddwyd yr injan, agorwyd drws y gegin a cherddodd llabwst o ddyn ifanc i mewn. Gan ei fod wedi gweld y Merc, roedd yn ymwybodol bod pobl ddieithr yn y tŷ ond nid oedd ganddo syniad pwy. Taflodd olwg ddrwgdybus ar Gareth ac Akers a gofyn, "Pwy yw'r fisitors, 'te?"

"Ianto'r mab yw hwn," eglurodd Seth Lloyd. "Dau dditectif o'r dre y'n nhw, Ianto. Ma'n nhw wedi dod i holi am fwrdwr Martin Thomas."

"Tasen i'n 'ych lle chi, Dad, bydden i'n gweud cyn lleied â phosib. Sai'n trystio'r moch. Chi'n gweud rhywbeth wrthyn nhw ac ma'n nhw'n 'i droi e rownd – a'r peth nesa, chi yn y clinc."

"Oes rheswm gyda chi dros ddweud hynna?" holodd Akers. "Wedi bod mewn trafferth gyda'r heddlu rywbryd?"

Edrychodd Ianto ar y ditectif â chasineb yn ei lygaid ond yn hytrach nag ateb croesodd at y gadair esmwyth a gofyn yn uchel, "Shw mae, Mam, chi'n ca'l dwrnod neis?"

"Sdim ishe gweiddi. O'n i'n ca'l amser teidi'n watsho'r telifison ond wedyn trodd dy Dad e off, iddo fe ga'l siarad â'r polîs. A nawr ma fe mewn dŵr twym achos bod leisens y dryll wedi rhedeg mas."

"Caewch eich blydi ceg, wnewch chi, Hilda. Y peth

dwetha dwi ishe nawr yw darlith gyda chi ar shwt i ofalu am y gwaith papur."

"Sdim ishe gweiddi."

Cododd Seth Lloyd ei lais yn uwch fyth. "Fe waedda i os wy'n moyn, Hilda! Os na all dyn weiddi yn ei dŷ'i hunan, ble all e weiddi?"

Wrth wrando ar y cecru teuluol sylweddololodd Gareth ddau beth. I ddechrau, doedd Hilda Lloyd ddim hanner mor fyddar ag a dybiwyd, ac yn ail bod yn rhaid dychwelyd at y dasg o gael y ffeithiau gan ei gŵr. "'Na ddigon o weiddi, Mr Lloyd. Dewch 'nôl at noson y cyfarfod a'r bleidlais yn neuadd y pentre. Fel dwi'n deall, ro'ch chi wedi gweud eich safbwynt yn glir ac ro'ch chi'n anhapus gyda'r canlyniad."

"Wrth gwrs mod i'n anhapus. Rodd y cyfan yn *fix* a Martin Thomas odd y twyllwr penna. Dod fanna i'r cyfarfod, ishte yn y sêt fla'n yn wên i gyd ond ddim yn barod i weud gair i esbonio'i safbwynt. A'r twpsyn cadeirydd yn cynnal ei gap e. Cywir, mister Insbector, o'n i *yn* anhapus ac fe 'nes i hynny'n berffaith glir."

"Naethoch chi lawer mwy na hynny," dywedodd Akers. "Yn ôl yr wybodaeth sy gyda ni, fe naethoch chi fygwth Martin Thomas." Agorodd Akers ei lyfr nodiadau a darllen, '*Meddwl bo ti wedi ennill, wyt ti? Paid â thwyllo dy hunan. Fe wna i bopeth posib i rwystro dy gynllunie cythrel di. Ro'n i'n ffarmo Pen Cerrig cyn bo ti mas o dy glytie, gwd boi, a sai'n mynd i ga'l y mastie 'na'n ffinio ar 'y nhir i! Ti'n clywed, Martin Thomas?! Well i ti watsho pob cam o hyn allan – ti a dy deulu. Y bastad twyllodrus fel yr wyt ti!*' Yn ôl tyst dibynadwy, dyna'r union eirie. Cytuno, Mr Lloyd?"

"A, *nawr* rwy'n gwbod pwy gariodd y clecs. Tom Daniel a'i hen geg fowr."

"Dyw enw'r tyst ddim yn bwysig. Beth sydd *yn* bwysig, ac

fe ofynna i un waith eto – y'ch chi'n cytuno i chi ddefnyddio'r geirie yna?"

Roedd Seth Lloyd yn cyflym sylweddoli ei fod mewn twll – ei fod yn cael ei amau o ladd Martin Thomas. "A beth os wnes i? Dim ond geirie o'n nhw, Sarjant – geirie wedi'u dweud yng ngwres y foment. Dwi'n cyfadde mod i mewn hwylie drwg ond dyw hynny ddim yn golygu y bydden i'n lladd Martin Thomas. Rodd e'n ddiawl o ddyn ac ro'n i'n grac am y fferm wynt. Ond ei ladd e? Na, byth!"

"Digon hawdd i chi ddadlau hynny, Mr Lloyd," honnodd Gareth, "ond mewn mater o lofruddiaeth mae angen mwy na dadl – mae angen prawf. Felly, beth odd eich symudiadau chi o'r funud gerddoch chi allan o'r cyfarfod hyd nes y cyrhaeddoch chi Ben Cerrig?"

"I ddechre, fe adawes i'r neuadd cyn Martin Thomas. Rodd hi'n bwrw'n drwm ac fe es i at y Mitsubishi. Rodd hwnnw wedi tampo a methes i danio'r injan. Edryches i o gwmpas y maes parcio, ond rodd y rhan fwya wedi gadael yn barod a rhai wedi mynd am beint i'r Farmers. Dodd dim amdani ond mynd at y ffordd yn y gobeth o ga'l lifft adre. O fewn rhyw hanner munud stopiodd fan wen a wedodd y gyrrwr ei fod e'n mynd i gyfeiriad mynydd Hyddgen. Gadawodd e fi ar ben yr hewl a cherddes i adre."

"Felly, chi'n chwilio am lifft yn hwyr ar noson lawog, ma'r fan 'ma'n stopio, yn digwydd mynd i'r un cyfeiriad â chi, ar ffordd fynydd lle does 'na fawr ddim traffig. Fuoch chi'n lwcus iawn, Mr Lloyd."

"Lwcus neu beidio, dyna ddigwyddodd. Fe ofynnoch chi am 'yn symudiade i, wel dyna nhw."

"Pa fath o fan odd hon, syr?"

"Ford Transit."

"Rhif cofrestru?"

"Rodd hi'n dywyll ac yn arllwys y glaw. O dan y fath amgylchiade fyddech chi wedi mynd i edrych ar y rhif?"

"O'ch chi'n nabod y gyrrwr? Allwch chi'i ddisgrifio fe?"

"Do'n i ddim yn 'i nabod e. Dylech chi wrando'n fwy gofalus, mister Insbector. Rodd hi'n dywyll ac felly alla i byth â rhoi disgrifiad. Ond fe alla i weud un peth, dyn dierth odd e – yn siarad mewn acen Brymi."

Daeth Akers i mewn i'r holi unwaith eto. "Reit, ry'ch chi'n cael eich gollwng ar ben yr hewl a cherdded adre. Dyna ddigwyddodd, ie?" Nodiodd Seth Lloyd. Trodd Akers at ei wraig a gofyn, "Mrs Lloyd, y'ch chi wedi deall 'yn bod ni yma ynglŷn â mwrdwr Martin Thomas?" Nodiodd hithau. "Pryd gyrhaeddodd Mr Lloyd adre? Allwch chi roi syniad i ni? Weloch chi e'n dod i'r tŷ?"

"Beth ddwedoch chi? 'Nes i mo'ch clywed chi."

Ailadroddodd Akers y cwestiwn yn uwch, meddyliodd Hilda Lloyd am eiliad neu ddwy ac yna, fel petai hi wedi dwyn y cyfan i gof, atebodd, "Do'n i ddim 'ma; ro'n i wedi mynd i aros gyda'n whâr yn Nhregaron. Collodd hi'i gŵr tua phythefnos yn ôl ac es i lawr i gadw cwmni iddi am rai dyddie."

"Enw a chyfeiriad eich chwaer, Mrs Lloyd?"

Ar ôl gofyn yn uwch yr eilwaith, cafwyd y manylion a chofnododd Akers yr wybodaeth. Trodd at y mab. "Ianto, glywoch chi neu weloch chi'ch tad yn cyrraedd adre?"

"Naddo. O'n i wedi mynd i'r dre am gwpwl o beints. O'n i dros y limit a 'nes i aros gyda ffrindie." Ychwanegodd gan grechwenu, "Ma ishe cadw at y gyfreth on'd oes e, Sarjant? Cyn i chi ofyn, alla i roi enw'r tafarne lle bues i ac enwe'r ffrindie."

Crynhodd Gareth y ffeithiau. "Yn ôl 'ych fersiwn chi, Mr

Lloyd, dyma beth ddigwyddodd. Gadawoch chi'r cyfarfod cyn Martin Thomas, mynd at 'ych car a hwnnw'n pallu cychwyn. Aethoch chi at ben y ffordd, ca'l lifft mewn Ford Transit odd yn digwydd mynd ar hyd hewl y mynydd, gan berson na allwch chi ddweud y nesa peth i ddim amdano ar wahân i'r ffaith fod gyda fe acen Brymi. Ry'ch chi'n cerdded adre a does neb yma i gadarnhau pryd gyrhaeddoch chi, nac yn wir, os gyrhaeddoch chi o gwbl. Dyna ddigwyddodd?"

"Ie."

"Ga i gynnig fersiwn gwahanol, Mr Lloyd? Mae'r stori'n dechrau'r un fath. Ry'ch chi'n gadael y cyfarfod cyn Martin Thomas, mewn hwylie drwg. Chi'n dringo i gab landrofer Mr Thomas, yn cuddio yn y cefn, ac ar y ffordd adre chi'n ei ladd e. Ro'ch chi'n gynddeiriog ac rodd hwn yn gyfle perffaith i ddial. Gyda Mr Thomas yn gelain, dyna ddiwedd ar y cynllun i ga'l fferm wynt."

"Beth! Chi off 'ych blydi pen, mister Insbector! 'Nes i ddim byd o'r fath. Allwch chi ddim profi gair o hyn."

Doedd Gareth ddim am ildio. "Ac allwch chi ddim profi i'r gwrthwyneb. Dim tyst, neb gartre – cyfleus iawn." Oedodd Gareth cyn datgan gyda phenderfyniad, "Mr Lloyd, rhaid i chi ddod gyda ni nawr i Swyddfa'r Heddlu i gael eich holi ymhellach. Dwi am i chi ffeindio'r dillad ro'ch chi'n eu gwisgo nos Fercher, er mwyn i ni gael gwneud profion fforensig arnyn nhw."

Symudodd Ianto Lloyd yn fygythiol tuag at Gareth ond camodd Akers rhwng y ddau. Yna dywedodd Seth Lloyd, "Beth tasen i'n ffycin gwrthod?"

"Dyw gwrthod ddim yn opsiwn, Mr Lloyd. Naill ai gallwch chi ddod o'ch gwirfodd, neu fe gewch chi'ch arestio yn y fan a'r lle."

Edrychai Lloyd fel petai am brotestio, ond er syndod i

Gareth ac Akers tawelodd a dweud, "'Na ni 'te. Rhowch gyfle i fi ddod o hyd i'r dillad ac fe ddo i gyda chi."

"Iawn," atebodd Gareth. "Arhoswn ni ar y clos."

Gwyliodd Seth Lloyd y ddau dditectif yn gadael y tŷ ac yn cerdded tuag at y Merc. Mesurodd pob cam â'i lygaid slei, a phan oedd y ddau'n ddigon pell, trodd at ei fab. "Ianto, y stwff yn y sied bella – y pethe ro'n i wedi meddwl'u defnyddio ar y nant sy'n rhedeg drwy dir y Cnwc. Wedi i fi adel, cer i'r sied a gwareda'r stwff i gyd ac unrhyw beth arall niweidiol sy 'na. Y peth dwetha rwy ishe nawr yw i'r polîs ddod o hyd i'r rheina."

Cludwyd Seth Lloyd i Swyddfa'r Heddlu ac fe'i holwyd yn galed am weddill y dydd – weithiau gan Gareth a Mel, weithiau gan Akers a Mel, ac am ryw awr a hanner gan y tri. Glynodd Lloyd at ei stori, gan daeru nad oedd ganddo ddim i'w wneud â llofruddiaeth Martin Thomas. Gofynnodd am gyfreithiwr ac ar ôl i hwnnw gyrraedd cyfyngodd Lloyd ei atebion i'r ymadrodd clasurol "Dim byd i'w ddweud". Llusgodd y prynhawn i'r hwyr ac wrth iddi nesáu at hanner nos mynnodd y cyfreithiwr fod yn rhaid gosod cyhuddiad gerbron ei gleient neu ei ryddhau.

Er ei fod yn dal i ddrwgdybio Seth Lloyd gwelodd Gareth nad oedd ganddo ddewis ond ildio. "Hyd y gwela i, does dim digon o dystiolaeth ar hyn o bryd – ar hyn o bryd, cofiwch – i gyhuddo Lloyd o lofruddiaeth," meddai wrth y lleill. "Galle fe fod wedi cuddio yn y landrofer, gwneud i Martin Thomas stopio, cwblhau'r weithred, ffugio'r ddamwain a cherdded adre. Mae'r lleoliadau'n ddigon agos at ei gilydd ac mae'r cyfan yn bosib. Mae stori Lloyd am gael lifft adre'n gyfleus, a dweud y lleia, a'r unig berson allai gefnogi'r stori honno a chynnig alibi yw rhywun ag acen Brymi'n gyrru Ford Transit. Dyna'r ffeithie dros gyhuddo Lloyd. Ond, yn erbyn, a ydy e'r math o berson fyddai'n gwybod am *chokeholds*? Does dim i gysylltu Lloyd yn uniongyrchol â man y llofruddiaeth. Falle bydd y profion ar ei ddillad yn dangos rhywbeth. Mae'r cyfan yn edrych yn rhy hawdd, yn rhy amlwg. Lloyd yw'r gelyn mawr ac felly fe yw'r prif *suspect*. Dyw hynny ddim yn dilyn, felly am heno dwi'n ofni y bydd raid gadael iddo fynd adre. Yr unig beth allwn ni neud yw aros am ganlyniadau'r profion a gobeithio wedyn y byddwn ni ar dir mwy cadarn."

# Pennod 7

PRIN OEDD Y staff yn Swyddfa'r Heddlu ar fore Sadwrn tawel ond roedd Gareth, Mel ac Akers wedi dod i mewn i archwilio'r deunydd a gafwyd yn ystod yr ymweliad â fferm y Cnwc. Roedd Mel yn ceisio gwneud synnwyr o'r cytundeb cymhleth rhwng Martin a Sulwen Thomas a chwmni Caerwynt, gyda Gareth yn pori drwy'r cyfrifon banc ac Akers (yr arbenigwr technegol) yn chwipio o un ffeil i'r llall ar y gliniadur. Bu'r tri wrthi'n ddyfal am agos i awr a hanner nes i Gareth alw am hoe i weld beth roedden nhw wedi'i ddysgu.

Aeth Akers i nôl coffi i bawb. Blasodd Gareth yr hylif mwdlyd yn y cwpan plastig, a gwgu. "Ych a fi, ma hwn yn mynd yn waeth bob dydd! Yr unig beth allwch chi weud amdano fe yw 'i fod e'n wlyb ac yn gynnes. Beth am y cytundeb, Mel? Ydy e'n taflu unrhyw oleuni ar yr achos?"

"Dwi ddim yn siŵr. Dehongliad lleygwr yw hwn. Mae'r ddogfen mewn iaith gyfreithiol ac mae 'na rannau ohoni sy tu hwnt i fi. Yn fras, mae'r cytundeb rhwng Martin a Sulwen Thomas a chwmni Caerwynt yn rhoi'r hawl i'r cwmni osod deg ar hugain o dwrbeini ar dir y Cnwc ar rent blynyddol o dair mil o bunnoedd y twrbein. Byddai Mr a Mrs Thomas yn cael cyfranddaliadau yn y cwmni, canran bychan o'r elw o werthu'r trydan i'r grid cenedlaethol, a thrydan am ddim at holl ddibenion y fferm. O'r hyn y galla i gasglu mae'n ddêl fyddai'n sicrhau incwm ychwanegol o dros gan mil y flwyddyn."

"Pryd fydde hyn yn cychwyn?"

"Byddai'r taliadau'n dechrau o'r diwrnod y byddai Fferm Wynt Hyddgen yn dechrau cynhyrchu trydan. Mae'r cytundeb yn ymestyn dros bum mlynedd, a'r ddwy ochr wedyn yn cael yr hawl i'w adolygu a symud i gytundeb pellach. Mae Caerwynt yn ffyddiog y bydde oes o ddeng mlynedd o leia i'r fferm wynt, a phryd hynny byddai'r cwmni'n gwneud un taliad terfynol ac yn ailosod y tir yn union fel rodd e cyn y datblygiad."

"Felly, dros ddeng mlynedd, ry'n ni'n sôn am incwm ychwanegol o filiwn o bunnau i Mr a Mrs Thomas. Sdim rhyfedd bod sawl un yn genfigennus, gan gynnwys Seth Lloyd. Oes unrhyw gyfeiriad neu gymal am y trefniadau petai rhywbeth yn digwydd i Mr neu Mrs Thomas?"

"Oes. Yn achos marwolaeth y naill neu'r llall, byddai'r cytundeb yn cael ei drosglwyddo i'r un oedd wedi goroesi. Yn achos marwolaeth y ddau, byddai'r cytundeb yn symud i'r ferch hynaf, Catrin, a hithau'n gweithredu dros fuddiannau'r ddau blentyn iau hyd nes iddyn nhw ddod i oed cyfreithiol."

"Diddorol. Mae'n siŵr nad yw Sulwen Thomas mewn stad i roi llawer o sylw i'r cyfan ar hyn o bryd, ond mae'n rhaid ei bod hi'n ymwybodol o'r manylion. Rwy'n cymryd ei bod hi wedi llofnodi'r ddogfen?" Nodiodd Mel. "Oes cyfeiriad yn rhywle at y cyfreithiwr odd yn gweithredu ar ran Mr a Mrs Thomas?"

Trodd Mel y tudalennau. "Oes, dyma ni – Gwesyn Jones a Renowden, Cwrt y Weilgi, Aberystwyth."

"Diolch, Mel. Ma'r cyfrifon banc yn dangos gymaint o ymdrech oedd sicrhau bod y Cnwc yn talu'i ffordd. Dwi ddim yn gwybod rhyw lawer am amaethyddiaeth ond mae'n amlwg nad yw'r fferm yn ddigon o faint i greu incwm digonol. Mae cyfran uchel o'r tir yn wael – a'r grantiau o'r Cynulliad yn dangos taw fel 'na odd hi. Cadw a gwerthu defaid a gwartheg stôr yw'r brif ffynhonnell incwm ond pan edrychwch chi ar y gwariant a gosod hwnnw yn erbyn yr incwm, mae'n amlwg fod Martin a Sulwen Thomas yn gweithio'n galed iawn i gael dau ben llinyn ynghyd. Rodd Banc Marcher yn rhybuddio Mr Thomas yn gyson am ei orddrafft ac yn mynd yn fwy bygythiol o fis i fis. Ac yna daeth Caerwynt a'r cynnig o fferm wynt. Achubiaeth os bu un erioed! Yn hytrach na chrafu byw roedd Martin a Sulwen yn mynd i fod yn gyfoethog, ac wrth gwrs byddai'r arian newydd yn cael ei ailfuddsoddi yn y fferm. Gwelliant tymor byr yn arwain at sicrwydd tymor hir a'r Cnwc ar sail ariannol hollol wahanol. Mae arwydd clir o hynny yn y ffeil. Bygythiadau'r banc yn stopio a llythyr twymgalon gan reolwr Marcher yn llongyfarch Martin Thomas ar y cytundeb gyda Chaerwynt ac yn edrych ymlaen at bartneriaeth broffidiol." Taflodd Gareth olwg pellach ar y llythyr cyn ychwanegu'n sinigaidd, "Mae'n debyg na ddyle dyn ddisgwyl dim byd gwell gan fanciau. Pan ma pethe'n wael ma'n nhw ar ôl y geiniog ola ac wedyn pan ma 'na arwydd o elw ma'n nhw gyda'r cynta i heglu am y fantais. Akers, pa wybodaeth sy gyda chi, plis?"

"Ma'r rhan fwya o'r ffeiliau'n ymwneud â'r ffarm – anifeiliaid yn mynd i'r farchnad, record o frechu creaduriaid, manylion grantiau'r Cynulliad ac ymweliadau'r swyddogion oedd yn asesu'r grantiau. E-byst, o Adran Cefn Gwlad y Cynulliad ac, yn ystod y flwyddyn ddiwetha, oddi wrth gwmni Caerwynt yn trefnu amser i archwilio safleoedd y twrbeini. Hefyd e-byst oddi wrth yr Arglwydd Gwydion, Cadeirydd Caerwynt a Sioned Athlon, y Brif Reolwraig, yn pwysleisio dêl mor dda oedd cynllun Hyddgen a'r angen am gyfrinachedd. Ma 'na ddwy ffeil benodol – Caerwynt 1 a Caerwynt 2 – yn cynnwys llwyth o stwff technegol am y meline, copi drafft o'r cytundeb yn rhoi cyfle i Mr a Mrs Thomas wneud sylwadau a chopïau electronig o'r ohebiaeth rhwng y ddwy ochr cyn yr arwyddo. Does dim byd personol ar y gliniadur – dim llythyron na negeseuon ffrindiau na theulu, dim lluniau. Gallech chi dreulio lot o amser yn mynd drwy'r ffeiliau'n fanylach ond hyd y gwela i fydde hynny ddim yn dod â ni gam yn nes at wybod pam y lladdwyd Martin Thomas."

"Ie, mae'n debyg 'ych bod chi'n iawn," atebodd Gareth. "O ran y diffyg deunydd teuluol, ry'n ni'n gwybod nad yw Sulwen Thomas ar delerau da gyda'i rhieni. I bob pwrpas does gan Martin ddim teulu agos – ei fam a'i dad wedi marw, dim brawd na chwaer. Mae'n bosib fod prinder stwff personol yn dangos bod y peiriant wedi'i neilltuo ar gyfer y busnes a'r fferm.

"Y camau nesa, 'te. Byddwn i wedi hoffi mynd i holi Annabel a Max Rhys heddiw ond ma'n nhw i ffwrdd dros y penwythnos a bydd raid aros tan fore Llun. Tra bo Mel a fi yn yr Henblas dwi am i chi, Akers, fynd i siarad â rheolwr banc Marcher. Mae'r cyfri'n dangos taliad newydd o ddwy fil y mis ers wyth mis, a dwi am wybod pwy sy'n talu'r fath swm. Wedyn y cwestiwn o ble daeth yr arian i brynu'r Cnwc. Rodd Tom Daniel yn sôn am ewyllys rhyw wncwl o Seland Newydd, ond dodd e ddim yn siŵr o'r hanes ac fe gododd Seth Lloyd yr un amheuon. Does dim manylion o gwbl yn ffeil y banc nac yn unman arall hyd y gwela i, sy'n beth rhyfedd iawn. Akers, gofynnwch i reolwr Marcher o ble dath yr arian i brynu'r fferm, ac wedi i chi orffen yn y banc ewch at y cyfreithwyr yng Nghwrt y Weilgi. Os nad yw'r wybodaeth gyda'r banc, fe fydd e gyda nhw. O ie, holwch hefyd a yw Martin Thomas wedi gwneud ewyllys. 'Na'r cyfan allwn ni neud am nawr. Cyfarfod 'nôl yma'n gynnar bnawn Llun, iawn?"

* * *

Brynhawn Sadwrn, penderfynodd Gareth a Mel achub ar y cyfle i fynd am dro i Aberdyfi. Cerddodd y ddau mraich ym mraich ar hyd y traeth gan werthfawrogi'r haul hydrefol a'r awel gynnes. Roedd sawl un arall yn cyd-gerdded â nhw ond ni tharfodd hynny ar eu mwynhad. Buont yn siarad am bopeth ar wahân i waith – cefndir teuluol, a diddordebau – ac er y difyrrwch a'r hwyl daethant yn agos un waith at gwympo mas ar destun llosg ffeministiaeth. Roedd Gareth yn coleddu'r safbwynt bod merched eisoes wedi ennill y brwydrau mawr a Mel yn ei alw'n hen siofinist gan ofyn faint o ferched oedd yn benaethiaid ysgolion uwchradd, faint o ferched oedd yn farnwyr a faint o ferched oedd yn brif gwnstabliaid.

"Ma 'da ti bwynt, sbo. A gweud y gwir dwi'n credu y byddet ti'n edrych yn smart iawn mewn iwnifform prif gwnstabl."

"Gareth Prior, ti'n trial gneud ffŵl ohono i?" Rhoddodd bwniad i'w ochr ac fe faglodd Gareth gan gwympo ar dwyni tywod oedd gerllaw.

"Diolch yn fawr. Drycha, dwi'n swnd i gyd nawr. Helpa'r dyn bach gwan 'ma i godi, 'te. Os cydraddoldeb, cydraddoldeb go iawn, *Miss* Davies."

Chwarddodd Mel gan estyn ei braich i'w helpu ar ei draed. Closiodd y ddau ac ymlwybro 'nôl at y car. Erbyn hyn roedd yr haul yn machlud a'r gwynt yn feinach. Cychwynnwyd ar y daith adref yng nghlydwch y Merc, ac ar hap stopiodd Gareth y car ym Machynlleth i weld a oedd modd cael pryd o fwyd yn nhafarn y Wynnstay. Roedd cwpwl newydd ffonio i ganslo a chan fendithio'u lwc tywyswyd Gareth a Mel at fwrdd mewn cornel glyd ger tanllwyth o dân. Wedi astudio'r fwydlen gellid gweld bod yr holl gynnyrch yn lleol. Dewisodd y ddau gig oen Dyffryn Dyfi mewn saws rhosmari – gyda Mel yn mwynhau dau wydraid o win coch a Gareth yn cadw at y sudd oren a lemonêd.

Wrth yrru i lawr rhiw Penglais i mewn i dref Aberystwyth gwyddai Gareth nad oedd angen gofyn. Yn hytrach na mynd i gyfeiriad tŷ Mel ar stad Glanrheidol, gyrrodd tuag at ei fflat yng Nghilgant y Cei. Cerddodd y ddau at y drws a chamu dros y trothwy. Dau berson, dau gariad ar y tu mewn, a'r byd a'i broblemau ar y tu allan.

* * *

Yng nghlwb rygbi'r dre, roedd Clive Akers yn dathlu ar ôl sgorio dau gais i sicrhau buddugoliaeth annisgwyl i Aberystwyth yn erbyn Pontyberem. Llifai'r peints dros y bar a Clive oedd arwr y noson. Cyhyrog a llydan – dyna'r disgrifiad cywiraf o Clive Akers, chwe throedfedd dwy fodfedd yn nhraed ei sanau, gwallt brown tywyll a llygaid o'r un lliw. Gwenodd wrth wylio'i gariad Bethan yn agosáu (ac roedd Bethan wedi ei weld yn nhraed ei sanau sawl gwaith) a sylwodd gyda phleser ar edrychiad trachwantus rhai o'i gyd-chwaraewyr. Ni ellid gwadu bod Bethan yn smart, yn flonden naturiol a chanddi gorff siapus (ac roedd Clive yn gyfarwydd â phob modfedd o hwnnw) ond er mor lluniaidd oedd y corff, yr hyn a'i denai at Bethan oedd ei phersonoliaeth a'i hiwmor.

"Clive Akers, ti'n mynd i dreulio'r noson gyfan fan hyn wrth y bar? Fodca a tonic i fi plis – bydda i draw fanco. Dwi wedi cadw cwtsh bach cynnes i ti."

Yn sŵn chwerthin awgrymog ei fêts archebodd Clive y ddiod a'i gario draw at ei gariad yn un o gorneli tawelaf y clwb.

"Mm, diolch, jyst iawn Clive – dim gormod o tonic, a fodca go iawn, nid yr hen stwff tsiep 'na o ryw labordy yn

Lerpwl. Wel, ti'n hapus? Dylet ti fod, ar ôl y ddau gais ac Aber yn mynd mla'n i rownd nesa'r cwpan."

"Ie, grêt, bach o lwc cofia – ca'l y bêl ar yr amser iawn ddwywaith a neb o mla'n i." Edrychodd Clive o'i gwmpas, pwyso'n agosach at ei gariad a gostwng ei lais. "Gwranda, ma rhywbeth rwy ishe trafod gyda ti. Rwy'n credu bod newid yn y berthynas rhwng Mel a'r Insbector."

Lledodd llygaid glas Bethan a gofynnodd yn chwareus, "Beth – carwriaeth, ti'n feddwl?"

"Dwi ddim yn siŵr, ond byth ers i'r ddau ddod 'nôl o'r gynhadledd yn Llundain rwy wedi sylwi bod y *vibes* yn wahanol. Ond mae e'n dal i fod yn ffurfiol ac mae hi'n dal i'w alw fe'n syr. Ond y ffordd ma'n nhw'n edrych ar ei gilydd... a rwy wedi sylwi ei fod e'n mynd â hi i holi pobl ar y cês – fel petai'n chwilio am gyfle i fod yn 'i chwmni."

"A ddim yn mynd â ti, ti'n feddwl? Clive, nid cenfigen sy tu ôl i hyn i gyd, ife?"

Edrychodd Clive Akers ar ei gariad gyda syndod, ond sylweddolodd fod elfen o wirionedd yn sylw Bethan. "Hmmm... ond rwy bron yn siŵr bod 'na rywbeth."

"Beth os oes 'na? Mae'r ddau'n berffaith rydd. Dere, paid â bod yn gymaint o hen fenyw. Ma'r disgo'n dechre mewn munud a dwi ishe dawnsio."

* * *

Fore Llun gorweddai'r cymylau llwyd yn drwm dros dref Aberystwyth, ac wrth iddo edrych drwy ffenest y swyddfa prin y gallai Gareth weld colofn Pen Dinas drwy'r niwl a godai o'r môr. Roedd yn aros am Mel, ac wrth aros, meddyliodd am y penwythnos pleserus a dreuliodd y ddau yng nghwmni'i gilydd. Wrth fyfyrio cofiodd am ei fam, a'i siarad plaen yn dweud wrtho ar adeg ei ymweliad diweddar â'r cartref yng Nghwm Gwendraeth, "Gareth, ma jobyn teidi 'da ti nawr. Ma'n hen bryd i ti ffindo menyw i fod yn gymar i ti am weddill dy oes." Yn ei ffordd syml, ddirodres, dyna ei hagwedd a'i barn bendant; bu'n wraig gweinidog ffyddlon am bymtheg mlynedd ar hugain hyd farwolaeth ei gŵr ddeunaw mis yn ôl. Wrth iddo syllu eto drwy'r ffenest roedd Gareth yn gynyddol o'r farn ei fod wedi dod o hyd i gymar a'i fod, yng ngeiriau ei fam, am dreulio gweddill ei oes yng nghwmni Mel. Atgoffodd ei hun nad oedd wedi trafod unrhyw beth tebyg i hynny gyda hi eto a'i fod mewn peryg o gymryd gormod yn ganiataol. Ond, fel y dywedodd wrth Mel, *roedd* e o ddifri ac nid chwarae plant oedd eu perthynas iddo. Os gallai ddatrys y llofruddiaeth yn gyntaf byddai amser wedyn i drafod a chynllunio. Ie, dyna a wnâi.

Gwelodd y Corsa bach gwyrdd yn gyrru i faes parcio'r orsaf a gwyliodd Mel yn camu ohono. Croesodd Gareth i eistedd wrth ei ddesg ac ymhen ychydig daeth Mel i mewn i'r swyddfa.

"Ma'n flin 'da fi mod i'n hwyr. Ma'n nhw'n codi'r hewl ger adeiladau newydd y Cynulliad a'r amser hyn o'r bore ma pawb yn dod i'r gwaith."

"Popeth yn iawn. Dyw'r apwyntiad gyda Annabel a Max Rhys ddim tan ddeg. Ma digon o amser gyda ni."

⋆ ⋆ ⋆

Safai'r Henblas ar godiad tir uwchben Esgair-goch. Roedd mewn safle delfrydol, y tŷ'n edrych allan dros Fae Ceredigion o un cyfeiriad ac ar Fynydd Hyddgen o gyfeiriad arall. Wrth edrych at y mynydd gellid cael cipolwg o ffermydd y Cnwc a Phen Cerrig wrth i'r cymylau isel guddio a datgelu'r ddau le yn eu tro. Y tu ôl i'r ffermydd codai'r ucheldir, sef lleoliad fferm wynt Hyddgen. Wrth i Gareth yrru ar hyd y dreif tuag at yr Henblas gallai ddychmygu sut y byddai golygfa'r Rhysiaid yn cael ei dinistrio gan y datblygiad arfaethedig.

Os oedd y safle'n berffaith, prin y gellid dweud hynny am y tŷ ei hun. Roedd ei bensaernïaeth a'i adeiladwaith o'r cyfnod Sioraidd – porth colofnog yn arwain at ddrws ffrynt urddasol a ffenestri hirsgwar oddeutu ac uwchben y drws. Unwaith fe fu yma ogoniant ac ysblander ond bellach roedd golwg dlodaidd ar y lle – paent gwyn y drws a'r ffenestri yn ddim llawer mwy na rhisgl, peipen ddŵr ar yr ochr dde yn hongian yn rhydd o'r landar a'r glaw yn llifo i lawr y muriau llwyd. Yn y lawnt a'r borderi o flaen y tŷ roedd y diffyg gofal yn amlwg, y borfa heb ei thorri a'r borderi'n garped o chwyn. Lledai'r dreif yn gylch gyferbyn â'r drws, a dyma lle parciodd Gareth y Merc. Roedd dau gar arall yno, hen Jaguar a Mini cymharol newydd. Camodd y ddau o'r Merc, ac wrth iddynt gerdded at y drws dyfynnodd Gareth, "'Drain ac ysgall mall a'i medd'..."

"'Mieri lle bu mawredd'," cwblhaodd Mel y cwpled. "Paid ag edrych mor syn. Nid ti yw'r unig un sy 'di cael addysg, ti'n gwbod!"

Gwenodd Gareth wrth estyn am y bwlyn pres ar ochr dde'r drws. Rhywle yng nghrombil y tŷ clywyd sŵn cloch, ac ymhen hir a hwyr daeth Annabel Rhys at y drws. Roedd wedi'i gwisgo yn nillad y crachach – sgidiau ysgafn lledr du, trowsus glas tywyll, blows wen, mwffler patrymog a siwmper las yn hongian yn llac dros ei hysgwyddau. Roedd sigarilo mewn un llaw a rhoddodd blwc ar hwnnw cyn cyfarch y plismyn.

"Bore da, Insbector Prior a...?"

"Ditectif Sarjant Meriel Davies."

"*Quite*. Wel, well i chi ddod i mewn. Dydw i ddim am gynnal sgwrs ar stepen y drws."

Arweiniodd Annabel Rhys y ddau drwy'r cyntedd gyda'i stâr dderw lydan i mewn i lolfa eang ar yr ochr dde. Treiddiai'r oerni a'r lleithder i bob cornel ond roedd y lolfa'n gynhesach, gyda thân coed yn y grât farmor. Roedd portreadau tywyll o'r teulu ar y muriau, a'r anifeiliaid a ddanfonwyd i'w haped gan genedlaethau o Rysiaid mewn casys gwydr yma a thraw. Eisteddodd Annabel ar gadair ledr dreuliedig wrth y tân a gwahoddodd Gareth a Mel i eistedd ar y soffa o'r un defnydd.

Rhoddodd blwc arall ar y sigarilo ac yna dywedodd, "Ry'ch chi wedi dod i holi am farwolaeth Martin Thomas..."

Torrodd Gareth ar ei thraws. "Mwrdwr, Miss Rhys, nid marwolaeth."

"*Quite*."

Roedd ymateb oeraidd Annabel Rhys yn rhoi'r argraff bod y llofruddiaeth yn ddigwyddiad islaw ei sylw, yn rhywbeth anffodus ond yn ddim byd y dylai *hi* boeni yn ei gylch. "Dwi ddim yn siŵr sut mae'r *murder* yn rhywbeth i wneud â fi ond falle gallwch chi egluro sut galla i fod o help, Insbector."

"Miss Rhys, ro'ch chi yn y cyfarfod yn Neuadd Esgair-goch ar y noson honno a dwi'n deall 'ych bod chi'n hollol wrthwynebus i'r fferm wynt."

"Cywir, Insbector, ar y ddau gownt. Yn y cyfarfod fe wnes i ngorau i dynnu sylw at y cysylltiad amlwg rhwng Plaid Cymru a Chaerwynt. *Bribery and corruption,* Insbector, dim byd mwy, dim byd llai, a tase'r heddlu yn gwneud ei waith yn iawn bydden nhw'n edrych ar y *shady deals* sy tu ôl i'r holl gynllun."

"Ma gyda chi brawf o hyn, Miss Rhys?"

"Wrth gwrs, roedd y cyfan mor blaen â *pikestaff* yn y *Western Mail.*"

"Ond allwch chi byth â chredu popeth sy yn y papure."

Taflodd Annabel Rhys olwg at Gareth, golwg oedd yn hanner cydymdeimlad, hanner dirmyg, ac aeth yn ei blaen. "Rwy'n credu y byddai unrhyw un ag *iota of common sense* yn gwrthwynebu. Chi'n gwbod faint o feline fydde'u hangen i gynhyrchu digon o drydan i'r wlad? Cannoedd, Insbector, cannoedd. Bydden nhw'n blastr ar *holl highlands of Wales.* Dim byd mwy na *blot on the landscape.*"

"Ac yn difetha'ch golygfa berffaith chi yn yr Henblas?"

"Alla i byth â gweld bod hynna'n *relevant,* Insbector."

"Mae'n eironig, on'd yw e, mai gwraidd y datblygiad yw i chi a'ch brawd werthu'r Cnwc i Martin Thomas?"

"*Quite. Don't remind me, Inspector. God, how I wish we hadn't,* ond dyna fe. Doedden ni ddim i wybod ar y pryd y bydde fe'n cael fferm wynt, oedden ni? Fel rwy'n deall, rhyw grafu byw o'n nhw yn y Cnwc ac wedyn mae *scoundrels* Caerwynt yn dod â'u *plans* cythrel. A Mr Thomas yn mynd i neud ei ffortiwn. *Sorry,* nid Mr Thomas ond Mrs Thomas nawr, mae'n debyg."

"Oedd gwerthu'r Cnwc yn ddêl rhwydd, a'r arian yno fel ro'ch chi'n disgwyl?"

"*Smooth as a baby's bum.* Dim trafferth o gwbwl. Talodd Mr Thomas y pris ro'n ni'n gofyn a chyn i chi weud *Bob's your uncle* roedd yr arian yn y banc. Tipyn bach o *surprise.* Ro'n i wedi clywed mai labrwr cyffredin oedd e, heb *two pennies to rub together.* Dangos mor *wrong* ma Annabel Rhys yn gallu bod, weithie. Na, dim problem o gwbwl, *cash on the nail.*"

Roedd Gareth ar fin holi ymhellach pan agorodd drws y

lolfa a chamodd Max Rhys i mewn. Roedd e, fel ei gartref, wedi gweld dyddiau gwell. Roedd dros ei chwe throedfedd, a'r corff a fu unwaith yn solet yn awr wedi'i orchuddio gan floneg. Gwisgai sgidiau lledr trwm, siwt o frethyn sgwarog, crys melyn a chrafat coch. Roedd ganddo lond pen o wallt brown, wyneb cochlyd gyda gwead o wythiennau ar draws y bochau a'r trwyn a gên ddwbl, gan gyfleu'r argraff – ac mae'n siŵr mai dyna oedd bwriad Max Rhys – o sgweier ymffrostgar, yn hyderus o'i statws a'i safle cymdeithasol. Er nad oedd eto'n un ar ddeg o'r gloch y bore roedd arogl whisgi'n amlwg ar ei anadl, ac mae'n siŵr mai hwnnw oedd yn gyfrifol am ei wynepryd bochgoch.

Cyfarchodd y ddau dditectif mewn llais cryf. "Bore da, Annabel wedi dweud 'ych bod chi'n dod – i holi am fwrdwr Martin Thomas, wrth gwrs." (Yn wahanol i'w chwaer, dewisodd ef y gair cywir.) "Dwi ddim yn gwybod sut alla i fod o help ond fe wna i ngorau."

Am yr eildro troediodd Gareth yr un tir – y cyfarfod yn y neuadd, gwerthu fferm y Cnwc a gwrthwynebiad Max Rhys i'r fferm wynt. Cafwyd ganddo yr un wybodaeth, fwy neu lai, ag a roddodd ei chwaer ac yna dechreuodd Gareth holi am symudiadau'r ddau wedi i'r cyfarfod ddod i ben.

Annabel Rhys atebodd gyntaf. "Wel, roedd y *vote* yn amlwg yn *fix* ac mor agos nes mod i eisiau gofyn am *recount*. Gweiddi a phrotestio *as one could have expected, a scandal if ever I saw one*."

"Felly, gadawoch chi'r cyfarfod yng nghwmni'ch gilydd?"

Max atebodd. "Berffaith gywir, Insbector. Doedd dim rheswm dros aros, oedd e?"

"A welsoch chi ddim byd amheus ar y siwrne adre – neb yn cerdded ar hyd y ffordd, car dierth neu rywbeth felly?"

Swniai llais Annabel Rhys fe petai'n ceisio egluro ffeithiau i blentyn. "Roedd hi'n bwrw glaw, Insbector, a doedden ni ddim am wastraffu amser. Ar ôl *disappointment* y *meeting* yr unig beth oedd ar fy meddwl i oedd dod 'nôl i'r Henblas."

"Yn ola, Miss Rhys, ga i ofyn beth wnewch chi nawr fod caniatâd wedi'i roi i ddatblygiad Hyddgen fynd yn ei flaen?"

Am y tro cyntaf yn ystod yr holi a'r ateb edrychai Annabel a Max Rhys ar goll, ond yna atebodd y chwaer yn ffyddiog, "*The battle goes on,* Insbector. Ma'r Rhysiaid a'r Henblas wedi bod yma am *centuries* a dy'n ni ddim am roi'r gorau iddi heb *fight, I can assure you.*"

Tywyswyd Gareth a Mel at y drws, ac wedi i'r ddau adael dychwelodd Annabel Rhys i'r lolfa lle roedd ei brawd yn arllwys mesur da o whisgi i wydryn crisial. "Bach yn gynnar nag yw hi, Max?"

"Byth yn rhy gynnar am *tot,* fy annwyl chwaer."

"Hmmm... *on a crucial point*, Max, wedest ti wrth yr Insbector dy fod ti wedi dod gyda fi yn y Jag ar ôl y cyfarfod. Nawr, aethon ni â dau gar i'r *meeting*, fi yn y Mini a ti yn y Jag. Ddes i adre ar ben fy hun yn y Mini a'r tro dwetha i fi dy weld di oedd ym maes parcio'r *village hall.* Felly, *quite importantly*, i ble est ti?"

Llowciodd Max Rhys y whisgi ar ei ben a dweud, "Mae hynny, fy annwyl chwaer, yn gyfrinach."

* * *

Ar union adeg ymweliad Gareth a Mel â'r Henblas roedd Clive Akers yn camu i mewn i gangen Aberystwyth o Fanc Marcher ar y Stryd Fawr. Aeth at y cownter ymholiadau ac ar ôl cael gair byr gyda'r ferch yno cafwyd cadarnhad fod y rheolwr, Mr Perkins, yn barod amdano. Yn wahanol i ddisgwyliadau Akers, gŵr ifanc oedd y rheolwr ac er ei fod yn gwisgo siwt a choler a thei roedd y siwt o doriad ffasiynol, y crys yn binc a'r tei'n streipiau glas a phinc.

Daeth ysgrifenyddes â phaned o goffi iddynt ac yna dywedodd Perkins, "Wedi dod i holi am sefyllfa Mr Martin Thomas, mae'n siŵr? Busnes trist. Trist iawn. Roedd Mr Thomas yn gleient gwerthfawr."

"Ond ddim tan yn ddiweddar, Mr Perkins?" Daeth y mymryn lleia o ofid i wyneb y rheolwr banc. "Dylen ni ddweud bod Mrs Thomas wedi rhoi'r ffeil o gyfrif banc y ddau i'r heddlu felly mae cryn dipyn o wybodaeth gyda ni'n barod."

"O wel, os mai dyna'r sefyllfa mae'n well siarad yn blaen. Chi'n hollol gywir. Roedd rhedeg y Cnwc ar elw'n dipyn o broblem. Roedd y banc wedi rhoi gorddrafft i Mr a Mrs Thomas ac wedi ymestyn hwnnw unwaith yn barod. Gyda chynnig Caerwynt i osod y fferm wynt ar y tir fe newidiodd pethau er gwell. Yn ôl yr asesiad diweddaraf roedd dyfodol ariannol y fferm yn argoeli'n dda. Roedd Mr Thomas wedi bod yn trafod gyda ni'n gymharol ddiweddar ac roedd e a'r banc wedi datblygu cynllun busnes i fuddsoddi yn y lle."

"Mr Perkins, yn ystod yr wyth mis diwetha ma cyfrif Mr a Mrs Thomas yn dangos taliad i mewn o ddwy fil y mis. O ble mae'r arian yna'n dod?"

Teipiodd y rheolwr gyfres o ffigurau ar fysellfwrdd y cyfrifiadur ar ei ddesg. Ymddangosodd tabl ar y sgrin ac ar ôl syllu am ychydig ar y llinellau dywedodd Perkins, "Mae'r taliadau'n dod oddi wrth gwmni Caerwynt."

"Y'ch chi'n gwbod am beth?"

"Dim syniad, mae arna i ofn."

"O ble gafodd Mr Thomas yr arian i brynu'r Cnwc?"

"Eto, dim syniad. Banc Marcher weithredodd ar ei ran e, a'r cyfan alla i ddweud yw bod y swm perthnasol wedi cael ei dalu i'r cyfrif erbyn adeg y prynu." Trodd y rheolwr eilwaith at y cyfrifiadur. "Dyma ni, *bank transfer of four hundred and twenty-five thousand pounds.*"

"Dim byd arall? Ychydig bach yn rhyfedd, nag yw e?"

"Cwnstabl, unig gyfrifoldeb y banc oedd sicrhau bod yr arian yno. Dyna'r cyfan oedd yn angenrheidiol a dyna'r cyfan alla i ddweud, rwy'n ofni."

Roedd Akers hefyd wedi gwneud trefniadau i weld y cyfreithwyr ac fe aeth yn syth o'r banc i swyddfeydd Gwesyn Jones a Renowden yng Nghwrt y Weilgi. Arhosodd yn y dderbynfa cyn cael ei arwain wedyn i eistedd mewn stafell oedd yn llawn cyfrolau'r gyfraith. Clywodd Akers y drws yn agor y tu ôl iddo a chamodd merch ifanc hynod o atyniadol i mewn. Teimlai y dylai ei hadnabod, ac wrth iddo sylweddoli ei fod yn syllu'n ormodol arni ceisiodd guddio'i chwithdod drwy ofyn, "Miss Jones neu Renowden?"

Gwenodd y gyfreithwraig. "Mae Mr Jones a Mr Renowden wedi marw ers blynyddoedd. Lisa Dafydd yw'r enw. Ditectif Cwnstabl Akers, ie?" Nodiodd Akers. "Sut alla i eich helpu?"

"Ry'n ni'n ymchwilio i lofruddiaeth Martin Thomas, oedd yn gleient gyda chi?" Nodiodd Lisa Dafydd. "Mae 'na rywfaint o amheuaeth ynglŷn â sut y cafodd Mr Thomas yr arian i brynu'r Cnwc. Rwy newydd fod gyda'r banc a doedd ganddyn nhw ddim syniad. Allwch chi daflu rhywfaint o oleuni ar y mater?"

Roedd gan Lisa Dafydd ffeil drwchus o'i blaen a threuliodd ryw funud neu ddwy yn mynd drwyddi cyn ateb. "*Ni* weithredodd ar ran Mr a Mrs Thomas ym mater y pryniant. Doedd dim cyfreithiwr gyda nhw cyn hynny. Y cyfan alla i ddweud yw i ni gael sicrwydd fod y swm yn y banc ac fe aeth y trosglwyddiad yn ei flaen."

"Fyddech chi fel arfer am wybod o ble byddai swm fel 'na'n dod?"

"Bydden ni am gael sicrwydd bod yr arian yn gyfreithiol, nid yn achos o *money laundering* neu rywbeth fel 'na." Edrychodd y gyfreithwraig eto ar y ffeil. "Mae 'na lythyr fan hyn gan Mr Thomas ei hun yn sôn ei fod wedi etifeddu arian oddi wrth berthynas iddo yn Seland Newydd."

"Naethoch chi tsieco hynny?"

"Do'n i ddim gyda'r cwmni ar y pryd. Ond pam ddylai unrhyw un tsieco? Roedd yr arian yn ddiogel yn y banc a dyna'r cyfan oedd yn bwysig."

"Oedd Martin Thomas wedi gwneud ewyllys?"

"Pwynt diddorol, Cwnstabl. Roedd Mr a Mrs Thomas wedi gwneud apwyntiad yr wythnos nesa i drafod eu hewyllys. Dan yr amgylchiadau, mae Martin Thomas wedi marw'n *intestate* ac fe fydd yn rhaid i Sulwen Thomas fynd drwy'r camau cyfreithiol i brofi mai hi yw ei berthynas agosa ac mai ganddi hi ma'r hawl i etifeddu. Yn ôl y ddeddf ar hyn o bryd bydd hi'n derbyn y chwarter miliwn cyntaf a gweddill yr ystâd yn cael ei rhannu rhyngddi hi a'r plant. Yn ôl fel rwy'n deall, mae'r cytundeb gyda chwmni Caerwynt yn trin Mr a Mrs Thomas fel partneriaid cyfartal ac felly mae gan Sulwen Thomas hawliau absoliwt ar fuddiannau'r fferm wynt."

"Diolch, Miss Dafydd." Roedd Akers ar fin mynd, yna gofynnodd, "Mae'n flin 'da fi. Rwy'n teimlo y dylwn i'ch nabod chi?"

Gwenodd Lisa Dafydd. "Noson yn y clwb rygbi tua chwe mis yn ôl. Ro'ch chi wedi ca'l gormod i yfed ac fe drioch chi roi cusan i fi. Drwy lwc, fe lwyddodd fy nghariad i a'ch cariad chithau i'ch rhwystro chi rhag gwneud ffŵl o'ch hunan!"

Gan geisio adfer gymaint o hunan-barch ag y medrai, ymddiheurodd Akers a gadael yr ystafell.

# Pennod 8

MEWN CYFARFOD A gynhaliwyd ar y prynhawn Llun, cloriannwyd yr wybodaeth a gafwyd yn sgil yr ymweliadau â'r Henblas, y banc a swyddfa'r cyfreithiwr.

Gareth agorodd y drafodaeth. "Mel, beth odd eich argraff chi o'r sgwrs gyda'r Rhysiaid?"

"Wel, yr argraff glir roddodd yr hyfryd Annabel odd bod y llofruddiaeth yn rhywbeth anffodus ond heb fod yn ddigwyddiad i boeni amdano fe. Nawr fe allwch chi gymryd hynny mewn dwy ffordd. Dyna ymateb naturiol y crach – o diar, rhywbeth ofnadwy, ond dyw e'n ddim byd i neud â ni. Neu fe allai'r cyfan fod yn act, rhyw fath o ffug apathi i'n taflu ni oddi ar y trywydd. O ystyried motif y llofrudd, dylen ni gofio bod Annabel wedi protestio'n groch yn erbyn meline gwynt yn y gorffennol a'i bod yn fwriad ganddi barhau â'i gwrthwynebiad. Pan ofynnoch chi, syr, am fwriadau'r teulu nawr fod caniatâd wedi ei roi i'r datblygiad, dwedodd, 'Ni ddim yn rhoi'r gorau iddi heb *fight, I can assure you*'.

"O ran Max, ces i'r argraff eto nad odd e'n poeni am ddim ar wahân i'w whisgi nesa. Rodd e'n ffitio'r ddelwedd ystrydebol o sgweier cefn gwlad i'r dim, ond falle eto mai act odd y cyfan? Rodd hi'n amlwg fod angen gwario'n helaeth ar yr Henblas, ac o ble y daw'r pres i gadw Annabel mewn dillad drud a Max mewn whisgi? Bydde datblygiad Hyddgen yn effeithio'n sylweddol ar werth masnachol y plas. Yn lle golygfa hyfryd o ucheldir Ceredigion bydde gyda chi res o feline gwynt. Pwy sy'n gyfrifol am y datblygiad? Caerwynt a Martin Thomas. Bydde'n anodd taro 'nôl yn erbyn cwmni rhyngwladol ond falle, falle, gyda Martin Thomas yn gelain, bydde posibilrwydd o roi stop ar y cyfan.

"Rodd y naill wedi paratoi alibi gogyfer â'r llall a bydd raid tsiecio'u fersiwn nhw o'u symudiadau ar ddiwedd y cyfarfod. O ran pellter ac amseriad fe fyddai'n gwbl bosib i Max guddio yn y landrofer, lladd Martin Thomas a cherdded adre i'r Henblas ar draws y caeau. Ond rhywsut alla i ddim gweld Max yn gwneud y *chokehold*, nac Annabel yn dwyno'r dwylo bach gwyn 'na. Wrth gwrs, fe allai'r ddau fod yng nghanol y briwes – y ddau'n cynllwynio gyda'i gilydd a fynte'n gyfrifol am y weithred ei hun. I fi, syr, mae mater yr alibi yn allweddol."

"Dwi'n siŵr 'ych bod chi'n iawn, Mel. Akers, beth am yr ymweliadau â'r banc a'r cyfreithwyr?"

"Weles i reolwr y banc, Mr Perkins. Caerwynt sy'n gwneud y taliadau o ddwy fil y mis i gyfrif Mr a Mrs Thomas ond doedd Perkins ddim yn gwbod pam. Doedd dim awgrym gan Perkins o ble daeth yr arian i brynu'r Cnwc. Yr unig beth pwysig iddo fe, ac wrth gwrs i Fanc Marcher, oedd bod yr arian yno – pedwar cant a dau ddeg pump o filoedd, gyda llaw. Roedd agwedd Marcher tuag at sefyllfa ariannol Mr a Mrs Thomas wedi newid yn sylweddol yn ystod y deuddeg mis diwethaf. Cyn hynny roedd ceisio rhedeg y Cnwc ar elw'n broblem, gyda'r banc wedi caniatáu un gorddrafft ac wedi ymestyn hwnnw. Gyda dyfodiad fferm wynt byddai eu sefyllfa'n wahanol ac yn ôl Perkins roedd rhagolygon y Cnwc yn llewyrchus.

"O'r banc es i at y cyfreithwyr, Gwesyn Jones a Renowden, a gweld un o'r partneriaid, Miss Lisa Dafydd. Doedd hi ddim gyda'r cwmni adeg prynu'r Cnwc ond fe roddodd hi rywfaint o wybodaeth am ffynhonnell yr arian. I sicrhau nad oedd unrhyw beth *shady,* fel *money laundering*, yn digwydd cysylltodd y cwmni â Mr Thomas. Fe atebodd drwy lythyr yn dweud bod wncwl iddo wedi marw yn Seland Newydd ac mai fe oedd yr unig etifedd. Y stori ry'n ni wedi'i chlywed yn barod.

"Ar fater ewyllys Mr Thomas ei hun, yn eironig roedd Sulwen a Martin Thomas wedi gwneud apwyntiad gyda Gwesyn Jones a Renowden yr wythnos nesa i setlo'r cyfan. Mae Mr Thomas felly wedi marw'n ddiewyllys ac yn dilyn proses gyfreithiol bydd cyfran o'r ystâd yn mynd i'w wraig a'r gweddill i'r plant. Mae'r cytundeb gyda Caerwynt yn trin y ddau'n gyfartal ac felly fe fydd gan Mrs Thomas hawl absoliwt ar yr elw ac unrhyw fuddion eraill a ddaw o'r fferm wynt. Un pwynt arall – a sylw personol yw hwn – gan fod y ddau'n bartneriaid cyfartal, rwy'n cymryd y bydd y datblygiad yn mynd yn ei flaen. Felly, oes rhaid i ni ailystyried motif y llofrudd? Os oedd y llofrudd yn bwriadu rhoi stop ar y cyfan drwy ladd Martin Thomas, mae e neu hi wedi methu."

"Ie, sylw gwerthfawr, Akers. Ond mae'n rhaid i ni gofio nad odd y llofrudd yn gwybod hynny."

"Syr, ma rhywbeth newydd 'y nharo i," dywedodd Mel. "Pan o'ch chi'n holi Annabel am ddatblygiad y fferm wynt fe ddwedodd hi fod Martin Thomas yn mynd i neud ffortiwn ac yna cywirodd ei hun drwy ddweud, 'nid Mr Thomas, ond Mrs Thomas nawr, mae'n debyg'. Ydy hynny'n dangos bod y Rhysiaid yn ymwybodol fod Martin *a* Sulwen yn bartneriaid cyfartal yn y fenter?"

"A bod hynny'n cryfhau'r rhesymau dros amau Annabel a Max? Posib, rhaid cyfadde, ac yn sicr yn cryfhau'r angen i tsiecio alibi'r ddau. Ar hyn o bryd y cyfan sy gyda ni yw bod fersiwn y naill yn cynnal symudiadau'r llall. Mae'r broses o holi o ddrws i ddrws wedi cychwyn. Mel, ewch drwy'r ymatebion i weld a oes 'na ffeithiau i gefnogi stori'r Rhysiaid, neu i'r gwrthwyneb. Yn yr un modd, rhaid tsiecio ymateb yr apêl i'r cyhoedd. Mae'r stori wedi bod yn y *Western Mail* ac ar y radio a'r teledu. Dwi'n dal yn amheus o'r hanes am yr wncwl yn Seland Newydd, a'r ewyllys. Yr unig beth sy gyda ni yw llythyr Martin Thomas at y cyfreithwyr, yn ei law ei hun, sylwch. Mae Tom Daniel a Seth Lloyd wedi sôn am eu hamheuon a rhaid i ni ddatrys hyn unwaith ac am byth. Dyw person ddim yn mudo o bentre bach yng nghefn gwlad Ceredigion i ben draw'r byd fel'na ac mae'n rhaid bod rhywun yn gwybod rhywbeth. Ma Tom Daniel yn byw yn Esgair-goch a dyna'r man cychwyn gore.

"Fe wna i ddilyn rhan Caerwynt yn hyn i gyd a gyrru i Gaerdydd pnawn 'ma. Dwi eisoes wedi cysylltu â'r cwmni ac mae gen i apwyntiad gyda Sioned Athlon, y Brif Reolwraig, peth cynta bore fory. Mae gyda ni'r ffeiliau ar y gliniadur a chopi o'r cytundeb, ond rhaid tyrchu'n ddyfnach. Pryd cychwynnodd y berthynas rhwng Caerwynt a Martin Thomas a beth fydd yn digwydd nawr yn sgil y llofruddiaeth? Wedyn, y taliadau ychwanegol i'r banc – beth yw'r rheswm dros y rheina? Dwi'n rhag-weld y bydda i yng Nghaerdydd am y rhan fwya o'r dydd fory felly os bydd unrhyw ddatblygiadau, cysylltwch â fi ar y ffôn symudol. Iawn?"

Nodiodd Mel ac Akers ac fe ddaeth y cyfarfod i ben.

Ni allai Sulwen Thomas daflu unrhyw oleuni pellach ar bryniant y Cnwc. Felly, aeth Akers i chwilio am Tom Daniel a dod o hyd iddo yn y cantîn yn mwynhau paned o de yn ystod ei frêc prynhawn.

"Tom, ry'n ni wedi holi Mrs Thomas, y banc a'r cyfreithwyr am sut lwyddodd labrwr fel Martin Thomas i brynu fferm gwerth pedwar can mil o bunnau. Mae pawb yn cynnig yr un ateb, sef ewyllys yr wncwl yn Seland Newydd."

"Ie, ma'r rheswm bach yn rhyfedd, on'd yw e? Ychydig yn *rhy* daclus. Ma sôn am Martin Thomas yn etifeddu ffortiwn ar ôl rhyw berthynas ym mhen draw'r byd yn swnio'n debyg i foi'n ennill y Loteri."

"Oes gyda Martin Thomas deulu arall yn Esgair-goch – rhywun allen ni holi?"

"Dim i fi wybod, ond cofia dwi ddim ond wedi byw yn y pentre ers deng mlynedd." Ystyriodd Tom Daniel am eiliad ac yna ychwanegodd, "Ffonia i'r wraig. Mae hi wedi'i geni a'i magu yn yr Esgair, ac os nad yw hi'n gwybod fe fydd yn siŵr o nabod rhywun all ateb. Ma hi'n nabod pawb, nid y bydden i'n dweud hynny yn ei chlyw hi, wrth gwrs!"

Gyda winc a gwên cododd Tom a mynd at y ffôn wrth ddrws y cantîn. Bu'n siarad am funud neu ddwy, ac ysgrifennodd rywbeth ar ddarn o bapur cyn dychwelyd at Akers.

"Bach o lwc, Clive. Rodd whâr y Missus gyda hi ac ma honno'n gwbod busnes pawb yn y pentre. William Thomas, rhif 3 Y Lawnt. Sai'n nabod y boi, ond yn ôl whâr y Missus mae'n gefnder i dad Martin Thomas. Dyw e ddim ond wedi symud i'r pentre ers rhyw dri mis – cyn hynny roedd e'n byw yn Llunden. Stad fechan o dai newydd ym mhen ucha Esgair-goch yw'r Lawnt. Troi i'r dde jyst ar ôl yr ysgol."

Roedd stad y Lawnt yn unol â disgrifiad Tom Daniel – deg tŷ bocslyd unffurf wedi'u gosod mewn hanner pedol, a'r lawnt fechan yn y canol yn rhoi'r enw diddychymyg i'r lle. Parciodd Akers o flaen rhif tri, cerdded ar hyd y dreif a chanu cloch y drws ffrynt. Roedd y tŷ'n hollol dawel, heb olwg o neb yn unman. Edrychodd Akers tuag at ffenestri'r llofftydd ac roedd ar fin mynd i sbecian yn y cefn pan glywodd lais o gyfeiriad ffens y tŷ drws nesa.

"Dyw e ddim 'na." Daeth wyneb i'r golwg a gwelodd

Akers wraig ifanc yn gwthio plentyn mewn bygi. "Dyw e ddim 'na," dywedodd yr eildro. "A gweud y gwir, dyw e byth 'na. Os y'ch chi am gael gafael arno fe, y Farmers yw'r lle gore." Cerddodd y wraig at y ffordd gan ychwanegu dros ei hysgwydd gyda thinc o feirniadaeth, "Os y'ch chi'n gofyn i fi dodd dim lot o bwynt iddo fe brynu'r tŷ o gwbl a fynte'n treulio pob awr o bob dydd yn y pyb."

★ ★ ★

Tafarn henffasiwn oedd y Farmers – lloriau cerrig, byrddau a seddi pren yn dangos tipyn o ôl traul, tân glo yng nghanol un wal ac ar yr ochr dde i hwnnw roedd y bar, eto o bren a wyneb o lechen garw. Safai merch ifanc y tu ôl i'r bar yn troi tudalennau cylchgrawn selébs.

"Peint o gwrw mwyn, plis. Rwy'n chwilio am Mr William Thomas. Ydy e yma?"

Syllodd y ferch ar Akers cyn estyn yn araf am y pwmp cwrw fel petai honno'r weithred fwya diflas yn y byd. "Pint of mild coming up, and your Mr William Thomas is sitting over there. As a matter of fact, he's usually the only one sitting in the whole blinkin' pub at this time of day."

Gafaelodd Akers yn y gwydryn peint a chroesi at fwrdd yn y cornel ger y ffenest lle'r eisteddai dyn a oedd, yn ôl ei bryd a'i wedd, gryn dipyn yr ochr draw i oed yr addewid. Gwisgai siwt las na welodd haearn smwddio ers talp o amser, crys a thei las gyda'r staeniau ar y tei'n dyst i sawl pryd o fwyd. Heblaw am ei wisg siabi, y peth mwya trawiadol yn ei gylch oedd y pâr o aeliau trwchus yn hofran uwchben ei lygaid fel adenydd cigfran anystywallt.

"Mr William Thomas?"

"Pwy sy'n gofyn?"

"Ditectif Gwnstabl Clive Akers, Heddlu Dyfed-Powys. Rwy'n aelod o'r tîm sy'n ymchwilio i farwolaeth Martin Thomas. Alla i ofyn rhai cwestiynau i chi, syr?"

Gwthiodd William Thomas y gwydryn i gyfeiriad Akers. "Ateb cwestiynau'n fusnes sychedig, Cwnstabl. Famous Grouse os gwelwch yn dda, a gwnewch e'n un dwbl."

Aeth Akers i brynu'r whisgi a dychwelyd i eistedd gyferbyn â William Thomas. "Yn ôl yr wybodaeth sy gyda ni, syr, ry'ch chi'n perthyn i Mr Martin Thomas."

"Cywir, o'n i'n meddwl y bydde rhywun o'r glas yn dod i holi yn hwyr neu'n hwyrach. Dwi'n gefnder i dad Martin ac felly ma Martin yn nai i fi – *rodd* e'n nai i fi."

"Ry'n ni'n edrych ar gefndir yr achos ac yn ôl yr wybodaeth sy wedi dod i law roedd gan dad Martin frawd a symudodd i Seland Newydd."

"Odd. Thomas Thomas odd ei enw, neu Twm Twm i aelodau'r teulu a'i ffrindie. Os yw'r heddlu wedi neud eu gwaith yn iawn byddwch chi hefyd yn gwybod bod Twm Twm wedi gadael swm sylweddol i Martin a 'na lle gath e'r arian i brynu'r Cnwc. 'Na'r rheswm pam ry'ch chi 'ma."

"Chi'n berffaith siŵr o hanes yr ewyllys, syr?"

"Sai'n berffaith siŵr o ddim byd, ond 'na'r hanes glywes i."

"Pan ddaethoch chi 'nôl i Esgair-goch, fuoch chi mewn cysylltiad â Martin Thomas o gwbwl?"

"Naddo. Dim ond ers rhyw dri mis dwi wedi bod 'nôl 'ma, a dwi ddim yn cytuno o gwbl â'r fferm wynt. Ro'n i wedi meddwl mod i'n dod o sŵn Llunden i bentre tawel, pert, nid rhyw le'n blastar o feline gwynt. Do'n i ddim yn gweld pam y dylen i ruthro i gysylltu â Martin. Cofiwch, ro'n i'n flin iawn i glywed am y mwrdwr – dyw datblygiad Hyddgen ddim lot o iws i'r pwr dab nawr, yw e?"

Oedodd Akers am eiliad cyn gofyn y cwestiwn allweddol. "Y lle 'ma yn Seland Newydd, syr – y'ch chi'n digwydd cofio'r enw?"

Saethodd yr aeliau i fyny. "Wrth gwrs. Falle mod i'n edrych yn hen ond sai cweit yn dwlali 'to. Methven, ar y South Island. Ac yn ôl yr olwg bles ar 'ych gwyneb chi, Cwnstabl, ma hynna'n haeddu drinc arall!"

Gwir y gair, meddyliodd Akers. Aeth i godi ail whisgi a gadael William Thomas yn fodlon ei fyd yng nghwmni barmêd surbwch y Farmers.

⋆ ⋆ ⋆

Cychwynnodd Mel ar y dasg o fynd drwy'r ymatebion a dderbyniwyd yn sgil yr apêl i'r cyhoedd. Darllenodd enwau cyfarwydd yr unigolion a gysylltai â'r heddlu yn dilyn pob llofruddiaeth neu drosedd ddifrifol – rhai'n sâl eu meddwl ac eraill yn chwilio am ennyd o enwogrwydd tywyll. Trodd at yr ail restr yn nodi'r wybodaeth a gafwyd wrth holi o ddrws i ddrws, a'r tro hwn gwelodd nad oedd y dasg wedi'i chwblhau. Yn erbyn sawl enw roedd y geiriau, 'Neb gartre' neu 'Dim ond y plant yn y tŷ, rhieni yn y gwaith'. Damo, dywedodd wrthi'i hun, dyw hyn ddim iws, bydd raid llanw'r bylchau. Ym marn Mel roedd trampo o dŷ i dŷ yn un o agweddau mwya diflas gwaith yr heddlu, ond gwyddai'n iawn mai dyna'r unig ffordd i ddod i wybod i sicrwydd am symudiadau Annabel a Max. Gafaelodd yn ei bag a cherdded at y Corsa ym maes parcio'r orsaf.

Treuliodd ddwy awr hollol ddi-fudd yn curo ar ddrysau, yn gofyn yr un cwestiwn a chael yr un ateb. Oedd, roedd pawb yn cofio am holi siarp Annabel yn y cyfarfod ond doedd gan neb air i'w ddweud am ymadawiad Annabel a

Max. Roedd Mel wedi blino ac yn oer, a chan ei bod hi'n tywyllu penderfynodd y galwai mewn un tŷ arall cyn rhoi'r gorau iddi. Edrychodd ar y rhestr a gweld yr enw Hefin Griffiths, a rhywun wedi ychwanegu ar ôl yr ymweliad cyntaf, 'Cadeirydd Cyngor Cymuned Esgair-goch'. Roedd car yn y dreif a golau yn ffenest y stafell ffrynt. Canodd Mel y gloch ac atebwyd y drws gan ŵr ifanc.

"Mr Hefin Griffiths? Ditectif Sarjant Meriel Davies, Heddlu Dyfed-Powys, syr. Dwi'n gweithio ar achos llofruddiaeth Mr Martin Thomas. Ry'n ni'n ceisio cysylltu â phawb odd yn y cyfarfod yn neuadd y pentre. Oes modd i ni gael gair?"

"Wrth gwrs, dewch mewn."

Arweiniwyd Mel i'r lolfa ac wrth iddi eistedd roedd yn falch o gysur y gwres canolog a'r tân nwy. Soniodd Hefin Griffiths am ensyniadau Annabel Rhys am y cysylltiad rhwng Caerwynt a Phlaid Cymru ac aeth ymlaen i sôn am y pwyntiau a godwyd ganddo ef ei hun am y nifer o swyddi a fyddai'n cael eu creu gan ddatblygiad Hyddgen. Gadawodd Mel iddo ddweud ei ddweud cyn gofyn, "Y'ch chi'n gwbod unrhyw beth am symudiadau Annabel a Max Rhys ar ôl i'r cyfarfod ddod i ben, Mr Griffiths? Naethoch chi ddigwydd sylwi ar y ddau'n gadael?"

"O do, Sarjant. Ro'n i wedi mynd at ddrws y neuadd i siarad ag aelod arall o'r Cyngor Cymuned ac fe wthiodd Annabel a Max heibio i mi. Chi'n gwbod fel ma'r crach – yn dal i feddwl eu bod nhw'n berchen y lle. Fe aeth hi at ei char, Mini rwy'n credu, ac fe aeth yntau at y Jaguar. Gyrrodd hi allan o'r maes parcio ac fe agorodd e ddrws y Jag."

"Chi'n siŵr o hyn, syr?"

"Yn berffaith siŵr, Sarjant. Ro'n i wrth ddrws y neuadd, ac ma digon o olau fan 'na. Sdim amheuaeth."

"Weloch chi Max Rhys yn gyrru i ffwrdd?"

"Naddo, weles i fe'n camu i mewn i'r Jag fel petai'n mynd i nôl rhywbeth. Wedyn es i 'nôl i'r neuadd."

"Ac rodd Mr Martin Thomas yn dal y tu mewn bryd hynny?"

"Odd, yn bendant."

Diolchodd Mel i Hefin Griffiths am yr wybodaeth a ffarweliodd ag ef. Wrth iddi gerdded at y Corsa sylweddolai fod yr ymweliad a'r ymdrech ychwanegol wedi talu ar ei ganfed. Roedd alibi'r Rhysiaid wedi cael ei chwalu'n llwyr ac roedd Annabel neu Max, neu'r ddau, wedi cael eu dal yn rhwyd eu celwydd. Ac ym mhrofiad Mel roedd un celwydd yn ddieithriad yn arwain at gelwydd arall.

Pan ddychwelodd Mel i'r swyddfa, roedd Akers wrth y cyfrifiadur yn syllu ar dudalen hafan Google. Teipiodd y gair 'Methven' i'r bocs chwilio ac aros am y canlyniadau.

"Pwy yw Methven?"

"Nid pwy, ond ble. Rwy wedi bod yn siarad â chefnder tad Martin Thomas ac mae e wedi cadarnhau bod gan y tad frawd a ymfudodd i Seland Newydd. Os yw'r wybodaeth ges i'n gywir mae dirgelwch yr wncwl a'r ewyllys ar fin cael ei ddatrys. Gad i ni weld." Cliciodd Akers ar yr eitem gyntaf yn y rhestr ar y sgrin ac fe ymddangosodd y manylion canlynol:

> Methven is a rural service town in the Canterbury region of the South Island of New Zealand, 92kms and some one and a half hours driving time from the provincial capital of Christchurch. The main activity is agriculture, concentrating on arable farming and the rearing of cattle and sheep, and tourism. The population was 1326 in the 2006 census.

Dychwelodd Akers at y bocs chwilio a theipio 'Methven Police Station' a gweld, er mawr syndod iddo, fod 'na un. "Drycha Mel, Swyddfa Heddlu mewn tre gyda llai na mil a hanner o bobol."

"Ma Seland Newydd yn wlad hynod o wledig. Mae'n debyg fod y swyddfa'n gwasanaethu ardal tipyn mwy na'r dre ei hun."

"Ie, mae'n siŵr dy fod ti'n iawn." Cliciodd Akers eto a theipio'r term 'International Time Zones' a chanfod bod yr amser yn Seland Newydd dair awr ar ddeg o flaen amser Prydain. Edrychodd Akers ar gloc y swyddfa a gweld ei bod hi'n hanner awr wedi pump. "Felly, ma hynna'n golygu hanner awr wedi chwech y bore draw fan 'na. Ychydig bach yn rhy gynnar i ffonio. Reit, rwy'n credu af i adre am swper a dod 'nôl i siarad â'n cyfeillion yn Methven yn nes mla'n." Cododd Akers i adael a gofyn, "O ie, beth am yr holi o ddrws i ddrws. Shwt aeth pethe?"

"Fel ti, ces i *breakthrough*," atebodd Mel. "Ma gyda ni dystiolaeth gadarn nawr fod Annabel Rhys a'i brawd wedi gadael y neuadd ar wahân, mewn dau gar gwahanol, ac felly mae alibi'r naill a'r llall yn rhacs. Fe yrrodd hi o'r maes parcio ond yr olwg ola gafwyd o Max oedd yn estyn i mewn i'w gar fel petai e'n nôl rhywbeth. Annabel yn gyrru i ffwrdd yn y Mini, Max yn pwyso wth ddrws y Jag, a Martin Thomas yn dal yn y neuadd. Beth ti'n feddwl o hynna, Clive Akers?"

"Blydi hel, am *breakthrough*! Dylen ni gysylltu â'r Insbector yng Nghaerdydd."

"Dylen. Gwranda, cer di adre i gael dy swper, ac fe ffonia i. Mae rhif ffôn symudol Gareth gyda fi."

Cytunodd Akers a symud at y drws. Roedd wedi sylwi pa mor sydyn yr atebodd ei gyd-weithwraig a'i hawydd i ffonio. Ai rhyw ffansi gwirion yn ei feddwl ef oedd hyn, neu reswm arall dros dybio bod y garwriaeth rhwng Gareth a Mel yn datblygu?

Arhosodd Mel am ryw bum munud cyn deialu. Mae'n rhaid bod y sgrin fechan ar ben arall y lein wedi dangos ei henw oherwydd dywedodd Gareth, "Telepathi, dim byd llai! Dyma lle o'n i'n meddwl amdanat ti ac fe ganodd y ffôn!"

"Ble wyt ti?"

"Ar y gwely mewn stafell amhersonol mewn gwesty amhersonol. Bydde gwell hwylie arna i taset ti 'ma gyda fi."

"Cadwch 'ych meddwl ar 'ych gwaith, Insbector Prior! Gwranda, ma 'na ddau ddatblygiad pwysig yn yr achos. Ma Clive wedi cael gwybodaeth bendant am berthynas Martin Thomas yn Seland Newydd a mater yr ewyllys. Mae e wedi mynd adre i gael swper ac fe ddaw e 'nôl yn nes mla'n i ffonio Seland Newydd pan fydd hi'n fore draw fan 'na."

"Ardderchog. A'r ail ddatblygiad?"

"Wrth holi o ddrws i ddrws yn yr Esgair ces i wybod gan dyst hollol ddibynadwy fod Annabel a Max Rhys wedi gadael y cyfarfod yn y neuadd ar wahân, nid gyda'i gilydd fel ddwedon nhw wrthon ni. Gadawodd Annabel yn y Mini ond fe welwyd Max wrth ddrws y Jag yn pwyso i mewn i'r car fel petai e'n nôl rhywbeth. Mae'r tyst gant y cant yn sicr o hyn ac yn berson saff – boi o'r enw Hefin Griffiths, Cadeirydd Cyngor Cymuned Esgair-goch."

Bu distawrwydd wrth i Gareth ystyried y newyddion. "Reit Mel, digon o chwarae gêmau gwirion gyda'r Rhysiaid. Fory, dwi am i ti ac Akers fynd i'r Henblas a holi'r ddau eto. Paid â mynd yno ar dy ben dy hun, a rhowch y *caution* iddyn nhw cyn dechrau'r broses. Mae gyda Annabel a Max sawl cwestiwn i'w hateb, ac mae'n bwysig i chi ddangos difrifoldeb y sefyllfa. Dim nonsens, ma hynny'n *order.*"

"Fe wna i ufuddhau i ti, fel plismones fach dda!"

"Ac fel plismones fach dda, wnei di hefyd ufuddhau i'r gorchymyn i ddod i'r fflat am swper nos fory?"

"'Na ddigon o orchmynion, Insbector Prior. Ti'n dechrau siarad fel hen siofinist unwaith 'to."

★ ★ ★

Deialodd Akers rif ffôn Swyddfa'r Heddlu yn Methven yn ofalus – doedd e ddim am wneud camgymeriad a chael ei hun yn cynnal sgwrs ddrud gyda staff rhyw fwyty ym mhen draw'r byd. Canodd y ffôn ac ar unwaith clywodd lais yn dweud, "Methven Police Station, Constable Leo Houston speaking."

Cofiodd Akers am y gwahaniaeth amser cyn ei gyfarch. "Good morning, this is Detective Constable Clive Akers from Dyfed-Powys Police in Aberystwyth, Wales."

"Good morning to you. Aberystwyth, you said? I haven't heard of it, but Wales, yes. Fearsome rugby team, but not quite good enough to beat the All Blacks! How can I help you, mate?"

"We're working on a murder enquiry and trying to trace a Thomas Thomas from this area who emigrated to New Zealand and settled in Methven. We know that he was a farmer and we believe that he passed away a few years ago. We need confirmation of these facts."

"Sure thing. I've only been drafted in here 'bout a month ago, but my Sergeant has spent his whole career in Methven. He's out on a case just now, but if you give me your number he'll ring you the minute he gets in."

Rhoddodd Akers y rhif iddo a bu'n aros am yn agos i ddwy awr cyn i'r ffôn ganu.

"Sergeant Tony Mkenzie, Methven Police. Is that Detective Constable Akers in Wales?"

"It is. I'll get straight to the point. As I mentioned to your colleague we need information on a Thomas Thomas who emigrated from Wales to Methven. It's a significant part of a murder investigation. I need any information you can get hold of, but most useful would be the date of death."

"Did you say date of death?" holodd Tony Mkenzie. "You're up queer street there, Constable. Thomas Thomas is alive and well, and lives on Hillside Station with his two sons who run the farm."

"You're sure of that?"

"Absolutely. I saw him last week. Getting on a bit, but still chipper and sports a Welsh Dragon out front of his property. Your national flag, I believe?"

"Yes, it is. Thank you, that's most helpful. Could you e-mail me the details to confirm, including a contact address and telephone number for Mr Thomas?"

Rhoddodd Akers ei gyfeiriad e-bost ac fe ddaeth y sgwrs i ben. Edrychodd ar y cloc ar wal y swyddfa unwaith yn rhagor a gweld ei bod yn hanner awr wedi un ar ddeg. Rhy hwyr i ffonio'r Insbector, penderfynodd. Byddai'n rhaid cysylltu â Gareth yn y bore cyn y cyfarfod â Sioned Athlon i drosglwyddo'r ffeithiau arwyddocaol o Seland Newydd. Roedd yr wncwl yn fyw ac yn iach ac yn dad i ddau o feibion – perthnasau gwaed tipyn agosach na Martin Thomas. Doedd hanes yr ewyllys, felly, yn ddim byd mwy na stori, ac roedd ffynhonnell yr arian i brynu'r Cnwc yn gymaint o ddirgelwch ag erioed.

# Pennod 9

Er i Akers geisio ffonio sawl gwaith o'i fflat ac o'r swyddfa, methodd yn lân â chysylltu â Gareth yng Nghaerdydd.

"Wedodd yr Insbector pryd oedd ei gyfarfod? Rwy wedi bod yn trio siarad ag e ers wyth o'r gloch."

"Yr unig beth wedodd e odd bod y cyfarfod y peth cynta bore 'ma. Tua naw o'r gloch bydden i'n meddwl. Be sy mor bwysig, Clive?"

"Neithiwr, fe ges i sgwrs fuddiol iawn gyda'r Sarjant yn Swyddfa Heddlu Methven. A gwranda ar hyn – mae'r wncwl 'na yn Seland Newydd yn fyw ac yn iach ac ma gyda fe ddau fab, ac fel ei berthnase gwaed agosa, *nhw* fydde'i etifeddion e, nid Martin Thomas. Ma hynny'n golygu nad oedd gair o wirionedd yn y llythyr anfonodd e at y cyfreithwyr a bod Mr Thomas wedi'u twyllo nhw, y banc, ei wraig a sawl person arall. Dyna pam mae'n hollbwysig cael gair gyda'r Insbector cyn y cyfarfod."

"Ie, alla i weld hynny. Ond os yw stori'r ewyllys yn ffliwt, ry'n ni 'nôl yn y dechre. O ble dath yr arian?"

"Dwi wedi bod yn meddwl am hynna, Mel. Pwy sy eisoes wedi buddsoddi miliynau yn nhir y Cnwc ac yn bwriadu gwario'n helaeth yn y dyfodol i warchod ei buddiannau?"

"Wrth gwrs – Caerwynt!"

"Taro'r targed mewn un. Bydde pedwar can mil am brynu'r lle, neu helpu Martin Thomas i brynu'r lle yn ddim ond piso dryw bach yn y môr i gwmni fel Caerwynt. Pam trefnu pethe fel 'na, does gen i ddim syniad. Bydden i'n meddwl mai'r ffordd galla fydde i Gaerwynt brynu'r lle a gosod tenant yno. Beth bynnag, y person all gael yr atebion yw'r Insbector a 'na pam rwy wedi bod yn deialu rhif ei ffôn symudol e ers dwy awr ac wedi gadael negeseuon."

Gwasgodd Akers y botymau unwaith eto, ac unwaith eto fe gafodd yr ateb, "Sorry, the number is unobtainable at this time. Please leave a message after the tone."

"Insbector, Akers yn siarad. Datblygiad allweddol – ffoniwch mor fuan â phosib."

* * *

Cyn mynd am ei frecwast tsieciodd Gareth ei ffôn symudol a gweld bod y teclyn yn hollol farw. Disgynnodd yn y lifft at y dderbynfa i holi'r ferch y tu ôl y ddesg. "Can you help me? My mobile isn't working. I can't ring out and there are no messages. I'm expecting an important call."

"What network are you on, sir?"

"Vodafone."

"Vodafone have sent out an e-mail throughout the South Wales area saying that there's a major fault on one of their Cardiff masts. They're working on it now, and it should be fixed in the next hour. You're welcome to use the hotel phone, sir."

Edrychodd Gareth ar ei wats. "Thank you, no. I'm a bit pushed for time. I'll go and have my breakfast and try to contact the person later on."

Roedd pencadlys cwmni Caerwynt ym mharc busnes Porth Caerdydd, gerllaw'r draffordd. Wrth i Gareth yrru o'r ddinas heibio Ysbyty'r Waun roedd y traffig ar y lôn gyferbyn yn drwm a thagfa ger cylchdro Gabalfa. Gadawodd y ffordd ddeuol a dringo heibio archfarchnadoedd a thai Pontprennau i gyrraedd y parc busnes. Gwelodd swyddfeydd Caerwynt ar unwaith – adeilad deulawr o frics coch tywyll gyda ffenestri enfawr ar y llawr isaf. Parciodd y Merc mewn man a glustnodwyd ar gyfer ymwelwyr a cherdded tuag at y drysau gwydr a agorodd yn awtomatig wrth iddo nesáu.

Tu mewn, roedd cyntedd yr adeilad yn ymarferol bwrpasol yn hytrach nag yn foethus – llawer o wydr, llawr carreg (nid llechen, meddyliodd Gareth, rhy ddrud), gyda soffas lledr a byrddau isel yma a thraw. Yn y canol, roedd desg fawr ar siâp hanner cylch, a dwy ferch ifanc yn eistedd y tu ôl iddi. Croesodd Gareth at un ohonynt a dweud bod ganddo apwyntiad i weld Sioned Athlon. Fe'i cyfeiriwyd at un o'r soffas ac wrth aros sylwodd ar blât dur ar y wal gerllaw yn nodi agoriad swyddogol yr adeilad gan aelod o'r teulu brenhinol. Cofiodd yn sydyn am y ffôn symudol ac wrth estyn am y teclyn gwelodd gyda rhyddhad fod rhwydwaith Vodafone yn gweithio erbyn hyn. Roedd ar fin edrych ar ei negeseuon pan welodd ddyn ifanc yn ei ugeiniau yn cerdded tuag ato.

"Insbector Gareth Prior? Rhydian Gwilym, cynorthwy-ydd personol Sioned Athlon. Mae'n flin gen i am yr aros. Mae Miss Athlon yn rhydd i'ch gweld chi nawr, syr."

Esgynnodd Rhydian Gwilym a Gareth yn y lifft i'r llawr cyntaf. Yma roedd tipyn mwy o foethusrwydd – carped llwyd trwchus, y muriau hefyd yn llwyd ac arnynt ffotograffau o nifer o borthladdoedd, llongau cargo, cludiant ac wrth gwrs lleoliadau ynni amgen, gan gynnwys ffermydd gwynt yn yr Alban a Chymru. Wrth edrych ar y lluniau sylweddolodd Gareth nad oedd Caerwynt yn ddim ond un adain o gwmni mawr *multinational* ac mai rhan fechan mewn cynfas eang o ddiddordebau oedd datblygiad Hyddgen. Cerddodd Rhydian Gwilym at ddrws ac arno blac â'r geiriau 'Sioned Athlon, Prif Reolwraig/Chief Exective Officer'. Curodd yn ysgafn ac fe glywyd yr ateb, "Dewch i mewn".

Cododd Sioned Athlon i gyfarch Gareth, "Croeso i

bencadlys Caerwynt, Insbector. Mae'n flin gen i fod y rheswm am eich ymweliad yn un mor drasig. Roedd llofruddiaeth Martin Thomas yn sioc i ni i gyd. Rhydian, coffi, os gwelwch yn dda."

Fel y gellid disgwyl, roedd swyddfa Sioned Athlon ar ochr orau'r adeilad ac yn edrych allan dros ddinas a bae Caerdydd yn hytrach na'r draffordd. Roedd y carped eto'n llwyd, gyda bwrdd a phedair cadair wrth y ffenest, y ddesg o bren golau a thop o wydr tywyll. Prin iawn oedd y papurau ar y ddesg, un ffeil ac iddi'r teitl 'Datblygiad Hyddgen', ac ar yr ochr dde roedd cyfrifiadur Apple Mac. Wrth i Gareth eistedd, cafodd y teimlad ei fod yng nghwmni dynes a oedd yn hen gyfarwydd â defnyddio'i galluoedd sylweddol i reoli pob sefyllfa. Edrychodd arni – siwt fusnes dywyll, blows sidan, mwclis aur a'r mymryn lleia o golur. Nid bod angen rhyw lawer o hwnnw; roedd ganddi wyneb hardd a llygaid gyda'r tywyllaf a welodd erioed. Llygaid ag iddynt edrychiad treiddgar – a'r cyfan yn creu argraff o bendantrwydd a phenderfyniad.

Gosododd Rhydian Gwilym y *cafetière* a dau gwpan ar y ddesg a gadael mor dawel ag y daeth i mewn. Arllwysodd Sioned Athlon y coffi a throi at Gareth, "Roedden ni'n flin iawn o glywed am y llofruddiaeth ac fe wna i bopeth posib i gynorthwyo'r heddlu yn eu hymholiadau," meddai.

"Diolch, Miss Athlon. Fe fyddwch chi'n deall, mae'n siŵr, mai'r rheswm dros yr ymweliad yw canfod mwy am y berthynas rhwng Mr Thomas a Chaerwynt. Ry'n ni wedi cael tipyn o wybodaeth a dogfennau gan ei wraig, Sulwen Thomas." Sylwodd Gareth fod y llygaid du wedi lledu. "Ond dwi'n awyddus i glywed am ochr arall y cytundeb. I fynd 'nôl at fan cychwyn datblygiad Hyddgen, chi gysylltodd â Mr Thomas neu ef ddaeth at y cwmni?"

"Y cyntaf, Insbector. Mae Caerwynt yn un o'r prif gwmnïau

ynni amgen ym Mhrydain ac yn meddu ar arbenigedd nad oedd gan Mr Thomas o gwbl. Ry'n ni'n ymwybodol o'r llecynnau sy'n addas i adeiladu ffermydd gwynt ac fe ddaeth yn glir o'n hymchwiliadau fod Hyddgen yn un o'r mannau hynny. Roedd Mr Thomas wedi prynu'r Cnwc ond doedd gyda fe ddim syniad y gallai fod yn safle i fferm wynt, ac o'r herwydd y byddai gwerth y lle'n cynyddu'n sylweddol. Ei lwc e oedd hynny."

"Ac os ga i awgrymu, Miss Athlon, eich lwc chithe hefyd – neu lwc Caerwynt."

"Nage, Insbector, nid lwc, ond gwaith caled ac ymchwil drylwyr. Fe fyddai'n bosib i Gaerwynt a Mr Thomas dybio y gellid gosod melinau ar y tir, fel ar sawl rhan arall o ucheldir Cymru. Y dybiaeth yw rhan hawdd y broses – y rhan hirfaith ac anodd yw cael y caniatâd cynllunio angenrheidiol gan y llywodraeth ac yma, yng Nghymru, gan y Cynulliad. Y cam olaf yn y broses oedd y cyfarfod yn neuadd Esgair-goch gyda'r bleidlais yn gadarnhaol. "

"Beth fydd yn digwydd nawr, yn sgil marwolaeth Mr Thomas?"

"Gan i chi sôn eich bod wedi cael dogfennau gan Sulwen Thomas, ry'ch chi'n gwybod mae'n debyg bod y cytundeb rhwng Caerwynt a Mr *a* Mrs Thomas. Yn naturiol, fe fyddwn ni'n sensitif i'r amgylchiadau, ond ar ôl cyfnod parchus o amser fe fydd datblygiad Hyddgen yn mynd yn ei flaen."

Roedd hynny'n gadarnhad o sylw Akers, dywedodd Gareth wrtho'i hun, na ellid cymryd atal y datblygiad fel y motif dros y llofruddiaeth. "Ry'n ni wedi ffaelu cael gafael ar wybodaeth am sut y llwyddodd Martin Thomas i brynu'r Cnwc. Mae 'na straeon ar led am ewyllys rhyw berthynas iddo yn Seland Newydd. Wyddoch chi'n unrhyw beth am hynny, Miss Athlon?"

"Dim, rwy'n ofni. Fe glywais i'r stori honno, fel chithe. Doedd y peth ddim yn bwysig i ni, Insbector. Yr hyn *oedd* yn bwysig oedd mai Mr a Mrs Thomas oedd perchnogion cyfreithiol y Cnwc."

"Mae cyfrifon banc Mr a Mrs Thomas yn dangos taliad o ddwy fil y mis dros yr wyth mis diwethaf ac mewn sgwrs gyda rheolwr Banc Marcher yn Aberystwyth fe gawson ni wybod mai Caerwynt oedd ffynhonnell y taliadau. Pam oedd Caerwynt yn talu'r arian hwn i Martin Thomas?"

Am y tro cyntaf, ymddangosai Sioned Athlon yn ansicr o'i thir. Estynnodd am y ffeil ar y ddesg a throi tudalennau cyn ychwanegu, "Mae'n flin gen i. Dyw'r manylion ddim fan hyn. Mae'r papurau cyfredol gyda Rhydian drws nesa. Esgusodwch fi am eiliad."

Wrth i Sioned Athlon adael ei swyddfa, canodd ffôn symudol Gareth. Akers oedd yno.

"Rwy wedi bod yn trio cysylltu â chi drwy'r bore. Chi'n gallu siarad nawr?"

"Ydw, ond yn gyflym, Akers." Cododd Gareth a chroesi at y ffenest lle roedd gwell derbyniad i'w gael.

"Tri pheth hynod o bwysig, syr. Mae'r wncwl yn Seland Newydd yn fyw ac yn iach ac mae ganddo fe ddau fab – nhw fydde'n etifeddu, nid Martin Thomas. Felly, o ble daeth y pres i brynu'r Cnwc? Bues i'n meddwl am y peth a hyd y galla i weld, dim ond un ateb sy'n bosib – Caerwynt. Es i 'nôl i ailedrych ar y gliniadur yn fwy gofalus a gwrandwch ar hyn – ma 'na atodiad wedi'i gladdu mewn ffeil am frechu defaid dan y teitl 'windcheater'. Agores yr atodiad ac mae'n cynnwys ail gytundeb rhwng Caerwynt a Martin Thomas – cytundeb cudd gyda Mr Thomas yn unig. Dim sôn am Mrs Thomas o gwbl. Mae'r cytundeb yn dangos mai Caerwynt dalodd am y ffarm a bod y cwmni'n dal yn berchen ar y lle. Bydd y berchnogaeth yn cael ei throsglwyddo i Martin a Sulwen Thomas ar y dyddiad y cynhyrchir trydan am y tro cyntaf yn Hyddgen. Chi'n deall yr oblygiadau..."

Clywodd Gareth ddrws y swyddfa'n agor. "Yn berffaith," meddai'n gyflym, "a bydda i 'nôl yn Aber cyn diwedd y pnawn. Gawn ni drafod bryd hynny." Torrodd y cysylltiad a throi at Sioned Athlon. "Mae rhywbeth wastad yn codi pan ry'ch chi allan o'r swyddfa, on'd oes e? Y taliad ychwanegol – oes 'na fanylion pellach?"

"Oes, rwy wedi dod o hyd i'r wybodaeth. Fel rhan o'r paratoadau roedd yn rhaid cynnal archwiliadau manylach ar dir y Cnwc a gosod rhagor o fesuryddion gwynt yno. Mae'r symiau o ddwy fil y mis yn dâl am yr hawl i gael mynediad i'r tir ac i dalu am unrhyw ddifrod."

"Dwy fil y mis am wyth mis, cyfanswm o un fil ar bymtheg. Ma hynny'n arian sylweddol, Miss Athlon."

Roedd yr ymateb yn cŵl, mor cŵl ag y gallai fod. "Insbector Prior, mae Caerwynt eisoes wedi buddsoddi dwy filiwn yng nghynllun Hyddgen ac fe fydd adeiladu'r fferm wynt yn costio dros dair miliwn. Yng nghyd-destun y ffigurau hynny, dyw gwariant o ddwy fil y mis ddim yn arian sylweddol."

"Ie, fe alla i weld hynny. Dim ond ditectif ydw i, yn deall dim am fyd busnes, a 'na pam mae'n debyg bod dwy fil yn swnio fel lot o arian." Gwenodd Sioned Athlon mewn cydymdeimlad. "Ga i ddychwelyd at brynu'r Cnwc. Pan holais i rai munudau 'nôl o ble daeth yr arian fe ateboch chi nad oedd gyda chi syniad, eich bod wedi clywed y stori am yr ewyllys ond nad oedd y peth o ddim diddordeb i'r cwmni. Cywir, Miss Athlon?"

"Hollol gywir. Pam sôn am hynny eto, Insbector?"

"Wel, mae gyda ni wybodaeth bendant mai Caerwynt dalodd am y fferm a bod 'na gytundeb cudd wedi'i wneud rhwng y cwmni a Martin Thomas, a Mr Thomas yn unig. Mae cymal o'r cytundeb yn datgan na fyddai perchnogaeth y Cnwc ond yn cael ei drosglwyddo iddo ef a Mrs Thomas ar y diwrnod cyntaf y cynhyrchir trydan yno. Efallai mod i ddim yn deall cymhlethdodau byd busnes ond dwi'n deall hyn – pan fo rhywun yn dweud celwydd wrth yr heddlu ma gyda nhw rhywbeth i'w guddio. Felly, beth sy gyda chi a Chaerwynt i'w guddio? A'r gwir, os gwelwch yn dda."

Roedd yr olwg cŵl wedi diflannu oddi ar wyneb Sioned Athlon ac edrychai'n bur anesmwyth. Fodd bynnag, nid oedd am ildio'n hawdd. "Chi'n hollol sicr o'ch ffeithiau? Mae hynna'n gyhuddiad difrifol, Insbector."

"Ac mae dweud celwydd wrth yr heddlu'n fater difrifol hefyd. Nawr, fe alla i newid sail y drafodaeth os mynnwch chi drwy roi'r rhybudd ffurfiol. Bydd hynny'n golygu bod gyda chi hawl i gyfreithiwr ac fe fydd gen innau'r hawl i alw am gar heddlu i'ch cludo i orsaf yn y ddinas er mwyn i weddill yr holi ac ateb gael ei recordio. Dyw e'n gwneud dim gwahaniaeth i fi – dewiswch chi."

Sylweddolodd Sioned Athlon mewn amrantiad na fyddai cael ei harwain o bencadlys Caerwynt rhwng dau blismon yn cyfrannu at ei hygrededd fel prif reolwraig nac at ddelwedd y cwmni.

"Iawn, Insbector," atebodd. "Os dyna yw'r dewis rwy'n credu bod yn well gen i aros yma. Gan i chi fynnu, fe wna i egluro pam brynodd Caerwynt y Cnwc a gosod Martin Thomas yno fel rhyw fath o denant. Mae'r eglurhad yn syml a does dim byd amheus ynglŷn â'r sefyllfa.

"Mae gan y cwmni fferm wynt arall gerllaw Esgair-goch, fferm dipyn llai a adeiladwyd tua phum mlynedd yn ôl. Fe fu gwrthwynebiad sylweddol i'r datblygiad hwnnw – protestiadau, blocio'r ffordd i'r datblygiad ac ymgais o ddifrod bwriadol i un o'r melinau. Fel y gallwch chi ddychmygu, cafodd y digwyddiadau gryn sylw yn y cyfryngau. Fe arweiniodd hyn at oedi, cynnydd yn y costau a chyhoeddusrwydd anffafriol i Gaerwynt – a rhan helaeth o hwnnw ar sail dim mwy na chlochdar cwbl gamarweiniol. Roedd y cwmni'n ymwybodol o botensial safle'r Cnwc a'r tir o'i gwmpas ar adeg y datblygiad cyntaf hwnnw, ac yn ystod yr un cyfnod fe ddaeth y fferm ar y farchnad. Roeddwn i a gweddill y cyfarwyddwyr yn sylweddoli mai cam gwag fyddai i Gaerwynt brynu'r lle'n agored – byddai rhagor o gyhoeddusrwydd gwael, a'r gath allan o'r cwd bod rhan o dir y fferm yn mynd i fod yn safle i fferm wynt. Yr ateb oedd cael person i brynu ar ein rhan, a'r person hwnnw oedd Martin Thomas."

"Cyfleus iawn. Sut o'ch chi'n gwybod am Mr Thomas?"

"Roedd Mr Thomas yn labrwr ar y fferm wynt gynta honno. Digwyddodd rheolwr y safle daro sgwrs gyda fe ac fe soniodd Mr Thomas am ei awydd i brynu fferm ond bod y peth yn amhosib oherwydd nad oedd ganddo'r cyfalaf. Os cofiaf yn iawn, roedd 'na hefyd ryw stori bod ei wraig yn ferch i amaethwr cyfoethog. Mae'r gweddill, fel maen nhw'n dweud, yn hanes. Dim byd amheus, ac yn gwbl gyfreithiol."

"Dwi ddim yn amau nad yw e'n gyfreithiol, Miss Athlon, ond rodd 'na ymgais i dwyllo. Dwi'n sicr y byddai rhai o drigolion Esgair-goch yn gweld y fargen rhyngoch chi a Martin Thomas yn un amwys, a dweud y lleia."

Dangosai'r ateb fod Sioned Athlon wedi adfer ei phendantrwydd a'i phenderfyniad. "Dewch nawr, Insbector Prior, peidiwch â bod mor naïf. Ym myd busnes, y rhai sy'n taro'r fargen orau a'r fargen galetaf sy'n llwyddo."

"Ie, mae'n bosib nad yw dirgelion byd busnes yn ddealladwy i dditectif fel fi, ond fel arweinydd y tîm sy'n ymchwilio i lofruddiaeth Martin Thomas mae'n rhaid i mi ofyn, oes unrhyw beth arall hoffech chi ychwanegu? Unrhyw beth a allai fod yn berthnasol i'r ymchwiliad?"

"Dim byd, rwy'n ofni."

"Wel, diolch am eich amser. Mae'n siŵr y byddwn ni mewn cysylltiad cyn bo hir. Gair bach o rybudd cyn gadael. Dyw dweud celwydd wrth yr heddlu ddim yn syniad doeth, Miss Athlon, yn arbennig i berson clyfar fel chi. Ac un peth arall. Hoffwn i gael syniad o faint ac effaith y melinau. Fyddai modd i mi ymweld â safle'r datblygiad cyntaf?"

"Dim problem. Bydda i wedi danfon neges at y staff diogelwch ac wedi gwneud y trefniadau."

Yn nhawelwch ei swyddfa grand croesodd Sioned Athlon at y ffenest i wylio Gareth Prior yn cerdded at y Merc a gyrru i ffwrdd. Bu'r cyfweliad yn brofiad annymunol ac nid oedd wedi hoffi rhybudd y ditectif. Fel arfer, hi oedd â'r gair ola ar derfyn pob trafodaeth, ond nid y tro hwn. A hithau mewn hwyliau drwg, camodd yn ôl at ei desg a chodi'r ffôn.

"Rhydian, galwad tair-ffordd os gwelwch yn dda – yr Arglwydd Gwydion, Prys Ifans a fi. Does dim gwahaniaeth ble maen nhw, dwedwch ei fod e'n fater o bwys. *Nawr* Rhydian, dim oedi."

Canodd y ffôn mewn llai na phum munud. Cododd Sioned Athlon y derbynnydd. "Arglwydd Gwydion, Prys, clywed?" Cafwyd gair byr o gadarnhad gan y ddau. "Mae Insbector Gareth Prior, y ditectif sy'n arwain yr ymholiad i lofruddiaeth Martin Thomas, newydd fod yma." Oedodd ac anadlu'n ddwfn. "Mae e'n gwybod mai ni dalodd am y Cnwc ac mai ni yw perchnogion y lle."

"Shwt ar y ddaear mae e wedi ca'l yr wybodaeth honno?" holodd Prys Ifans.

"Sulwen Thomas sydd wedi bod mor ffôl â throsglwyddo ffeiliau a gwaith papur i'r heddlu."

Siaradodd Prys Ifans eto, gydag elfen gref o bryder yn ei lais, "Ond roedd y ffeithiau am brynu'r Cnwc mewn cytundeb cudd. Os daw hyn yn gyhoeddus fe alle fod yn niweidiol iawn i fi ac i'r Blaid. Chi'n deall hynny?"

"Ydw Prys, ond..."

"Dyna'r cyfan mae Insbector Prior yn ei wybod? Soniodd e am ddim byd y tu hwnt i berchnogaeth y Cnwc?"

"Holodd e am yr arian ry'n ni wedi bod yn ei dalu i Martin Thomas."

"Shit! Ma hyn yn mynd o ddrwg i waeth! Dwi ddim yn hapus, Sioned. Bydde'r arlliw lleia o sgandal yn fêl ar fysedd Llafur yn y glymblaid."

Torrodd yr Arglwydd Gwydion i mewn i'r sgwrs. "Sut egluroch chi'r pres, Sioned?"

"Mi ddywedais fod y symiau o ddwy fil y mis yn dâl am yr hawl i gael mynediad i'r tir a gosod mesuryddion gwynt."

"Perffaith. Dyna'r cyfan?"

"Yr unig beth arall oedd Prior eisiau oedd ymweld â safle'r fferm wynt bresennol."

"Rhwydd hynt iddo fe. Does dim byd fan 'na. Llai o banig, Prys. Cofia dy fod ti a dy blaid wedi cytuno â'r ddêl o'r cam cynta. Nid nawr yw'r amser i gael traed oer. Bydd popeth yn iawn. Fe setla i Insbector Gareth Prior."

* * *

Ochneidiodd Akers wrth weld ciw o geir yn ymestyn o waelod rhiw Penglais at fynedfa'r Brifysgol. Roedd Mel ac yntau ar eu ffordd i'r Henblas i holi'r Rhysiaid ac wedi tybio y byddent yn cwblhau'r daith mewn ugain munud. Nid felly y bu, yn bennaf oherwydd ymdrechion rhyw foi mewn siwt oren i reoli'r drafnidiaeth. O'r diwedd aethant heibio'r arwydd 'stop-go' ond wrth i Akers ddod at y troad i'r Waunfawr canodd ei ffôn symudol a bu'n rhaid iddo dynnu i mewn i'r arosfan ar y chwith.

"Helô, Akers, Gareth sy'n siarad. Ble y'ch chi?"

"Mae Mel a finne ar dop rhiw Penglais, ar ein ffordd i'r Henblas."

"Iawn. Holwch Annabel a Max yn galed a thaclo mater yr alibi. Wedyn dwi am i chi fynd i siarad â Sulwen Thomas. Fel ro'ch chi wedi tybio, Akers, Caerwynt dalodd am y Cnwc a'r cwmni sy'n berchen y lle. Odd Mrs Thomas yn gwybod am y cytundeb cudd hwnnw, tybed? Dyw hi ddim yn cael ei henwi, ond a odd hi'n ymwybodol ohono? Beth yw ei hesboniad hi am y taliadau o ddwy fil o bunnau'r mis? Dwi yng Ngwasanaethau Gorllewin Caerdydd ger yr M4 ar hyn o bryd – bydda i'n cychwyn am Aber ar unwaith, a wela i chi mewn rhyw ddwy awr a hanner. Iawn, Akers?"

"Iawn, syr."

Trosglwyddodd Akers fyrdwn y neges cyn dweud, "Mel, rwyt ti wedi cwrdd â'r Rhysiaid o'r bla'n. Hola di ac fe wna i gymryd nodiadau."

Fel ar adeg yr ymweliad cyntaf roedd y ddau gar, y Jag a'r Mini, ar y dreif ond y tro hwn Max atebodd y drws. Cyfarchodd y ddau dditectif gyda syndod. "Wel, wel, ein cyfeillion o'r ffors 'nôl mor fuan. Beth yw'r rheswm dros yr ail ymweliad?"

"Un neu ddau o bethau ddim yn hollol glir i ni, syr," dywedodd Mel. "Fyddai'n bosib i ni ddod i mewn? Dyma'r Ditectif Gwnstabl Akers."

Trodd y syndod yn ffug-urddas. "Wrth gwrs, mae croeso i bawb yn ddi-wahân yn yr Henblas."

Arweiniwyd y ddau i stydi fechan gyda'i muriau'n drwm

o hen lyfrau a lluniau o grwpiau milwrol, gyda sawl un yn cynnwys llun o Max ifancach ac ysgafnach.

Edrychodd Mel ar y lluniau. "Chi'n gyn-filwr, Mr Rhys?"

"Ydw, uwch-gapten yn y Royal Welch. Nawr 'te, sut alla i fod o help?"

"Gair gyda chi a Miss Rhys, os gwelwch yn dda. Ro'n i'n gweld y Mini tu fas. Allwch chi fynd i nôl eich chwaer?"

Diflannodd Max a threuliodd Mel y ddwy funud nesa'n astudio'r ffotograffau milwrol yn fanwl. Roedd hi ar fin dweud rhywbeth wrth Akers pan ddychwelodd Max gydag Annabel yn ei ddilyn. Edrychodd hithau i lawr ei thrwyn ar yr ymwelwyr cyn rhoi plwc ar y sigarilo a chwythu cwmwl o fwg glas at nenfwd y stydi.

"*An unexpected pleasure, and so soon.* Neis gweld chi, Sarjant, a'ch *assistant.* Max yn dweud bod rhai pethau'n dal i fod yn *mystery. Can't think what*, ond dyna fe." Eisteddodd Annabel a Max heb wahodd y lleill i eistedd yn y ddwy gadair arall. Nid oedd taten o ots gan Mel. Roedd hi wedi cael llond bol o'r hen snoben a chychwynnodd ar y croesholi gydag afiaith.

"Mr Rhys, Miss Rhys, gwell i fi egluro'ch bod chi nawr o dan amodau'r rhybudd ffurfiol. Does dim rhaid i chi ddweud dim, ond gall niweidio eich amddiffyniad os na fyddwch chi'n sôn yn awr am rywbeth y byddwch chi'n dibynnu arno maes o law yn y llys. Does dim rhaid i chi ddweud dim byd, ond gall unrhyw beth yr ydych yn ei ddweud ei roi fel tystiolaeth. O dan amodau'r rhybudd, mae gyda chi hawl i gyfreithiwr."

Tybiai Mel mai dyna'n union fyddai'n digwydd ac y byddai'r sesiwn yn dod i ben cyn iddi gychwyn. Edrychai Annabel fel petai am ohirio ond cyn iddi gael cyfle i yngan gair dywedodd Max ei fod e'n barod i barhau. Bendithiodd Mel ei lwc a chychwyn ar y broses.

“Ar ein hymweliad cyntaf fe ddwedodd y ddau ohonoch ’ych bod chi wedi gadael y cyfarfod yn Neuadd Esgair-goch yng nghwmni’ch gilydd. Yn gyfleus, felly, rodd y naill ohonoch yn paratoi alibi i’r llall dros amser y llofruddiaeth.” Pwyllodd i fesur ei geiriau’n ofalus. “Erbyn hyn mae gyda ni dyst a welodd y ddau ohonoch chi’n gadael ar wahân – Miss Rhys yn y Mini a chithau, Mr Rhys, yn pwyso i mewn i’r Jaguar. Dau gar, nid un fel ddwedoch chi, a gadael ar wahân, nid gyda’ch gilydd.”

Ni chafwyd ymateb ac felly gofynnodd Mel y cwestiwn amlwg. “Pwy sy’n rhaffu celwydde, ’te? Chi, syr, neu chithau, Miss Rhys, neu’r ddau ohonoch chi? Cyn i chi ateb, cofiwch am eiriad y rhybudd.”

Syllodd Annabel yn ddisgwylgar ar ei brawd. O’r diwedd, dywedodd hwnnw, “Fi sy ar fai, Sarjant. Does gan fy chwaer ddim byd i’w wneud â hyn.” Oedodd cyn ychwanegu, “Ar noson y llofruddiaeth ro’n i gyda rhywun arall.”

Wrth glywed y geiriau, deallodd Mel pam oedd Max mor barod i barhau. Roedd cyfrinach fawr ar fin cael ei datgelu, cyfrinach llawer rhy boenus i glustiau cyfreithiwr y Rhysiaid. “Yr enw?”

“Anne Wilmington.”

Roedd Anne Wilmington yn wraig i Roddy Wilmington, prif ŵr busnes Gogledd Ceredigion, a’r ddau’n aelodau o’r hyn y gellid ei ddisgrifio fel hufen cymdeithas – hyd yn oed os oedd yr hufen hwnnw wedi suro. “Trwy’r nos, Mr Rhys?”

“Beth?”

“Oeddech chi gyda Mrs Wilmington drwy’r nos?”

“Oeddwn.”

“Diolch. Mi fyddwn yn tsiecio hynny, wrth gwrs. Fel arfer bydden ni’n gofyn am y cyfeiriad ond rwy’n credu bod bron pawb yn gwybod ble mae Mrs Wilmington yn byw. Miss

Rhys, hoffech chi ychwanegu unrhyw beth?"

Roedd llygaid Annabel Rhys mor galed â dur. Poerodd yr ateb, "Dim Sarjant, dim."

"Dyna ni 'te. Fe wnawn ni alw heibio eto ar ôl i Mrs Wilmington gadarnhau'r ffeithiau."

Pesychodd Max Rhys cyn dweud, "Byddwch yn *discreet*, Sarjant. Wedi'r cyfan mae Mrs Wilmington..."

"Yn wraig briod. Ond mae hi braidd yn hwyr i boeni am hynny nawr, Mr Rhys. Bydd yr ymweliad â Mrs Wilmington yr un fath â phob ymweliad gan yr heddlu – yn ofalus a thrylwyr. Dydd da i chi a diolch am eich cydweithrediad."

Tywysodd Annabel y ddau dditectif at ddrws yr Henblas ac yna dychwelodd i'r stydi. Roedd ei hwyneb fel taran. "Max, ti'n *bloody fool. Pathetic.* Yr un broblem ag erioed, *can't keep it in your trousers.* Nid bod gyda ti reswm i frolio, yn ôl yr hanes. Honna o bawb! The Aber bicycle – mae hanner y dre wedi bod ar ei chefn hi. A ddweda i un peth wrthot ti – *you're on your own, dear brother* – paid â disgwyl help gen i." Gyda'r geiriau hynny aeth Annabel o'r ystafell a chau'r drws gyda chlep uchel.

Estynnodd Max am yr unig gysur oedd ar ôl iddo ar derfyn llanast o fore, sef y botel whisgi. Arllwysodd fesur helaeth a'i yfed mewn un llwnc.

* * *

Gyrrodd Akers yn syth i'r Cnwc a pharcio ar y clos. Roedd Sulwen Thomas yn llwytho byrnau i drelar gyda help gan ei merch Catrin a dyn ifanc.

"Bore da, Mrs Thomas," dywedodd Mel. "Dyma'r Ditectif Cwnstabl Akers. Mae'n flin gyda ni ddod ar eich traws."

"Popeth yn iawn, Sarjant. Naethoch chi gyfarfod â Catrin

y tro dwetha. Dyma Joss Miles, cariad Catrin. Ma Joss yn rhoi help llaw ar y fferm ac o dan yr amgylchiadau… wel, mae'n werth ei ga'l e. Oes unrhyw newyddion?"

"Dim byd pendant, nac oes. Mae 'na rai materion sy ddim cweit yn eglur a dyna pam ry'n ni wedi galw. Allwn ni fynd i'r tŷ?"

"Wrth gwrs. Unrhyw beth, Sarjant, unrhyw beth."

Arweiniodd Mrs Thomas y ffordd ac ailgydiodd Catrin a'i chariad yn y dasg o lwytho'r byrnau. Yng nghegin y Cnwc gellid gweld bod Sulwen Thomas wedi heneiddio blwyddyn o fewn wythnos a doedd hynny ddim yn syndod. O fewn cwta saith niwrnod llofruddiwyd ei gŵr a syrthiodd y cyfrifoldeb o gynnal y teulu a gweld at ofynion dyddiol rhedeg y fferm yn llwyr ar ei hysgwyddau.

"Y cyfan sy'n bwysig i fi nawr, Sarjant, yw gwneud yr hyn alla i i ddod â'r person laddodd Martin o flaen ei well a gofalu am y plant. Fel dwedes i, unrhyw beth..."

"Diolch. I fynd 'nôl at adeg prynu'r fferm. Ry'n ni'n gwybod mai labrwr odd Mr Thomas ar y pryd. Felly sut oeddech chi'n gallu fforddio'r lle?"

"O, fe etifeddodd Martin swm sylweddol mewn ewyllys rhyw wncwl odd yn byw yn Seland Newydd."

"Iawn. Mm. Eich cytundeb chi a Mr Thomas â chwmni Chaerwynt. Dyna'r unig gytundeb ro'ch chi'n ymwybodol ohono?"

"Ie, wrth gwrs, pa gytundeb arall alle fod? Sai'n gweld beth sy gyda chi, Sarjant."

Mae hyn yn mynd i fod yn anodd, dywedodd Mel wrthi'i hun. "Mrs Thomas, ry'n ni'n gwybod erbyn hyn bod yr ewythr yn Seland Newydd yn dal yn fyw a bod ganddo ddau fab. Hefyd ry'n ni'n gwybod mai Caerwynt dalodd am y Cnwc ac mai nhw sy'n berchen y lle. Mae'r berchnogaeth i'w throsglwyddo i chi pan ddechreuir cynhyrchu trydan yn y fferm wynt. Mae'r cyfan mewn cytundeb cudd rhwng Mr Thomas a Caerwynt."

Roedd wyneb Sulwen Thomas yn wyn fel y galchen a bu'n rhaid i Mel ei helpu i eistedd. "Mae'n flin 'da fi, Mrs Thomas."

Rhoddodd Sulwen Thomas ei phen yn ei dwylo mewn anobaith llwyr. "Y'ch chi'n hollol siŵr? Alla i ddim â chredu'r peth."

"Ni'n hollol sicr. Mae copi o'r cytundeb ar y gliniadur gawson ni gyda chi ac mae Insbector Prior wedi cael cadarnhad o'r trefniant gan gwmni Caerwynt. Doeddech chi'n gwybod dim?"

"Dim, Sarjant. Dim byd. Felly nid fi sy'n berchen y lle, ac mae Martin wedi'n twyllo ni i gyd – fi a'r plant?"

Gwyddai Mel na allai gynnig ateb boddhaol, a'r gorau y gallai ei wneud oedd yngan rhyw eiriau gwan o gysur. "Bydd popeth yn iawn, Mrs Thomas. Bydd Caerwynt yn cadw at eu hochr nhw o'r cytundeb."

"Chi'n meddwl, Sarjant? Ar ôl yr hyn ry'ch chi newydd 'i ddweud, alla i byth â dibynnu ar ddim bellach."

"Alla i ddeall bod y cyfan yn sioc i chi. Un peth arall, mae'ch cyfri banc chi a Mr Thomas yn dangos taliad o ddwy fil y mis. Pwy sy'n gwneud y taliad hwnnw?"

Cafwyd yr un ateb ag a gafwyd gan Sioned Athlon. "Caerwynt. Eglurodd Martin fod y swm hwnnw am yr hawl i fynd ar y tir a gosod mesuryddion gwynt."

"Diolch, Mrs Thomas. Mae'n flin iawn gen i orfod trosglwyddo newyddion annisgwyl. Os meddyliwch chi am unrhyw beth arall sy'n berthnasol, ffoniwch ar unwaith."

Nodiodd Sulwen Thomas a chodi o'i chadair. Roedd ei cherddediad yn araf wrth iddi dywys Mel ac Akers at y drws.

Wrth sefyll ar y rhiniog, meddai, "Ma bron wythnos ers i Martin gael ei ladd ac ma'n bryd symud mla'n â threfniadau'r angladd. Oes syniad gyda chi...?"

"Mae'r cyfan yn nwylo'r crwner, rwy'n ofni. 'Na i holi ar eich rhan."

* * *

Yn unol â'i addewid, cyrhaeddodd Gareth 'nôl yn Aberystwyth yn hwyr yn y prynhawn. Bu Gareth, Mel ac Akers yn ystyried oblygiadau'r trafodaethau gyda Sioned Athlon, y Rhysiaid a Sulwen Thomas ac yn trafod y camau nesaf. Penderfynwyd fod Mel i ymweld â chartref Anne Wilmington tra bod Gareth ac Akers yn mynd i weld safle'r fferm wynt bresennol.

"'Na'r cyfan, dwi'n credu," dywedodd Gareth.

"Ma 'na un peth arall, syr," dywedodd Mel. "Y llunie ar wal y stydi yn yr Henblas. Ro'n i'n mynd i weud rhywbeth wrth Clive ar y pryd ond fe ddath Max 'nôl i'r stafell ac anghofies i. Llunie milwrol oedden nhw ac fe wedodd Max ei fod e'n arfer bod yn uwch-gapten yn y Royal Welch. Chi'n cofio sylw Dr Annwyl ynghylch pwy fydde'n gwybod am *chokehold*? Un o'r posibiliadau odd person odd yn gyfarwydd ag ymladd. Mae Max Rhys yn gyn-filwr. Oes rhaid dweud mwy?"

"Wel, mae hynny'n gwneud y sgwrs gyda Mrs Wilmington yn bwysicach fyth. Akers, unrhyw beth?"

"Oes, syr. Gan fod sicrwydd bellach mai Caerwynt sy'n berchen y Cnwc, pam bydden nhw'n talu dwy fil y mis i gael mynediad i'w tir eu hunain?"

"Un rhan arall o'r twyll?" awgrymodd Mel.

"Mm, efallai bod rhywbeth fan 'na hefyd. Wna i feddwl am y peth dros nos. Cyfarfod peth cynta fory, iawn?"

Cydiodd Akers yn ei got a chodi i fynd. Camodd Gareth at Mel a gafael yn ei llaw. "Cymaint wedi digwydd heddi, ond ti'n cofio addewid neithiwr? Swper yn y fflat?"

Edrychodd Mel i fyw ei lygaid a rhyddhau ei llaw. "Na, dim heno, Gareth. Fel wedest ti, mae cymaint wedi digwydd heddi – y bastad Max 'na'n cyfadde i dwyll gyda gwraig dyn arall, a Sulwen Thomas yn darganfod bod Martin wedi'i thwyllo hithe hefyd. Gormod o dwyll mewn un diwrnod ac felly, os nad wyt ti'n meindio, dim heno."

# Pennod 10

WRTH I GARETH ac Akers baratoi i adael am safle'r fferm wynt canodd y ffôn ac atebodd Akers ef.

"Ydy, mae e fan hyn, syr, fe basia i'r ffôn iddo fe nawr." Rhoddodd Akers ei law dros y derbynnydd ac ychwanegu'n dawel, "Sam Tân."

"Bore da, syr... na, ar fin mynd allan... Akers a finne'n mynd i ymweld â'r fferm wynt... Beth? Eich swyddfa chi nawr? Iawn, bydda i 'na mewn munud. Hwyl... Galwad oddi fry, Akers. Rhywbeth yn poeni'r Prif Arolygydd Powell. Wedodd e ddim beth. Ddylwn i ddim bod yn hir."

Cafodd Gareth rywfaint o sioc o weld y Prif Gwnstabl Dilwyn Vaughan yn eistedd wrth ochr Powell. Tybed a oedd Powell wedi llwyddo i berswadio Vaughan i'w rybuddio'n ffurfiol am ei safiad ar gyfreithloni cyffuriau? Ond nid felly roedd hi.

"Mwrdwr y ffermwr yma, Prior," dywedodd Vaughan. "Sut mae'r ymchwiliad yn dod yn ei flaen?"

"Wel syr, ry'n ni wedi holi amryw o'r rhai sy dan amheuaeth ac yn dilyn mwy nag un *lead* addawol ar hyn o bryd. Ry'n ni hefyd wedi gallu cadarnhau alibis, neu ar fin eu cadarnhau, ac o'r herwydd dylai'r darlun fod yn gliriach yn fuan iawn, syr."

"Hm. Dyw hynny ddim yn swnio'n addawol iawn, Prior. Mae wythnos ers y llofruddiaeth ac, fel ymhob achos, mae'r wasg yn pwyso'n galed am ganlyniad buan. Y'ch chi'n agos at arestio rhywun? Oes gyda chi *chief suspect*?"

"Nag oes, syr. Mae sawl enw dan ystyriaeth ond neb pendant ar hyn o bryd."

"Y'ch chi'n barod i rannu'r enwe gyda ni, Insbector?" gofynnodd Powell.

"Wrth gwrs. Yn gyntaf, Max Rhys yr Henblas. Ar adeg ei holi y tro cyntaf dywedodd Mr Rhys ei fod e a'i chwaer Annabel wedi gadael neuadd Esgair-goch yng nghwmni'i gilydd. Fel rhan o'r broses holi o ddrws i ddrws fe gafwyd gwybodaeth oedd yn gwrth-ddweud y fersiwn hwnnw. Mae Max Rhys nawr wedi rhoi fersiwn arall o'i symudiadau ac mae Ditectif Sarjant Davies yn tsiecio'r ffeithiau y bore 'ma. Wrth gwrs, fe allai hynny adael Annabel Rhys heb alibi."

"A'r enwau eraill, Prior?" holodd Vaughan.

"Seth Lloyd, cymydog Martin Thomas – cafodd Lloyd ei holi'n galed ac fel prif elyn Mr Thomas mae gyda fe fotif cryf ac, ar hyn o bryd, alibi gwan. Ond does dim tystiolaeth i'w gysylltu fe â'r llofruddiaeth. Yn dilyn protestiadau ei gyfreithiwr, bu raid i ni ryddhau Seth Lloyd."

Ergydiodd Powell ei ateb, "'Ych job chi yw dod o hyd i'r dystiolaeth, Prior. Yn 'ych geiriau chi, mae gan Lloyd fotif cryf ac alibi gwan. Nefoedd yr adar, ewch ar ei ôl e! Ffeindiwch rywbeth i'w gysylltu e â safle'r llofruddiaeth ac ewch at wraidd mater yr alibi. Beth yw'r alibi, ta beth?"

"Ei fod e wedi cael lifft adre o'r neuadd gan rywun oedd yn gyrru fan Ford Transit. Dodd gyda fe ddim enw na rhif y cerbyd."

"Blwmin hec, Prior, mae'r peth mor glir â hoel ar bost! Os oedd rhywun wedi rhoi lifft i Seth Lloyd, roedd y person hwnnw ar ei ffordd i bentre Drosgol – 'na le ma'r hewl yn mynd. Dim ond Mynydd Hyddgen sy ar ôl y pentre. Dyw Drosgol yn ddim mwy na chlwstwr o dai. Y'ch chi wedi holi o ddrws i ddrws? Oes unrhyw olwg o'r Transit 'ma?"

"Do, fe fuon ni'n holi, a na, does neb lleol yn berchen ar Ford Transit."

“Wel ’na ni, ’te. Dylech chi gael Lloyd ’nôl i’r orsaf. Bydde hynny’n sicr yn fwy buddiol na jolihoetio i weld ryw feline gwynt. Tân i’r bryniau, tân i’r bryniau!”

Gwelwyd y mymryn lleia o wên ar wyneb Vaughan ac yna dywedodd, “Mae gan y Prif Arolygydd bwynt ac rwy’n cytuno y dylech chi ailystyried Seth Lloyd. Dwi ddim chwaith yn deall y rhesymeg dros yr ymweliad â’r safle a’r diddordeb ysol yn natblygiad Hyddgen. Beth oedd y rheswm dros fynd i Gaerdydd i holi Sioned Athlon, prif reolwraig Caerwynt?”

Deallodd Gareth yn sydyn pam oedd Vaughan wedi teithio’r holl ffordd o Gaerfyrddin i Aberystwyth a pham roedd wedi cael ei alw i sefyll o flaen ei well. Roedd rhywun, Sioned Athlon ei hun efallai, neu un o gyfarwyddwyr Caerwynt, wedi cwyno wrth y Prif Gwnstabl ac am ffrwyno unrhyw ymgais i gysylltu’r cwmni â llofruddiaeth Martin Thomas. Wel, meddyliodd Gareth, dyw’r tric ’na ddim yn mynd i weithio. I’r gwrthwyneb.

“Dwi am fynd i weld y melinau i gael syniad o’u maint a cheisio deall pam mae datblygiad fel Hyddgen yn hollti cymdeithas. Rodd rhan helaeth o’r genfigen a’r elyniaeth yn erbyn Martin Thomas wedi codi oherwydd y datblygiad, ac mae’n ddigon teg i ymresymu bod gan y llofrudd rhyw deimladau felly. Mae hynny’n arwain yn naturiol at Gaerwynt ac, yn fy marn i, mae’r cwmni’n ganolog i’r ymchwiliad. Mae Sioned Athlon wedi dweud celwydd am baratoadau’r cwmni. Caerwynt sy’n berchen fferm y Cnwc ac fe lwyddodd i dwyllo gwraig Martin, Mrs Sulwen Thomas, a’r gymuned gyfan. Mae ’na amheuon hefyd ynghylch taliadau o ddwy fil o bunnoedd y mis gan Caerwynt i Martin Thomas. Mae’r rheina’n resymau cryf iawn dros edrych yn fanylach ar ran Caerwynt yn yr holl fusnes. Fyddech chi ddim yn cytuno, syr?”

Anesmwythodd Vaughan yn ei gadair. "Mae'n bosib bod rhywfaint o wirionedd yn eich sylwadau, Prior. Ond byddwch yn ofalus. Mae 'na unigolion pwerus ar fwrdd rheoli Caerwynt, a miliynau o bunnoedd yn troi ar y ddêl. Ac os nad yw hynny'n ddigon, mae'r glymblaid yn y Cynulliad â'i bys yn y briwes. Felly, gofal pia hi. Ac o hyn allan, adroddiadau cyson i'r Prif Arolygydd a minnau. Deall?"

"Deall, syr."

* * *

Safai'r fferm wynt uwchben y ffordd o Esgair-goch i Aberystwyth. Roedd Gareth wedi derbyn cyfarwyddiadau gan Sioned Athlon, a rhyw ddwy filltir y tu hwnt i'r Esgair trodd drwyn y car i'r chwith a dechrau dringo. Er bod modd gweld y melinau o'r ffordd fawr nid oedd 'run ohonynt yn y golwg nawr a hynny oherwydd culni ac aml droadau'r hewl a'r cloddiau uchel. Gyrrodd Gareth am ryw filltir a chyrraedd pâr o gatiau haearn a ffens uchel ar y naill ochr a'r llall. Yr ochr draw i'r gatiau gellid gweld cwt bychan ac wrth i Gareth ganu corn ei gar daeth gŵr allan o'r cwt a cherdded at y gatiau. Cododd ei law ond ni agorwyd y gatiau a bu'n rhaid i Gareth ac Akers ddod allan o'r Merc a chroesi tuag ato. Cyflwynodd y gŵr ei hun.

"Charlie Payne, swyddog diogelwch. Mae'r swyddfa yng Nghaerdydd wedi ffonio i ddeud 'ych bod chi ar y ffordd ond fedra i ddim agor y giatia cyn gweld prawf o bwy dach chi."

Dangosodd y ddau dditectif eu cardiau gwarant a chael mynediad i'r safle. Parciodd Gareth ger y cwt a throdd Akers ac yntau at Charlie Payne, a oedd erbyn hyn yn ail-gloi'r gatiau'n gydwybodol.

"Chi'n ofalus iawn, Mr Payne," dywedodd Gareth.

"Rhaid bod yn ofalus, Insbector Prior. Rheola'r cwmni, giatia ar glo bob amser a neb i gael mynediad heb *identity*. Ella'ch bod chi 'di clywed am y protestiadau adeg adeiladu'r fferm? Un cyfle, a bydda'r jiawlad 'nôl yma. A be fydda'n digwydd wedyn? Fi ar y clwt, dyna be."

Roedd Charlie Payne yn agos at chwe throedfedd o daldra, yn llydan o gorff ac yn ŵr cydnerth. Gwisgai iwnifform o drowsus a siaced las a bathodyn Caerwynt arni, crys-T llwyd a sgidiau trymion. Hawdd y gallai Gareth ddychmygu sut y byddai'n delio â phrotestwyr. Nerth bôn braich yn gyntaf a gofyn cwestiynau wedyn, dyna a dybiai fyddai tactegau Charlie Payne – a go brin y byddai ganddo iot o gydymdeimlad â safbwyntiau Gwyrddion Esgair-goch.

"Ers faint y'ch chi'n gwneud y gwaith yma, Mr Payne?"

"Dwy flynadd."

"A chyn hynny?"

"Dach chi fel pob plismon – yn gorfod holi perfedd pawb. Cyn hynny, Insbector, ro'n i'n gweithio i gwmnïa diogelwch. Gwarchod pres yn mynd i'r bancia a chario cyfloga i fusnesa, y math yna o beth. A cyn i chi ofyn, mi ges i lond bol ar fod fel iâr mewn cwb yng nghefn y faniau ac mi ddois i yma. Digon o awyr iach yma. Dilynwch fi os dach chi am weld y twrbeini."

Arweiniodd Charlie Payne y ddau at feic cwad gyda threlar bychan wedi'i gyplu wrth ei gefn. Sylwodd fod Gareth ac Akers wedi eu synnu rhywfaint a dywedodd gydag elfen o watwar, "Be oeddach chi'n ddisgwyl, limosîn? Eith dim hyd yn oed 4x4 i fyny fan'cw, dyma'r unig ffordd. Daliwch yn dynn yn yr ochr."

Camodd y ddau i'r trelar a chaeodd Payne y gât wifren y tu ôl iddynt. Taniodd y peiriant a chychwynnodd y beic cwad ar ei daith gyda herc. Llywiodd Payne y beic allan o'r rhimyn tarmac o flaen y cwt a dechrau dringo, gyda Gareth ac Akers yn gwerthfawrogi'r cyngor i afael yn dynn yn yr ochr. Roedd y tir yn anwastad ac er nad oeddent yn teithio'n gyflym bownsiai'r trelar o'r naill ochr i'r llall. Disgynnodd Payne i agor gât ac ailgychwyn ar hyd llwybr a oedd yn fwy serth fyth. Erbyn hyn gellid gweld y melinau rhyw led cae i ffwrdd, eu tyrrau gwyn yn esgyn i'r entrychion a'u llafnau'n troi'n ufudd i orchmynion y gwynt.

A dyma nhw, myfyriodd Gareth – dyma'r dyfeisiadau sy'n erchylltra i rai ac yn fendith ac achubiaeth i eraill. Edrychodd ar y melinau a meddwl am byllau glo Cwm Gwendraeth. Roedd y pyllau wedi hen gau yn ystod ei blentyndod yn y Cwm ond daliai i gofio hanesion ei dad am y glowyr yn dioddef o'r fogfa, yn rhyw hanner byw wrth gropian at y bedd. O'u plaid neu'n eu herbyn, doedd melinau gwynt ddim wedi lladd neb – ar wahân i Martin Thomas.

Ni ddywedodd Charlie Payne air ar hyd y daith a doedd dim syndod am hynny. Roedd sŵn uchel injan y beic cwad a'r gwynt yn gwneud unrhyw sgwrs yn amhosib. Gyrrodd Payne at waelod un o'r tyrrau, diffodd yr injan ac agor y gât er mwyn i Gareth ac Akers gamu i lawr o'r trelar. Cerddodd at ochr draw'r tŵr lle'r oedd rhywfaint o gysgod, gyda'r ddau blismon yn dilyn.

"Faint o feline sy ar y safle, Mr Payne?" gofynnodd Gareth.

"Ugian, wedi'u gosod ar dir pedair fferm. Dydy Caerwynt ddim yn berchen modfedd o'r tir ar wahân i'r mymryn tir wrth y fynedfa. Y cwmni sy bia'r melina, wrth gwrs; ma'n nhw'n talu rhent amdanyn nhw a'r ffermwyr yn derbyn rhan o'r elw o werthu'r trydan i'r grid. Mae'r ffermwyr yn ddigon hapus i dderbyn yr incwm ychwanegol. Yr unig beth arall fedren nhw wneud efo'r tir mynydd ydy magu defaid."

"Pam mae'r rhan fwya o'r meline'n troi, ond un neu ddwy yn llonydd?" holodd Akers.

"Mae un felin yn medru effeithio ar batrwm y llall, yn ôl cyfeiriad a chryfder y gwynt. Os ydy hynny'n digwydd, mae'r felin ar y pen blaen yn cau i lawr yn awtomatig."

"A sut ma hynny'n digwydd? Pwy sy'n rheoli'r meline?"

"Wel, mae'r cyfan yn cael ei reoli gan un dyn â rhyw fath o *remote control* yng nghanolfan agosa'r grid cenedlaethol yn Henffordd."

"A beth am waith cynnal a chadw?"

"Mi fydda i'n rhoi help llaw weithia efo jobsys trwm ond, i bob pwrpas, dyw cynnal a chadw ddim yn rhan o ngwaith i. Mae 'na gwmni o Drenewydd â chytundeb i edrych ar ôl holl felinau'r canolbarth. Busnes proffidiol – mae 'na gannoedd ohonyn nhw erbyn hyn. Drychwch, mae criw'n gweithio draw fan 'cw."

Pwyntiodd Charlie Payne i gyfeiriad melin lonydd rhyw ddau led cae i ffwrdd. Wrth droed y tŵr roedd fan wen a thri dyn yn camu i mewn ac allan o ddrws bychan ar waelod y tŵr.

Edrychodd Gareth i gyfeiriad y môr lle agorai Bae Aberteifi o'i flaen. Er nad oedd yn arbennig o glir gallech weld trwyn Cei Newydd i'r de ac aber y Ddyfi i'r gogledd. "Tipyn o olygfa," dywedodd.

"Ydy, ar ddiwrnod clir mi fedrwch chi weld Tyddewi ar un ochr a Phenrhyn Llŷn ac Enlli ar yr ochr arall. Ar ddiwrnod da does 'na nunlla gwell. Ond mae'r gwynt yn gallu bod yn oer, ac weithia pan fydda i'n dod yma, mae'r glaw yn chwipio'ch gwyneb fel cyllall."

Trodd Gareth i gyfeiriad y tir. Yn y dyffryn islaw safai pentref Esgair-goch ac ar y bryniau gyferbyn gallai weld ffermydd y Cnwc a Phen Cerrig; yn y gwastadedd rhyngddynt roedd yr Henblas. "A draw fanco fydd yr ail fferm wynt, datblygiad Hyddgen?"

"Ie, dyna chi. Bydd honno dipyn mwy na hon. Y twrbeini'n fwy, tua dwywaith maint y rhain a mwy ohonyn nhw. Mae 'na ugian fan 'ma ond bydd bron i ddeugian acw."

"Beth yw'ch barn chi am y datblygiad, Mr Payne?"

"Yr unig beth sy'n bwysig i fi ydy gwaith. Pan ddaw'r ail fferm, ac mi ddaw hi, mi fydd angen swyddog diogelwch ar y safle. Gan fod y lle'n fwy, mae 'na siawns go dda y bydd y gwaith yn talu'n well na'r joban sgen i rŵan."

"Ond mae rhaid bod gyda chi farn?"

"Dydy unigolion fel fi ddim yn medru fforddio mynegi barn. Dwi'n gadal y math 'na o beth i'r Gwyrddion hurt 'na a'r lembos i lawr yn yr Esgair sy'n cwyno y bydd y melina newydd yn effeithio ar eu setia teledu, ac yn mwydro am gadwraeth a sŵn. Ydy'r sŵn yn boen, a chithau'n sefyll o dan un o'r twrbeini?"

Gwrandawodd Gareth ac Akers a syllu ar y llafnau'n troi uwchben. Roedd rhyw sŵn *whwsh, whymp* cyson, sŵn tebyg i beiriant golchi. "Wel, na dyw e ddim yn boen," atebodd Gareth, "ond fe alla i ddychmygu petai'r gwynt o ryw gyfeiriad arbennig a chlywed hwnna drwy'r nos, fe allai'ch cadw chi ar ddihun."

"Nonsens, Insbector. Dyna sylw'r math o bobol sy'n symud o Surrey i gefn gwlad ac yna'n cwyno am ogla tail. Sgen i'm amynadd efo'r diawlad. Rŵan, os dach chi wedi gorffan, mae'n drybeilig o oer yma ac mae'n hen bryd i ni gychwyn yn ôl."

Ar yr eiliad honno gwelwyd un o jetiau'r awyrlu'n sgrialu tuag atynt o gyfeiriad y môr. Sgrechiodd yr awyren uwchben y tri cyn disgyn i'r dyffryn a dringo wedyn tuag at Fynydd

Hyddgen. Digwyddodd y cyfan ar amrantiad ac wedi i'r awyren ddiflannu i'r pellter dywedodd Charlie Payne, "Dyna i chi be 'dy sŵn, Insbector ac mi fydda'n dda gen i tasa cythreuliaid yr RAF yn stopio defnyddio'r melina fel *target practice*. Dach chi'n barod i'w throi hi?"

Roedd y siwrne 'nôl yr un mor herciog, ac roedd Gareth ac Akers yn falch pan barciwyd y beic cwad ger y Merc. Disgynnodd y ddau o'r trelar a throdd Gareth at y gofalwr. "Diolch am eich help, Mr Payne. Y'ch chi'n gweithio yma ar eich pen eich hun, neu oes 'na rywun arall â chyfrifoldeb am oriau'r nos?"

"Na, does 'na neb arall o ddydd i ddydd, ond mae rhywun arall wrth law, wrth gwrs, i gymryd drosodd pan fydda i'n sâl neu ar 'y ngwylia. Yn ystod y nos mae larymau ar y giatia wedi'u cysylltu â'ch gorsaf chi yn Aber. Ond dach chi'n gwybod hynny, mae'n siŵr?"

Na, doedd y naill na'r llall yn ymwybodol o hynny ond tybiodd y ddau mai annoeth fyddai cydnabod eu diffyg gwybodaeth. Taniodd Gareth injan y Merc a gyrru allan i'r ffordd, ac wrth edrych yn nrych y car gwelai Charlie Payne yn ail-gloi gatiau'r safle gyda'r un gofal â chynt.

"Plis, syr, allwch chi droi'r hîtar mla'n? Rwy bron â sythu."

Gosododd Gareth wresogydd y car ar y raddfa uchaf a llifodd yr aer cynnes i mewn. "Chwaraewr rygbi fel chi, Akers – bydden i'n meddwl 'ych bod *chi* wedi hen gyfarwyddo ag oerfel!"

"Chi'n symud drwy'r amser ar y ca' rygbi ac yn ca'l 'ych gwres. Hollol wahanol i sefyll yn stond lan fan 'na a'r gwynt bron â'ch bwrw chi lawr. Dyw e ddim 'run peth â gêm rygbi o gwbl, syr." Petrusodd Akers ac yna gofyn, "O'ch chi'n gweld Charlie Payne ychydig yn od, syr?"

"Ym mha ffordd?"

"Roedd e fel petai e yn erbyn pawb a phopeth – protestwyr, Gwyrddion, lembos Esgair-goch ac wedyn, pan hedfanodd yr awyren heibio, cythreuliaid oedd yr RAF. Dyn â barn hollol negyddol am bawb a phopeth, ond roedd e'n poeni am ei waith a'i swydd. Dyn negyddol *a* hunanol."

"Dewch nawr, Akers. Mae digon o bobl fel 'na yn y byd 'ma. Galla i ddeall pam mae e yn erbyn y protestwyr. Tase'r rheini'n ca'l eu ffordd bydde ddim ffermydd gwynt o gwbl a bydde Charlie Payne ar y clwt. Does dim rhyw lawer o gyfleoedd yng nghefn gwlad Ceredigion i berson fel 'na. A rhaid i chi gydnabod, rodd e'n ddyn hynod o gydwybodol a gofalus."

Doedd Akers ddim yn agored i berswâd. "Sylwoch chi ar ei acen e, syr? Yn dod o'r gogledd weden i. Nawr, shwt ma rhywun o gogland wedi lando mewn job fel 'na!?"

Treuliwyd gweddill y siwrne i Aberystwyth mewn tawelwch.

* * *

Tra oedd Gareth ac Akers yn ymweld â safle'r melinau gwynt aeth Mel i weld Anne Wilmington. Sylweddolai fod mwy o siawns o gael at y gwir os oedd Mrs Wilmington ar ei phen ei hun, felly parciodd y Corsa ryw hanner can llath o'r tŷ mewn man lle gallai weld y cyfan. Roedd dau gar yn y dreif, BMW newydd sbon a Saab melyn â tho meddal. Ymhen rhyw chwarter awr daeth Roddy Wilmington allan o'r tŷ, camu i'r BMW a gyrru i ffwrdd. Aeth Mel at ddrws y tŷ a chanu'r gloch. Dynes lanhau a atebodd. Dangosodd Mel y cerdyn gwarant a gofyn am Mrs Wilmington. Er yr olwg syn ar wyneb y ddynes, tywyswyd Mel i'r lolfa ym mhen blaen y tŷ.

Roedd y stafell fel rhyw set o *Dallas* – tomen o arian wedi'i wario ar y lle ond dim llawer o chwaeth. Cŵn tsieni enfawr, byrddau marmor, carpedi o'r dwyrain pell a phaentiadau o ferched hanner noeth. Eisteddodd Mel ar y soffa enfawr ac ymhen hir a hwyr cerddodd Anne Wilmington i mewn ar ôl i don o bersawr drud gyhoeddi ei bod hi ar y ffordd. Gwisgai mewn dillad *designer label* ond roedd y dillad mewn tipyn gwell cyflwr na hi ei hun. Doedd y trwch o golur ddim yn llwyddo i guddio'r rhychau na'r croen twrci ar ei gwddw.

Digon oeraidd oedd ei chroeso. "Ditectif Sarjant Davies? Rwy'n methu deall pam byddech chi eisie 'ngweld i. Os oes 'na ryw drafferth gyda'r ceir gall Roddy sortio'r cyfan. Mae e ar y Police Consultative Committee. Nawr, mae gen i apwyntiad pwysig yn y dre. Bydd raid i fi adael mewn pum munud."

Aeth Mel yn syth at y pwynt. "Dyw e'n ddim byd i'w wneud â'r ceir, Mrs Wilmington. Dwi yma i gadarnhau alibi. Mae Max Rhys wedi dweud wrth yr heddlu iddo dreulio nos Fawrth, y trydydd ar ddeg o Hydref, gyda chi. Y noson ar ei hyd, yn ôl Mr Rhys."

Sobrodd y ddynes ond gwadu wnaeth hi, gyda rhyw hanner-gwên ffals.

"Dim o gwbwl, Sarjant. Prin mod i'n nabod Mr Rhys."

"Ga i ofyn i chi feddwl yn ofalus. Ar y noson honno llofruddiwyd gŵr o'r enw Martin Thomas ar ei ffordd adre o gyfarfod yn Esgair-goch. Mae datganiad Mr Rhys yn nodi ei fod e gyda chi ar y noson honno, ac felly mae ganddo alibi dros adeg y llofruddiaeth."

"Celwydd golau. Fi a Max Rhys? Plis, mae gen i fwy o chwaeth na hynny. Ac fe ddylech chi wybod bod Roddy'n ddyn dylanwadol yn y dre 'ma ac yn gyfaill agos i'r Prif Gwnstabl. Deall, Sarjant?"

“Deall yn iawn, Mrs Wilmington. Gan fod Mr Wilmington yn berson mor ddylanwadol, ddyle fe fod yn fwy na pharod i’n helpu ni gyda’r ymchwiliad. Dim ond i ni drefnu adeg cyfleus, pan fydd y gŵr yma ac fe all e gadarnhau ble’n union y treulioch chi’r noson honno.”

Estynnodd Anne Wilmington am becyn o sigaréts o’i bag llaw. Ar ôl tanio un sigarét rhoddodd ei llaw yn ôl yn y bag a thynnu waled ohono. Gosododd bentwr o bapurau ugain punt ar y bwrdd a oedd rhyngddi hi a Mel.

“Tipyn o arian fan ’na, Sarjant. Cymaint â chyflog mis i chi. Rwy’n siŵr y gallwn ni ddod â’r mater yma i ben mewn modd buddiol i chi ac i fi.”

Syllodd Mel ar yr arian a sylweddolodd cymaint roedd hi’n casáu pobl fel Anne Wilmington. Arian oedd popeth i hon – arian i brynu tŷ crand, ceir drud a holl geriach bywyd arwynebol, materol. Roedd rhai pethau’n werth mwy nag arian, a doedd Ditectif Sarjant Meriel Davies ddim ar werth.

“Mae llwgrwobrwyo’n fater difrifol iawn, Mrs Wilmington. Dwi’n credu mai’r peth gore fydde i ni gael y gŵr adre. Fe wnawn ni drefnu i gar yr heddlu fynd i’w nôl e’n syth.”

O’r diwedd, ildiodd y wraig.

“Iawn,” cyfaddefodd yn bwdlyd. “Ro’n i yng nghwmni Max drwy’r nos,” meddai i gyfeiliant sŵn snwffian a chrio dramatig. “Plis, plis,” erfyniodd, “a fydde modd delio â hyn mewn modd sensitif? Wedi’r cyfan, dwi ddim am frifo’r gŵr ac mae gen i ddau o blant. Gallai fod yn *embarrassing* iawn.”

“Mae hi braidd yn hwyr i feddwl am hynny nawr, Mrs Wilmington, ond mae’r heddlu’n trin pob mater yn ofalus a chyfrinachol. A bod yn glir, ry’ch chi’n cadarnhau stori Max Rhys?”

"Ydw."

"Diolch am eich amser. Bydd raid i chi ddod i'r orsaf i wneud datganiad swyddogol, mae arna i ofn"

"O na, dim o gwbl. Gormod o lyged busneslyd. Rwy'n barod i wneud *statement*, ond yma yn y tŷ – pan fydd Roddy ddim yma, wrth gwrs."

* * *

"Yr hen bitsh ddauwynebog," dywedodd Akers. "Pam dyle hi gael ei thrin yn wahanol i bawb arall? Dewch â hi i mewn, ac os bydd rhywun yn ei gweld hi, wel tyff!"

"A beth fydden ni'n ennill trwy wneud hynny?" atebodd Gareth. "Teimlo'n hunanfodlon fod Anne Wilmington yn cael ei chosbi am ei rhagrith? Petaen ni'n gwasgu arni fe allai ystyfnigo *a* gwrthod cefnogi stori Max Rhys. Er bod yr holl fusnes yn drewi, ma'n well gen i adael pethau fel maen nhw ac i Mel fynd 'nôl i gael y *statement*."

Gwgodd Akers a synhwyrodd Gareth mai symud ymlaen fyddai orau. "Felly, mae hyn i gyd yn gadael Annabel Rhys heb alibi. Beth y'ch chi'ch dau'n feddwl?"

Gan ddangos nad oedd yn dal dig â Gareth, Akers atebodd gyntaf. "Rwy wedi bod yn meddwl am hyn. Mae'r ffaith fod Annabel Rhys wedi cael ei gweld yn gadael yn y Mini yn rhoi rhyw fath o alibi iddi. Cofiwch fod Martin Thomas wedi gadael y neuadd ar ei hôl hi. Y cwestiwn pwysig yw, shwt allai Annabel greu'r amgylchiadau i lofruddio? Gyrru am yr Henblas ac am ryw reswm gwneud i Mr Thomas stopio ar ei siwrne adre? Roedd Annabel wedi ymosod yn eiriol ar Martin Thomas yn y cyfarfod. Fydde fe'n debygol o stopio i un o'i elynion penna? Cofiwch am dystiolaeth Dr Annwyl bod y llofrudd wedi ymosod o gefn y landrofer. Rwy'n bendant y dylen ni anghofio am Annabel Rhys."

"Ma Clive yn llygad ei le," cytunodd Mel. "Dwi ddim yn gweld Annabel Rhys yn dwyno'i dwylo tyner â gweithred fel llofruddiaeth."

"Chi'n iawn, sbo," dywedodd Gareth. "Ond ble ma hynny'n ein gadael ni? Bore 'ma, ces i 'ngalw i gyfarfod gyda Sam Powell a chael tipyn o sioc o weld bod y Prif Gwnstabl Dilwyn Vaughan yno hefyd. Fe wnaed dau beth yn hollol eglur. Yn gyntaf, y dylen ni hoelio'n sylw ar Seth Lloyd. Mae Powell a Vaughan am i ni fynd ar ôl y person yn y Ford Transit wen – y dyn roddodd lifft adre i Lloyd, yn ôl ei dystiolaeth e. Dwi'n gwybod ein bod ni wedi holi o ddrws i ddrws ym mhentre Drosgol ond mae'r Prif Arolygydd a Vaughan am wneud hynny eto. Os na ffeindiwn ni neb, rhaid dod â Lloyd yn ôl i'r orsaf am ail sesiwn o holi caled. Sdim lot o ffydd 'da fi yn y cynllun ond dyna beth ma'r bosys ishe...

"Yn sgil fy ymweliad â swyddfeydd Caerwynt, ges i rybudd i droedio'n ofalus. Cyfeiriodd Vaughan at bobl bwerus ar fwrdd rheoli'r cwmni a'r ffaith fod y glymblaid yn y Cynulliad â rhan allweddol yn y datblygiad. Rodd yn amlwg i fi fod rhywun wedi rhoi pwysau ar Vaughan a bod hynny'n dod ag agwedd wleidyddol i'r ymchwiliad. I fi, mae rhybudd Vaughan yn arwain at y ffaith *fod* gan Caerwynt gysylltiad â'r llofruddiaeth a'u bod nhw'n cuddio rhywbeth. Iawn, fe allwn ni droedio'n ofalus ond mae Caerwynt yn dod o dan y chwyddwydr. Dwi'n mynd i edrych eto ar y cytundeb rhwng y cwmni a Mr a Mrs Thomas a tsieco'r gliniadur. Daeth Akers o hyd i un ffeil gudd eisoes, felly mae'n bosib bod rhagor. Iawn?"

"Iawn," atebodd Mel, "fe a' i 'nôl at ymatebion yr holi o ddrws i ddrws yn Drosgol i weld a oes unrhyw obaith am oleuni fan 'na."

Symudodd Akers at y drws. "Dylen ni holi lawr llawr, syr, i weld a oes rhywun yn nabod Charlie Payne."

Trodd Mel a Gareth at eu tasgau a gofynnodd Mel, "Pwy yw Charlie Payne?"

"Swyddog diogelwch yn y fferm wynt bresennol. Buon ni draw 'na bore 'ma ac mae Akers wedi cymryd yn erbyn y boi."

Bu Mel yn troi tudalennau'r ymatebion am rai munudau cyn dweud yn dawel, "Diolch am y blodau. Daethon nhw i'r tŷ bore 'ma, jyst cyn i fi adael am gartre Mrs Wilmington. Maen nhw'n hyfryd a… wel, diolch."

"Dim o gwbwl. Ac os yw dyn yn estyn gwahoddiad arall am swper heno, fydd mwy o groeso y tro 'ma?"

"Bydd, croeso cynnes."

Ailgydiodd Gareth a Mel yn y gwaith a bu'r ddau wrthi'n ddyfal am dros awr heb lawer i ddangos am eu hymdrechion.

Pan ddychwelodd Akers ar ôl sbel meddai, "Fawr neb yn nabod Charlie Payne nac yn gwybod llawer amdano. O'r diwedd ces i rywfaint o wybodaeth gan Meic Jenkins, un o'r ddau ddaeth o hyd i Martin Thomas. Yn ôl Payne ei hun, symudodd e yma ddwy flynedd yn ôl ac, fel o'n i'n tybio, mae e'n dod o'r gogledd. Mae e'n byw rywle ochr draw i Gapel Bangor ac yn teithio i'w waith ar gefn moto-beic. Roedd Meic wedi ca'l achos i stopio Payne un bore am groesi'r llinell wen. Dim ond rhybudd gafodd e. Ac yn ôl Meic, ma gyda fe 'slashen o bartner'."

"Diolch, Akers," dywedodd Gareth yn sych. "Dwi ddim yn siŵr sut mae hynny'n berthnasol i'r ymchwiliad."

Aethpwyd ati i archwilio'r gwaith papur, gydag Akers yn cynorthwyo i fynd drwy ffeiliau'r gliniadur. Torrwyd ar draws ymdrechion y tri pan ganodd y ffôn ac atebodd Gareth ef. Angharad Annwyl oedd yno.

"Pnawn da, Dr Annwyl."

"Pnawn da, Insbector. Dau beth. Mae canlyniadau DNA y gwaed oedd ar lawr a dash-fwrdd y landrofer yn dangos mai gwaed Martin Thomas oedd o, sydd wrth gwrs yn cryfhau'r theori am ffugio'r ddamwain. Wedyn, y'ch chi'n cofio i mi sôn am ddanfon samplau o'r croen ar wddf Martin Thomas i'r labordai yng Nghaerdydd i weld a oedd 'na olion ffeibrau?"

"Ydw."

"Wel, dim ffeibrau rwy'n ofni, ond mae 'na rywbeth yno, a dwn i ddim a fydd o help ai peidio. Mae archwiliad o dan microsgop electron wedi dangos gronynnau o *silicone dioxide* ar y gwddw – hynny yw silica, neu swnd neu dywod."

"A beth allai hynny olygu?"

"Roedd olion o *silicone dioxide* neu silica ar ddwylo neu freichiau'r person dagodd Martin Thomas. Mae hynny'n gam sicr ymlaen. Ond silica yw'r mineral mwya cyffredin ar wyneb daear. Cam mawr yn ôl, felly. Ond mae'n golygu bod y llofrudd yn gweithio'n agos at neu gyda swnd – pysgotwr, adeiladwr, rhywun felly."

"Diolch, Doctor."

"O ie, fe fydd y crwner yn rhyddhau'r corff i'r teulu fory."

Trosglwyddodd Gareth fyrdwn neges Angharad Annwyl i'r lleill.

"Rhywun yn gweithio gyda thywod!" ebychodd Mel. "Ma degau'n gweithio gyda thywod! Athrawon ysgolion meithrin, er engraifft. Dyw hynna ddim help o gwbwl. Ond bydd Sulwen Thomas yn falch o gael neges y crwner. "

* * *

Arllwysodd Mel weddillion y botel win i'r ddau wydryn. Roedd Gareth yn y gegin yn golchi'r llestri a hithau'n gorwedd yn esmwyth ar y soffa ledr yn gwrando ar CD o Jacqueline du Pré yn chwarae consierto Elgar i'r soddgrwth. Gwyrai'r gerddoriaeth o'r trist i'r buddugoliaethus, gan adleisio bywyd trasig du Pré ei hun. Cododd y miwsig i uchafbwynt ac ymgollodd Mel yn sain y nodau hudolus. Yn sydyn, canodd y ffôn.

"Ateb hwnna, wnei di, Mel?"

Adnabu Mel y llais ar unwaith. Akers oedd yno, yn ffonio o'r orsaf.

"Clive, Mel sy fan hyn. Ti am siarad â Gareth? A' i i'w nôl e nawr."

Gallai Mel synhwyro Akers yn mesur oblygiadau'r ffaith mai hi atebodd ffôn Gareth Prior – gan roi dau a dau at ei gilydd. Yna clywodd y llais yn dweud, "Na, does dim angen ei nôl e. Gwranda, Mel, rwy wedi ca'l fy ngalw i mewn i'r orsaf. Ffeit yng nghlwb Pier Pressure. Fel arfer bydde'r bois fan hyn yn delio â'r mater. Ond y ddau fu'n ymladd oedd Ianto Lloyd a Joss Miles. Ma angen i chi ddod draw cyn gynted â phosib."

# Pennod 11

CAFWYD CEFNDIR Y ffeit gan Tom Daniel; roedd plismyn wedi cael eu galw i glwb nos Pier Pressure lle'r oedd Ianto Lloyd a Joss Miles am yddfau'i gilydd. Er i fownswyr y clwb lwyddo i'w gwahanu a'u llusgo at y fynedfa, ailgychwynnodd y cweryl yn y fan honno a phenderfynwyd galw'r heddlu. Arestiwyd Lloyd a Miles a'u cludo i'r orsaf. Gwyddai Tom fod y ddau'n gysylltiedig â theulu Martin Thomas ac wrth iddo wrando ar y naill yn hefru ar y llall, daeth yn amlwg fod Joss wedi cythruddo Ianto drwy awgrymu mai ei dad, Seth Lloyd, oedd y llofrudd. Ffrwydrodd Ianto, ac o fewn chwinciad roedd y ddau'n dyrnu'n filain.

"Ma golwg ofnadwy ar y ddau ohonyn nhw," dywedodd Tom Daniel, "ond mae'n debyg nad yw'r clwyfe'n rhy ddifrifol. Cyhuddiad o ymosod ac affräe cyhoeddus yn erbyn y ddau, weden ni. Ma'n nhw yn y celloedd – Lloyd yn gweiddi a thuchan a Miles yn ishte'n hollol dawel."

Diolchodd Gareth iddo a throi at Mel ac Akers. "Reit. Mae angen gweld beth yw oblygiadau'r ymladd ar y cês. Holi'r ddau ar wahân. Akers, taclwch chi Ianto Lloyd ac fe ddelia i a Mel gyda Joss Miles. Dim ond holi, cofiwch – dim cyhuddo ffurfiol ar hyn o bryd neu bydd Lloyd yn mynnu cael cyfreithiwr. Cofiwch recordio'r cyfweliadau, os gwelwch yn dda."

Aeth Akers i Stafell Gyfweld 3 a daethpwyd â Ianto Lloyd ato. O'r cychwyn cyntaf roedd ei agwedd yn fygythiol a gwaethygodd pethau wrth iddo gofio am ymweliad Akers â Phen Cerrig. "Chi 'to, Mr Ditectif. Dyw hi ddim yn ddigon i chi i gyhuddo Dad o fwrdwr, ry'ch chi am drial pinio rhywbeth arna i, 'fyd! Wel, tyff. Dyw e ddim yn mynd i weithio."

Edrychodd Akers arno, ar ei fochau a'i dalcen goch, olion clais o dan y llygad dde a chwt ar ei wefus. Roedd yn agos at fod yn wirioneddol hyll. Doedd Akers ddim wedi cymryd ato ers y tro cyntaf iddo'i weld. Llabwst o fwli, meddyliodd, ond fel pob bwli arall, dim ond iddo ffeindio'r man gwan a gwasgu'n ddigon caled fe fyddai'n plygu.

"Chi'n clywed, Mr Ditectif?" gwaeddodd Lloyd. "Dyw e ddim yn mynd i weithio. Dwi am gael cyfreithiwr. Ma hawl 'da fi i ga'l cyfreithiwr!"

Trodd Akers y peiriant recordio ymlaen. "Ditectif Gwnstabl Clive Akers yn cyfweld Mr Ianto Lloyd am hanner awr wedi un ar ddeg, nos Iau, Hydref 21 2009 yn Swyddfa Heddlu Aberystwyth ym mhresenoldeb PC Harri Williams. Eisteddwch, Mr Lloyd."

"Ishte, myn diawl! Dwi ishe cyfreithiwr."

"Pam y'ch chi eisiau cyfreithiwr? Eisteddwch, plis."

Tawelodd Lloyd rywfaint ac ildio. Dechreuodd Akers ar yr holi. "Pam naethoch chi ymosod ar Joss Miles?"

"*Fi* ymosod arno *fe*? Ma ishe i chi ga'l y ffeithie'n iawn. *Fe* ymosododd arna *i*. O'n i wrth y bar yn ca'l peint tawel 'da fy mêts, a dyma fe'n dod draw a dechre dweud pethe am Dad – shwt odd e wedi ca'l ei holi am y mwrdwr a dweud y bydde pawb yn dod i wbod y gwir. Shwt odd e'n gwbod bod Dad wedi ca'l ei holi? Chi a'ch siort a'ch cege mawr, siŵr o fod."

"Mae pob cyfweliad gyda'r heddlu yn cael ei drin yn gwbl gyfrinachol, Mr Lloyd. Mae'n rhaid bod yr wybodaeth wedi dod oddi wrth 'ych tad. Joss Miles yn ymosod arnoch chi, felly. Beth ddigwyddodd wedyn?"

"Buodd e jyst â'n lladd i. Rhoi'i fraich rownd 'y ngwddwg i a gwasgu. Oni bai am 'y mêts i, fydde fe wedi'n lladd i. O'n i'n ymladd am 'yn anadl. Tynnodd y bois e bant ac wedyn dechreuodd y ffeit. Ma Miles yn beryg bywyd. Dylech chi fynd ar ei ôl e am *attempted murder.*"

Fferrodd Akers, ond nid oedd am gyfleu arwyddocâd yr hyn a ddatgelwyd gan Lloyd. Gofynnodd yn dawel, "Dwi ddim yn hollol siŵr os ydw i'n deall yn iawn. Allwch chi ddisgrifio unwaith eto sut afaelodd Joss Miles ynoch chi?"

"Chi'n drwm 'ych clyw neu be? Rhoddodd Miles ei fraich rownd 'y ngwddwg i a gwasgu. Fel hyn."

Wrth wylio Ianto Lloyd yn rhoi ei law o gwmpas ei wddf, teimlodd Akers awyrgylch iasol y morg a chofiodd yn glir am Dr Annwyl yn disgrifio'r dechneg. Beth alwodd y doctor y peth? Ie, *chokehold*, a'i rhybudd bod y weithred yn hynod o beryglus ac yn medru arwain at farwolaeth o fewn llai na dwy funud. Dyna'r dull a ddefnyddiwyd i ladd Martin Thomas ac yn awr roedd yn amlwg bod Joss Miles, cariad merch Martin Thomas, wedi ymosod ar Lloyd yn yr un modd yn union. Yn gynnar iawn yn ei yrfa fel ditectif roedd Akers wedi dysgu na ellid derbyn rhai ffeithiau fel cyd-ddigwyddiad yn unig, a synhwyrai fod yr wybodaeth hon yn allweddol i'r ymchwiliad.

"Ditectif Gwnstabl Clive Akers yn terfynu'r cyfweliad gyda Ianto Lloyd am ugain munud i ddeuddeg," meddai Akers cyn diffodd y peiriant recordio.

Cododd a gadael Lloyd yng nghwmni PC Williams.

* * *

Aethpwyd â Joss Miles i Stafell Gyfweld 5 lle'r oedd Gareth a Mel yn aros amdano. Dilynodd Gareth yr un patrwm, troi'r peiriant recordio ymlaen a chychwyn ar y dasg o holi. "Joss, beth oedd y rheswm dros y ffeit rhyngoch chi a Ianto Lloyd?"

Eisteddodd Miles yn ôl yn y gadair blastig a syllu'n hy ar y ddau dditectif. Edrychodd arnynt fel petai'n pwyso a mesur sut i ymateb ac yna cyfyngodd ei hun i ddau air, "Mater personol."

Yn yr un modd dewisodd Gareth ei eiriau'n ofalus. "Joss, dyma'r ffeithie. Chi'n gariad i Catrin Thomas, merch Martin Thomas, dyn a gafodd ei lofruddio tua wythnos yn ôl. Ry'ch chi wedi cael eich dwyn i'r orsaf oherwydd i chi fod yn ymladd gyda Ianto Lloyd, mab Seth Lloyd, gelyn penna Mr Thomas. Mater personol, medde chi, ac mae'n ddigon teg casglu'i fod e'n ymwneud â Catrin a llofruddiaeth ei thad. Dyw ateb swta fel 'na ddim yn dderbyniol o dan yr amgylchiadau."

Daliai Joss Miles i syllu ar draws y bwrdd ac edrychodd Gareth yn ôl arno. Er nad oedd yn fawr o gorff roedd rhyw nerth peryglus yn llifo ohono – nerth a phendantrwydd unigolyn a ddygai'r maen i'r wal, doed a ddelo. Er bod cytiau ar ei ddwylo doedd 'run marc ar ei wyneb – prawf digamsyniol o'i allu i'w amddiffyn ei hun. Daeth golwg oeraidd i lygaid llwyd Joss Miles, a synhwyrodd Gareth y gallai'r holi fod yn broses anodd.

"Joss, fe ofynna i unwaith eto – beth oedd y rheswm dros y ffeit?"

"Mater personol."

"Odd e'n ymwneud â Catrin? Beth wedodd Ianto, Joss? Rhywbeth sarhaus am Catrin?"

"Dim byd i'w ddweud."

Ymunodd Mel yn yr holi. "Iawn, Joss. Os nad y'ch chi am sôn am y ffeit, beth am eich perthynas chi gyda Catrin? Ers faint y'ch chi'n gariadon?"

"Deg mis."

"Ble gwrddoch chi?"

"Alla i byth â gweld sut mae hyn yn berthnasol, ond mewn

dawns yn y dre – yn Pier Pressure, fel mae'n digwydd."

"Mae Catrin yn ddeunaw a chithe..." taflodd Mel olwg ar y papur o'i blaen, "... bron yn un ar hugain. Ydy'r gwahaniaeth oedran yn broblem?"

"Gwahaniaeth oedran? Plis, peidiwch â siarad dwli!"

O leia mae e wedi dechrau siarad, dywedodd Mel wrthi'i hun. "Ma Catrin yn ferch bert, Joss. Chi'n cysgu gyda hi?"

"Dyw hynna'n ddim o'ch busnes chi!"

"O ody, mae e, Joss. Ry'n ni ar ganol ymchwiliad i lofruddiaeth ac mae pob un peth yn rhan o'n busnes ni. Does dim byd yn cael ei guddio. Oeddech chi a Catrin yn gariadon?"

Ni chafwyd ateb, a phenderfynodd Mel holi'n galed. "Un dda yn y gwely ydy hi, Joss? Chi oedd yr un cynta? Corff ifanc, siapus?"

Roedd golwg syfrdan ar wyneb Joss Miles. Ffromodd a chodi'n fygythiol o'i gadair. "Peidiwch â siarad fel 'na am Catrin. Ma gyda chi feddwl brwnt."

Anwybyddodd Mel ei gerydd. Drwy ei ymateb roedd Miles wedi dangos yn glir mai sylwadau am Catrin oedd achos y gynnen rhyngddo ef a Ianto – rhywbeth tebyg i'r geiriau a ddefnyddiodd hi, mae'n siŵr. "Ie, o'n i'n meddwl mai dyna ddigwyddodd. Beth yn hollol ddywedodd Ianto am Catrin?"

Cyn iddo gael cyfle i ateb, curodd rhywun ar y drws a daeth Akers i mewn. Sibrydodd rywbeth yng nghlust Gareth a gadawodd y ddau y stafell gyfweld. Y tu allan i'r stafell, ymhelaethodd Akers.

"Syr, ma Ianto Lloyd wedi datgelu gwybodaeth bwysig. Nath Miles ymosod arno fe drwy roi'i fraich o gwmpas ei wddw. Defnyddiodd e *chokehold*."

"Chi'n siŵr, Akers?"

"Cant y cant, syr. Dangosodd Ianto Lloyd drwy roi'i

fraich rownd ei wddw'i hun. Roedd Lloyd yn ymladd am ei anadl a heblaw bod ei ffrindiau wedi gwahanu'r ddau galle'r canlyniadau fod yn ddifrifol. Ar ôl hynny y cychwynnodd y dyrnu."

"Alle Lloyd fod yn dweud celwydd, i bardduo Joss Miles?"

"Pam bydde fe'n gwneud hynny? Does neb yn gwybod sut y lladdwyd Martin Thomas – dyw'r wybodaeth honno ddim wedi cael ei rhyddhau. Od iawn i Lloyd sôn am y peth. Gormod o gyd-ddigwyddiad, weden i."

"Ie, chi'n iawn. Ydy Lloyd wedi rhoi rheswm dros y ffeit?"

"Bod Joss wedi mynd draw ato a dechre honni bod ei dad, Seth Lloyd, yn llofrudd."

"Akers, ewch 'nôl at Ianto. Mae Mel wedi dechre holi'n galed. Ry'n ni bron yn siŵr mai sylwadau ciaidd gan Lloyd am Catrin oedd man cychwyn y gynnen, dim byd i wneud â'r tad. Gwasgwch e i gael yr union eiriau ddwedodd e."

Dychwelodd Gareth i'r stafell gyfweld a phasio nodyn i Mel:

*Akers wedi darganfod bod Joss Miles wedi defnyddio chokehold ar Lloyd. Newid cyfeiriad yr holi.*

"Insbector Gareth Prior yn ailddechrau cyfweld Joss Miles am chwarter i ddeuddeg. Joss, ry'ch chi'n byw mewn fflat yn ardal Buarth y dre."

"Ydw."

"A'ch gwaith?"

"Gweithio fel clerc i un o adrannau'r Cyngor."

"Wedi symud i Aberystwyth?"

"Ie, o Lanelli. Ble ma hyn yn arwain? Fyddwch chi am wbod i ba ysgol es i, a'r canlyniadau TGAU ges i?"

"Na, ond hoffwn i wybod mwy am 'ych diddordebau amser hamdden. Chi'n edrych yn berson ffit iawn. Chwarae pêl-droed, neu rygbi siŵr o fod, a chithe'n dod o Lanelli. Aelod o glybiau chwaraeon eraill?"

Daeth golwg o syndod i lygaid llwyd Joss Miles. Ni fedrai ddeall pam y newidiwyd natur yr holi mor sydyn, ond i fodloni'r ditectif atebodd, "Odw, dwi'n chwarae rygbi i glwb Machynlleth ac yn aelod o glwb jiwdo yn y dre."

"Jiwdo? Dysgu technegau defnyddiol, sut i amddiffyn eich hun, trechu'r gelyn – ydy hwnna'n disgrifiad teg, Joss?"

Yn lle syndod, gwelwyd craffter yn y llygaid. Roedd yr esboniad am y newid cyfeiriad yn dechrau gwawrio ar Joss Miles ond yn hytrach na rhoi cyfle iddo ymateb aeth Gareth ar drywydd gwahanol eto. "Joss, ry'ch chi wedi bod yn caru gyda Catrin ers rhyw ddeg mis. Weles i chi yn fferm y Cnwc ac roedd Mrs Sulwen Thomas a chi'n ymddangos yn gyfeillgar. Shwt o'ch chi'n dod mla'n gyda Martin Thomas?"

Aeth yn ôl i'w gragen. "Dim byd i'w ddweud."

"O'ch chi 'run mor gyfeillgar gyda Mr Thomas? Odd croeso i chi yn y Cnwc? O'ch chi'n rhoi help llaw yno weithie? Mae'n siŵr bod Mr Thomas yn falch o gael help gan fachan cryf fel chi."

"Dim byd i'w ddweud."

"Joss, gwrandewch. Wrth holi Ianto Lloyd ry'n ni wedi darganfod i chi ymosod arno trwy ddefnyddio techneg arbennig – techneg sy'n gyfarwydd i filwyr proffesiynol neu i rai sy'n ymarfer campau fel jiwdo. Mae'r ymosodwr yn rhoi ei fraich o gwmpas gwddf ei wrthwynebydd a gwasgu. Mae'r *chokehold* yn hynod o beryglus, a dyma sy'n allweddol, Joss – dyna'r union dechneg a ddefnyddiwyd i ladd Martin Thomas."

Ffrwydrodd Joss Miles. "Ac ar sail gwybodaeth gan y twrdyn Ianto Lloyd, chi'n dweud mai fi yw'r llofrudd?"

"Ar hyn o bryd, dwi ddim yn barod i fynd mor bell â hynny. Ond mae'n gyd-ddigwyddiad rhyfedd, on'd yw e? Gadwch i ni gael un peth yn glir. Ydy fersiwn Lloyd yn gywir, neu ydy e'n dweud celwydd? Wnaethoch chi ddefnyddio *chokehold*?"

"Dim byd i'w ddweud."

"Joss, ble oeddech chi rhwng saith ac un ar ddeg o'r gloch nos Fawrth, Hydref 13, sef yr adeg y llofruddiwyd Martin Thomas?"

Atebodd Joss yn herfeiddiol. "Alla i ddim cofio. A dwi ddim am ddweud gair pellach nes mod i'n ca'l cyngor cyfreithiol."

Gwyddai Gareth fod yn rhaid ildio i'r cais. "Ma gyda chi bob hawl i gael cyfreithiwr," dywedodd, "ond ddaw neb yr amser hyn o'r nos." Trodd at y peiriant recordio. "Insbector Gareth Prior yn terfynu'r cyfweliad gyda Joss Miles am chwarter wedi deuddeg. Mae Mr Miles wedi gofyn am gymorth cyfreithiwr."

Arweiniwyd Miles yn ôl i'r celloedd a dringodd Gareth a Mel y grisiau i'r swyddfa. Ymhen rhyw awr ymunodd Akers â hwy. Bu'n holi Lloyd yn ddidostur am y rheswm dros yr ymladd, ystyfnigodd hwnnw a mynnodd yntau gael cyfreithiwr. Penderfynwyd na ellid gwneud rhagor tan y bore a dychwelodd Gareth, Mel ac Akers adre am ychydig oriau o gwsg.

* * *

Daeth y cyfreithwyr i'r orsaf am hanner awr wedi naw y bore canlynol – Ellen Wynne o gwmni Shirebrook Coleman i gynghori Joss Miles, a Glesni Owen o Huws Watkin i gynorthwyo Lloyd. Treuliodd y ddwy gyfnod byr gyda'u cleientiaid ac yna cafwyd cyfarfod rhwng y cyfreithwyr a'r tri ditectif. Ellen Wynne agorodd y drafodaeth.

"Insbector Prior, mae'n cleientiaid ni wedi cael eu cludo yma neithiwr a'u cadw yn y celloedd dros nos. Yn ôl yr wybodaeth a roddwyd i ni mae'r ddau wedi cael eu holi am faterion nad ydynt, hyd y gallwn ni weld, yn ddim i'w wneud â'r ymrafael yn Pier Pressure. Mae Mr Lloyd wedi cael ei holi am y cefndir i'r ymladd a Mr Miles wedi cael ei led-gyhuddo o lofruddio Martin Thomas. Mae'n ddigon teg i fi ofyn, felly, beth ar y ddaear y'ch chi'n ceisio'i gyflawni? Beth yn union yw'r cyhuddiadau yn erbyn Lloyd a Miles?"

Gareth atebodd trwy ddweud, "Mae'r ddau wedi eu cyhuddo'n ffurfiol o achosi affräe dan adran tri o'r Ddeddf Drefn Gyhoeddus, 1986. Rwy'n siŵr bod y ddwy ohonoch yn gyfarwydd â'r ddeddfwriaeth honno."

Anwybyddwyd y sylw coeglyd gan Ellen Wynne a Glesni Owen ac aeth Gareth yn ei flaen. "Mae Ianto Lloyd yn fab i Seth Lloyd, cymydog Martin Thomas a pherson sydd yn gwrthwynebu datblygiad Hyddgen. Mae Joss Miles yn gariad i Catrin, merch Mr Thomas. Felly mae gan Lloyd a Miles gysylltiad â'r ymadawedig. Mae gyda ni achos i gredu mai man cychwyn y ffeit oedd sylwadau a wnaed gan Lloyd am Catrin. Mae gwybodaeth wedi dod i'n meddiant a allai gysylltu Miles yn uniongyrchol â'r llofruddiaeth. Yn gynnar y bore 'ma fe wrthododd y ddau â dweud gair ymhellach a gofyn am gyngor cyfreithiol. Ydy hyn i gyd yn glir i chi?"

"Yn berffaith glir, Insbector. Beth yw'r wybodaeth sy'n cysylltu Miles â'r llofruddiaeth?"

"Fedra i ddim datgelu hynny."

"Hm... dyna oeddwn i'n disgwyl i chi'i ddweud, Insbector. Rwy'n credu ein bod ni'n dwy'n deall y sefyllfa. Fe wnaethoch chi arestio ein cleientiaid tua un ar ddeg o'r gloch neithiwr, cywir?"

"Hollol gywir."

"Ry'ch chi wedi'u cadw nhw yn y celloedd dros nos ac felly heddiw mae'n rhaid i chi naill ai eu rhyddhau neu osod cyhuddiadau ychwanegol yn eu herbyn?"

"Cywir. Os na ddaw gwybodaeth bellach i'r fei bydd Lloyd a Miles yn cael eu rhyddhau a bydd achos yr affräe yn dod gerbron y Fainc." Oedodd Gareth ond ni fedrai ymatal rhag ychwanegu, "lle bydd y ddau'n elwa ar gymorth cyfreithiol grymus a deallus."

Edrychodd Ellen Wynne arno. "Diolch, Insbector," meddai'n sychlyd. "Diolch am eich ffydd yn y ddwy ohonon ni. Y cam doetha fyddai i Miss Owen a minnau fynd 'nôl at ein cleientiaid i egluro'r amgylchiadau."

* * *

Dros baned o goffi yn y cantîn gofynnodd Mel, "Beth yw'r cam nesaf?"

"Holi eto," atebodd Gareth, "yng nghwmni'r ddwy gyfreithwraig, yn anffodus. Ma'n rhaid i ni ga'l y ffeithie. Beth odd natur sylwadau Lloyd am Catrin a ble odd Miles adeg y mwrdwr? Os na ddaw ateb boddhaol, bydd yn rhaid cael caniatâd i holi Miles am gyfnod hirach. Fe fydd Ellen Wynne yn protestio, ond ar hyn o bryd mae tri rheswm cryf dros amau Joss Miles. Yn gyntaf, ei fod e'n aelod o glwb jiwdo. Yn y morg gwelon ni'r wybodaeth gafodd Dr Annwyl o'r cyfrifiadur, sef bod *chokehold* yn rhan o gamp *martial arts*. Yn ail, bod Miles wedi defnyddio'r dull hwnnw wrth ymosod ar Ianto Lloyd. Ac yn drydydd, bod Miles yn gwrthod cynnig alibi. Bydd raid egluro difrifoldeb ei sefyllfa wrtho ac fe gawn ni weld a fydd e'n fwy parod i ymateb bryd hynny."

Daeth plismon atynt a dweud, "Insbector Prior, mae 'na ddau berson yn y dderbynfa yn awyddus iawn i gael gair â chi – Mrs Sulwen Thomas a'i merch Catrin."

Roedd golwg wedi digalonni'n llwyr ar wynebau'r fam a'r ferch, fel petai pryderon y byd yn pwyso'n drwm ar eu hysgwyddau, ac roedd llygaid Catrin yn llawn dagrau. Aethpwyd â'r ddwy i'r swyddfa a chynigiodd Mel fynd i nôl paned ond gwrthododd y ddwy. Roedd Sulwen Thomas yn awyddus i egluro'r rheswm dros eu hymweliad.

"Catrin sy wedi clywed bod Joss wedi cael ei arestio neithiwr ar ôl bod mewn ffeit gyda Ianto Lloyd. Dwi ddim yn gwybod os yw Joss wedi rhoi unrhyw fath o eglurhad ond ma gan Catrin wybodaeth a allai fod o help. Ydy Joss wedi dweud unrhyw beth?"

"Nag yw, Mrs Thomas, ac mae Ianto Lloyd hefyd yn gwrthod egluro sut dechreuodd y cyfan."

"Fydden i ddim yn disgwyl gwell gan hwnna. Dwed wrthyn nhw, Catrin, beth wedest ti wrtha i bore 'ma."

Trodd pawb i edrych ar y ferch ac mewn llais crynedig cychwynnodd ar ei hesboniad. "Ma hanes hir rhwng Ianto Lloyd a fi. Rodd e a'i ffrindie'n cael lot o sbort yn fy mhryfocio ar y bws ysgol – galw enwe, siarad am secs a gweud bod coese neis 'da fi a... a phethe gwaeth na hynna. Aeth hyn mla'n am wythnose ac un noson ar y bws 'nes i daro 'nôl a rhoi cic iddo fe mewn... wel, man gwan. Ces i lonydd ar ôl hynny, ond rodd e'n dal i edrych arna i mewn rhyw ffordd slei. Pan alwoch chi yn y Cnwc 'nes i roi neges ddienw i chi, Sarjant. Gofynnoch chi os odd gen i unrhyw syniad pwy ddanfonodd y neges ac ro'n i ar fin rhoi enw Ianto, ond am ryw reswm wnes i ddim."

"Trueni na fyddech chi wedi sôn ar y pryd," dywedodd Mel.

"Dwi'n gwbod, ond do'n i ddim yn siŵr." Dechreuodd Catrin wylo'n dawel, felly aeth Mel i nôl gwydraid o ddŵr iddi ac adfeddiannodd ei hun. "Chi'n deall? 'Na beth odd y rheswm dros yr ymladd. Glywodd un o'n ffrindie i Lloyd yn dweud rhywbeth brwnt amdana i ac fe gydiodd Joss ynddo fe."

Ystyriodd Gareth arwyddocâd geiriau'r ferch ac yna dywedodd, "Diolch am fod mor onest. Ar sail hyn, fe wnaiff Cwnstabl Akers a minnau ddelio gyda Lloyd. Bydd Sarjant Davies yn aros gyda chi fan hyn. Nawr 'te, beth am y baned 'na?"

Yn y coridor, dywedodd Gareth wrth Akers am ddychwelyd i Stafell Gyfweld 3. "Dyma beth wnawn ni – tacteg plisman drwg, plisman da. Iawn? Chi gynta, Akers, a pheidiwch â dal yn ôl."

Wnaeth e ddim. Bu'n arthio a gweiddi a bygwth Ianto Lloyd. Cymaint oedd ei danbeidrwydd fel y bu raid i Glesni Owen ei rybuddio sawl gwaith – nid fod Akers yn poeni taten am hynny. Yn dawel bach, roedd yn mwynhau ei hun, yn mwynhau gwylio'r bwli'n gwingo dan lach ei ymosodiad geiriol. Ond glynodd Lloyd fel gelen at gyngor ei gyfreithwraig a gwrthod dweud dim. Gwyddai Akers mai dyna oedd i'w ddisgwyl ond gwyddai hefyd fod cwymp Ianto Lloyd yn agos.

Ar ôl awr o holi gwydn gan Akers, a phrotestio gan Lloyd a'i gyfreithwraig, daeth Gareth i mewn i'r stafell gyfweld. "Diolch, Cwnstabl, fe gymera i drosodd nawr. Mae golwg flinedig ar Mr Lloyd a Miss Owen – paned o de i'r ddau, plis, Akers."

Wedi i Akers ddychwelyd â'r te, cychwynnodd Gareth yr holi – yn bwyllog a di-emosiwn y tro hwn ond yr un oedd y canlyniad. Gwnaeth Gareth un ymgais arall, "Mr

Lloyd, ydych chi am ddweud pam wnaethoch chi ymosod ar Joss Miles?"

"Fel wedes i, orie 'nôl, *fe* nath ymosod arna i. A dwi ddim am ddweud gair pellach."

"Iawn, dyna'ch hawl chi. Ychydig o waith papur ac fe gewch chi fynd. Ga i'r cwpan te, plis? Bydda i 'nôl mewn munud."

Gwthiwyd y cwpan a'r soser i gyfeiriad Gareth a derbyniodd yntau'r llestri, gan gymryd gofal i gyffwrdd â'r soser yn unig.

Ymhen llai na phum munud dychwelodd Gareth i'r stafell gyfweld yng nghwmni Akers. Eisteddodd gyferbyn â Lloyd ac estyn dalen o bapur mewn amlen glir ar draws y bwrdd – dalen o bapur ac arni'r geiriau,

*NO TO HYDDGEN WIND FARM. THE FIGHT-BACK STARTS NOW.*

"Chi wedi gweld hwn o'r bla'n, Mr Lloyd?"

Synhwyrodd Gareth fod Ianto Lloyd yn dechrau poeni ond atebodd yn ddigon herfeiddiol, "Nagw."

"Danfonwyd y neges ddienw at Martin Thomas ac fe gyrhaeddodd y Cnwc y bore ar ôl i Mr Thomas gael ei lofruddio. Mae'r olion bysedd ar y neges wedi'u cymharu â'r olion bysedd ry'ch chi newydd eu gadael ar y cwpan te, ac maen nhw'n union yr un fath. Fe fydd profion DNA pellach yn profi mai chi ddanfonodd y neges. Fe gewch chi'ch cyhuddo o ddanfon neges faleisus drwy'r post, trosedd sy'n agored i gosb o chwe mis o garchar a dirwy. Akers, deliwch chi â'r mater."

Cymerodd Clive Akers at y dasg gydag afiaith a chafodd y pleser o wylio Ianto Lloyd yn syllu arno'n gegrwth. Fel y tybiodd Akers oriau ynghynt, dim ond gwasgu'n ddigon caled, a byddai pob bwli'n plygu yn y pen draw.

Pan ddychwelodd Gareth i'r swyddfa, roedd Sulwen

Thomas a'i merch yn dal i fod yno. Yn sgil holi gofalus gan Mel cafwyd yr wybodaeth gan Sulwen fod ei gŵr yn hynod o wrthwynebus i'r berthynas rhwng Catrin a Joss Miles. "Pam, Mrs Thomas?" gofynnodd Mel. "Dwi ddim yn deall."

"Rodd Martin yn gweld hanes yn cael ei ailadrodd. Er bod Joss yn grwt hynod o ffein, rodd e'n dod o deulu tlawd ac rodd Martin am roi stop ar y garwriaeth. Rhyfedd, dwi'n gwbod, a fynte wedi bod yn yr un sefyllfa. Rodd Martin yn medru bod yn berson hynod o anystyriol ar adegau ac wedi mynd mor bell â gwahardd Catrin rhag gweld Joss."

Wrth glywed hyn, sylweddolodd Gareth nad oedd pwynt celu'r gwirionedd. "Mrs Thomas, Catrin, mae gyda ni wybodaeth bendant sy'n cysylltu Joss â'r llofruddiaeth. Hefyd, mae Joss yn gwrthod yn lân â dweud ble rodd e ar yr adeg y lladdwyd Mr Thomas."

Yn agos at ddagrau, cododd Catrin Thomas o'i chadair a dweud, "Ga i weld Joss nawr, plis? Ma'n rhaid i fi'i weld e."

Torri'r rheolau neu beidio, aethpwyd â hi i'r stafell gyfweld. Edrychodd Joss arni gyda syndod pur. "Catrin, beth…?"

"Joss, ma rhaid i ti ddweud y gwir. Dwed wrth yr heddlu ble roeddet ti ar y noson y lladdwyd Dad. Sdim ots amdana i. Plis dwed wrthyn nhw."

Edrychodd Joss Miles ar ei gariad ac, o'r diwedd, cyfaddefodd, "Ro'n i gyda Catrin ar hyd yr amser."

# Pennod 12

CADARNHAWYD SYMUDIADAU JOSS Miles gan un o'i gyd-letywyr; fe'i gwelwyd yn gadael y fflat yn y Buarth yng nghwmni Catrin am hanner awr wedi naw ac yn dychwelyd awr yn hwyrach. Cofiodd Sulwen Thomas iddi glywed sŵn car ar glos y Cnwc tua deg o'r gloch ac er na allai ddweud i sicrwydd pwy oedd yno cadarnhaodd bod Catrin wedi dod i mewn i gegin y ffermdy ar yr amser hwnnw. Welodd Joss na Catrin ddim byd amheus ac roedd y ddau'n bendant fod maes parcio neuadd Esgair-goch yn llawn pan oedden nhw'n teithio drwy'r pentref, a'r cyfarfod felly'n dal i fynd yn ei flaen.

"A dyna ni," dywedodd Gareth, "mae alibi Joss fel y banc. Gyda sawl un yn cefnogi ei stori ac yn rhoi'r manylion am ei symudiadau, mae'n amhosib ei ystyried e fel y llofrudd. Tase Catrin a'i mam wedi bod ychydig yn fwy agored yn y lle cyntaf, gallen ni fod wedi osgoi lot o drafferth."

Taflodd Mel olwg feirniadol ato. "Dyw hynny ddim yn hollol deg. Rodd Sulwen wedi colli'i gŵr a Catrin mewn gwewyr meddwl ynghylch gwrthwynebiad ei thad i Joss. A chofiwch iddi basio'r union fan lle llofruddiwyd ei thad rhyw awr cyn y weithred, heb sôn am gael ei bwlio gan Ianto Lloyd. Tasech chi yn ei sefyllfa hi, fyddech chi'n gallu meddwl yn strêt?"

"Ie, ma pwynt gyda chi, Mel. Beth bynnag, hyd y gwela i, mae'r ymchwiliad bron â bod 'nôl yn y man cychwyn. Mae gan bob *suspect* alibi, a ni heb neb. Mae'n bryd i ni ailystyried pethe, dwi'n credu."

"Mwy nag ailystyried, Insbector Prior – mae angen callio

a dilyn fy *orders* i!" Camodd 'Sam Tân' i'r swyddfa, a buan y sylweddolodd Gareth, Mel ac Akers fod y Prif Arolygydd â chroen ei din ar ei dalcen. "Rwy wedi ca'l holl hanes ffiasco Miles a Lloyd gan y bois lawr llawr. Chlywes i ddim gair am hynny oddi wrthoch chi, Prior, er i fi ofyn am adroddiadau cyson. Anghofioch chi am hynny, do fe? A nawr, fwy nag wythnos ers y drosedd, dim un *suspect*. Llongyfarchiadau! 'Ma beth yw siop siafins!"

Oedodd Sam 'Tân' Powell ac ar ôl iddo dawelu ychydig dywedodd, "Reit, dyma'r *orders*. Bant â chi i Ben Cerrig a dewch â Seth Lloyd 'nôl yma i gael ei holi ymhellach am lofruddiaeth Martin Thomas. Ditectif Sarjant Davies a chi, Akers, ewch gyda Prior i'r fferm a mynd drwy'r lle gyda chrib fân – y tŷ a'r tai allan. Rwy am i chi chwilio am rywbeth, unrhyw beth, sy'n cysylltu Lloyd â'r llofruddiaeth. Mae *search warrant* ar y ddesg yn y dderbynfa. Pawb yn deall? Mae'n hen bryd i ni gael canlyniadau! Tân i'r bryniau, tân i'r bryniau!"

A dyna a wnaed. Mewn storom o regfeydd a phrotestio croch dygwyd Seth Lloyd i gael ei holi gan y Prif Arolygydd ei hun. Roedd Lloyd wedi ffonio'i gyfreithiwr o Ben Cerrig ac roedd hwnnw'n aros amdanynt yn nerbynfa'r orsaf – neb llai na Daniel Watkin, prif bartner cwmni Huws Watkin. Roedd Daniel Watkin yn un o gyfreithwyr craffaf y dre ac yn hen gyfarwydd ag amddiffyn hawliau cleientiaid da a drwg – gyda mwy o bwyslais ar y drwg na'r da. Yr unig linyn mesur iddo ef oedd a allai cleient dalu'r ffi ac o gael y sicrwydd hwnnw byddai Watkin yn ymladd hyd yr eithaf, yn gwrthwynebu'n ddygn ac yn amlach na pheidio'n cynghori'r troseddwr dan ei ofal i gadw'n dawel. Roedd Sam Powell wedi croesi cleddyfau â Watkin o'r blaen, ac wedi colli sawl brwydr, ond y tro hwn roedd yn bendant mai ef fyddai'n fuddugol – cymaint oedd ei sicrwydd mai Seth Lloyd oedd y llofrudd.

Troediwyd yr un tir ag yn y cyfweliad cyntaf hwnnw rhwng Lloyd a Gareth ym Mhen Cerrig, gyda'r Prif Arolygydd yn holi am hanes y cweryl rhwng Lloyd a theulu'r Cnwc. Holodd yn benodol am ddisgrifiad Lloyd o Martin Thomas fel y cymydog gwaetha a gafodd neb erioed. Edrychodd Lloyd ar ei gyfreithiwr, ysgydwodd hwnnw'i ben ac fe gafwyd yr ateb disgwyliedig, "Dim byd i'w ddweud."

"Dim byd i'w ddweud, Mr Lloyd?" haerodd Sam Powell. "Prin y gallwch chi wadu'r elyniaeth sy rhyngoch chi a'r teulu Thomas. Mae'ch mab yn wynebu cyhuddiad o ddanfon neges faleisus at y teulu."

Cododd gwrid i wyneb Seth Lloyd ond rhoddodd Watkin ei law ar ei fraich a dweud, "Brif Arolygydd, ry'ch chi'n holi Mr Lloyd, nid ei fab, ac alla i byth â gweld sut mae eich sylw am Ianto'n berthnasol."

"Fi fydd yn penderfynu beth sy'n berthnasol. Nawr 'te, i ddod at wraidd y mater, ai dyma'r geirie ddefnyddioch chi ar ddiwedd y cyfarfod yn neuadd Esgair-goch? '*Meddwl bo ti wedi ennill, wyt ti? Paid â thwyllo dy hunan. Fe wna i bopeth posib i rwystro dy gynllunie cythrel di. Ro'n i'n ffarmo Pen Cerrig cyn bo ti mas o dy glytie, gwd boi, a sai'n mynd i ga'l y mastie 'na'n ffinio ar 'y nhir i! Ti'n clywed, Martin Thomas?! Well i ti watsho pob cam o hyn allan – ti a dy deulu. Y bastad twyllodrus fel yr wyt ti!*' Cywir neu anghywir?"

Watkin atebodd. "Mae fy nghleient yn cytuno iddo ddefnyddio'r geiriau ond bod y cyfan wedi digwydd yng ngwres y foment. Dyw'r geiriau'n golygu dim ac yn sicr dy'n nhw ddim yn golygu mai fy nghleient yw'r llofrudd."

"Ma'n nhw'n hynod fygythiol, '*well i ti watsho pob cam o hyn allan – ti a dy deulu*'. Lai nag awr yn ddiweddarach cafodd targed y bygythiad ei lofruddio, a'r bore canlynol derbyniodd teulu'r Cnwc neges faleisus drwy'r post – *NO TO HYDDGEN WIND FARM. THE FIGHT-BACK STARTS NOW*. Ac mae prawf pendant mai Ianto Lloyd ddanfonodd y neges. Falle'ch bod chi'n deall nawr, Mr Watkin, pam mae eich cleient o dan amheuaeth."

"Tybiaethau ydyn nhw i gyd, Brif Arolygydd. Ble mae'ch prawf chi?"

"A ble mae'r prawf o symudiadau eich cleient rhwng yr adeg iddo adael y neuadd a chyrraedd Pen Cerrig? Rhyw stori hanner pan am gael lifft mewn fan Ford Transit wen, dim disgrifiad o'r gyrrwr ar wahân i'r ffaith ei fod e'n Brymi, dim rhif cofrestru a neb gartre i gadarnhau pryd yn union gyrhaeddodd Mr Lloyd adre. Ry'n ni wedi holi ymhob tŷ o ben hewl y ffarm i'r pentre nesa, a holi pawb yno hefyd. A dyma beth sy'n od. Does neb yn gwybod dim am yrrwr na pherchennog fan Transit wen. Rhyfedd iawn."

Edrychai Seth Lloyd yn bur anesmwyth ond taniodd Watkin yn ôl. "Dyw'ch methiant chi i ddod o hyd i'r gyrrwr ddim yn golygu nad yw'r dyn na'r fan yn bod. Mae'n hollol bosib iddo yrru mlaen drwy bentref Drosgol i Fynydd Hyddgen ac allan i'r A44. Chi wedi meddwl am hynny? Pa dystiolaeth sy gyda chi i gysylltu fy nghleient yn uniongyrchol â safle'r lofruddiaeth? Mae Mr Lloyd yn dweud i chi ofyn am y dillad roedd e'n eu gwisgo ar noson y mwrdwr. Oes canlyniadau fforensig ar y rheiny, tybed – marciau sgidiau ar y safle, neu olion bysedd ar y landrofer ei hun?"

Tro'r Prif Arolygydd Sam Powell oedd hi i fod yn dawedog a bachodd Watkin ar ei gyfle. "Yn union fel ro'n i'n tybio. Ffrwyth dychymyg yw hyn i gyd, dim byd mwy, dim byd llai. Ac felly, ga i ofyn i chi symud i dir cadarnach a gosod cyhuddiad ffurfiol yn erbyn Mr Lloyd, neu ei ryddhau? Ac wedyn gawn *ni* fynd adre ac fe gewch *chi* a'ch tîm ddychwelyd at y dasg o ddod o hyd i'r llofrudd."

Rhygnodd y cyfweliad yn ei flaen – Seth Lloyd yn gwrthod dweud dim, Watkin yn ymyrryd a rhybuddio, a Powell yn mynd yn fwy a mwy blin wrth i un awr ymestyn yn ddwy, tair a phedair. Er hyn, roedd y Prif Arolygydd yn awyddus i barhau a chadw Lloyd yn y celloedd dros nos.

Doedd gan Gareth ddim llawer o ffydd yn y dacteg. "Mae'n flin 'da fi, syr, ond dwi ddim yn credu y cewch chi'r gorau o Lloyd. Dyw e ddim y math o ddyn sy'n ildio ac fe fydd Watkin yn cynnal ei freichiau hyd y funud ola. *Does* gyda ni ddim byd i brofi bod Lloyd wedi bod yn agos at y landrofer a dim byd yn ei gysylltu fe â'r corff. Mae'n naid sylweddol o'r fan honno i brofi mai fe yw'r llofrudd."

"Oes gyda chi well syniad, Insbector Prior?"

Arbedwyd Gareth rhag ateb wrth i Mel ac Akers gyrraedd y swyddfa. Trodd Powell atynt a gofyn yn awchus, "Ffeindioch chi rywbeth yn y fferm?"

"Dim byd, syr," atebodd Mel. "Aethon ni drwy'r tŷ i gyd, a'r tai allan. Rodd Ianto Lloyd yn gwylio'r cyfan fel barcud ac yn bytheirio bod yr heddlu'n targedu'r teulu. Rodd 'na un peth ychydig yn amheus. Rodd sawl un o'r siediau'n edrych yn arbennig o daclus a glân, fel petai rhywun wedi'u clirio'n ddiweddar, ac rodd cymydog wedi gweld Seth Lloyd yn cario caniau plastig a metel o'r fferm yng nghefn y Mitsubishi."

"Oedd unrhyw olion o'r hyn oedd yn arfer bod yn y siediau?"

"Ma un o'r plismyn oedd gyda ni'n fab fferm, ac yn un o'r siediau rodd e'n arogli'r cemegau ma ffermwyr yn eu defnyddio i ddipio defaid – stwff eitha peryg, mae'n debyg. Hwnnw, ac arogleuon cemegau eraill sy'n hanfodol i waith fferm."

"Os yw'r cemegau'n hanfodol ac yn gyfreithlon, pam oedd Lloyd mor awyddus i gael gwared arnyn nhw? Pam nawr? Gawn ni weld beth sy gan Lloyd ei hun i'w ddweud. Prior, 'nôl i'r stafell gyfweld."

Gofynnwyd y cwestiwn i Seth Lloyd, ac am eiliad daeth golwg betrus i'w lygaid. Ond yna lledodd gwên foddhaus ar draws ei wyneb ac am y tro cyntaf drwy gydol y cyfweliad rhoddodd Lloyd ateb parod. "Ma angen bod yn ofalus dros ben â stwff fel 'na. Mae e'n beryg bywyd. Nath Ianto a finne glirio'r siedie ac fe es i â'r cyfan i'r dymp arbennig yn y dre. Dyw teulu Pen Cerrig ddim yn dymuno gwneud niwed i neb, chi'n gweld. 'Na'r math o bobl y'n ni!"

Wfftiodd Sam Powell yr awgrym ac ailgychwynnodd yr holi. Ddaeth dim o hynny, ac ymhen rhyw awr penderfynodd Powell roi'r ffidil yn y to. Casglodd y cyfreithiwr ei bapurau at ei gilydd a chododd Lloyd gan wenu'n llydan.

"Byddwch yn ofalus, Mr Lloyd," rhybuddiodd y Prif Arolygydd. "Mae'r ymchwiliad yn mynd yn ei flaen ac ar hyn o bryd chi sy ar frig y rhestr o *suspects*."

Symudodd Daniel Watkin at y drws gan ddweud yn watwarus, "Yn ôl pob sôn, Brif Arolygydd, mae honno'n restr fer iawn. Does dim un *suspect* arall gyda chi, oes e?"

* * *

Ar derfyn diwrnod hir a diflas aeth Gareth a Mel am ddiod a swper ysgafn i dafarn y Morwr ger harbwr Aberystwyth. Yn ystod misoedd yr haf roedd y lle'n gyrchfan i'r rhai a gadwai eu cychod hwylio yn yr harbwr islaw, ond gymaint oedd poblogrwydd y lle fel ei fod yn bur lawn hyd yn oed ar noson wlyb ym mis Hydref. Gweithwyr proffesiynol y dre a staff y brifysgol oedd y cwsmeriaid heno, a nifer ohonynt yn cyfarch Gareth wrth ei enw cyntaf. Roedd bwrdd gwag yn y cornel pella ac eisteddodd Mel yno wrth i Gareth archebu bwyd a photel o win.

"Dau salad afocado a chaws mozzarella, a photel o Semillon Chardonnay?"

"Perffaith," atebodd Mel. "Ti'n edrych wedi blino. Fentra i nad odd Sam Tân yn ddyn hapus."

"Dodd e ddim yn hapus o gwbl, yn enwedig gyda sylw ola Daniel Watkin. Ma Powell mor styfnig ag asyn; rodd gyda fe chwilen yn ei ben mai Seth Lloyd odd y llofrudd a dodd dim yn mynd i'w berswadio fe fel arall. Sonies i am ddiffyg prawf ond rodd Powell yn benderfynol. Ti'n gwbod fel mae e. Dim ond gwasgu digon ac mae'r caleta'n gwegian, a rhyw nonsens fel 'na."

Daeth y gweinydd â'r salad a'r gwin at y bwrdd. Arllwysodd Gareth ddau wydraid o win a threuliwyd y deng munud nesaf yn mwynhau'r bwyd. Ymlaciodd Mel yn y gadair esmwyth ac er nad oedd am darfu ar naws y noson roedd yn rhaid gofyn y cwestiwn amlwg. "Be nesa, Gareth? Be nawn ni nawr?"

Arllwysodd Gareth ail wydraid cyn ateb. "Dwi'n mynd i anwybyddu protestiadau Vaughan oherwydd dwi'n sicr bod Caerwynt yn chware rhan allweddol yn hyn i gyd. Cofia iddyn nhw guddio'r ffaith mai nhw sy berchen y Cnwc, ac wedyn dyna i ti'r taliadau o ddwy fil y mis. Pam talu swm fel 'na i gael mynd ar eu tir eu hunain? Dyw ateb Sioned Athlon am osod mesuryddion gwynt ddim yn tycio, rywffordd. Ma rhywbeth arall y tu ôl i'r taliadau 'na, dwi'n siŵr."

"Os ei di 'nôl at Caerwynt byddan nhw'n glynu at y stori. Ma'n nhw'n siŵr o fod yn ymwybodol bod Vaughan wedi dy rybuddio di i gadw draw."

"Dwi'n credu bod yr ateb yn yr un man ag y daeth Akers o hyd i'r wybodaeth am berchnogaeth y fferm – y gliniadur. Os odd 'na un ffeil gudd mae'n bosib bod 'na ragor. Gyda chymorth Akers, y techgi yn ein plith ni, dwi'n mynd i balu drwy bob ffeil fory. Jobyn diflas, dwi'n gwybod, ond dyna'r unig *lead* sy gyda ni ar hyn o bryd."

Yn hytrach na chael coffi yn y dafarn cerddodd y ddau i fflat Gareth yng Nghilgant y Cei, taith fer o lai na deng munud. Wrth i Gareth baratoi'r *cafetière* eisteddodd Mel yn un o'r cadeiriau lledr yn bodio'r rhifyn diweddaraf o *Private Eye*. Daeth Gareth â'r coffi a'i osod ar y bwrdd isel ac estyn wedyn i'r cwpwrdd diod am fesur helaeth o wisgi Gwyddelig iddo'i hun.

"Whisgi bach?" gofynnodd.

"Ie, plis, ond dim ond un bach, cofia. Dwi ddim ishe meddwi."

"Pam, Sarjant Davies? Dy'ch chi ddim yn mynd i unman."

Gwenodd Mel, "Na, ti'n iawn, ond dwi ddim ishe dihuno bore fory â phen tost. Ti'n cofio mod i'n mynd adre i Bontardawe i weld Mam a Dad?"

"O'n i *yn* cofio. A bydd Akers a finne'n treulio'r amser yn mynd drwy'r blwmin ffeiliau 'na."

Estynnodd Gareth y ddiod i Mel ac eistedd ar y llawr o'i blaen gan bwyso 'nôl ar y gadair. Cymerodd ddracht o'r whisgi a sawru'r blas myglyd. Ar yr eiliad honno teimlai fod ei fyd yn berffaith – pwysau gwaith a gofynion yr ymchwiliad yn bell i ffwrdd, a chyfle i ymlacio yng nghwmni'r ferch a oedd yn gynyddol dyfu'n ganolbwynt ei fywyd. Cododd ar ei gwrcwd i syllu ar Mel a gwelodd gydag ychydig o syndod y mymryn lleia o bryder yn ei llygaid.

"Be sy'n bod? Be sy'n dy boeni di, Mel?"

"Wel, dwi *yn* poeni am un peth. Pan ffoniodd Akers pwy nosweth yn gofyn i ni fynd mewn i'r orsaf ar ôl y ffeit, fi atebodd y ffôn. Mae e'n gwbod – amdanon ni."

"A beth os yw e'n gwybod? Sdim gwahaniaeth gen i. Sdim ots gen i pwy sy'n gwybod. Dwi wedi dweud wrthot ti o'r bla'n, ry'n ni'n dau'n rhydd i gynnal perthynas."

Synhwyrodd Mel ei bod wedi'i frifo a cheisiodd egluro. "Ma nghalon i'n dweud bod ti'n iawn, ond ma mhen i'n dweud rhywbeth gwahanol. Falle y dylen ni bwyllo, Gareth. Ma'r atgofion am fethiant 'y mhriodas i'n dod 'nôl weithie, fel rhyw hunllef. Rwyt ti a fi'n gwbod pa mor anodd yw hi i bartneriaid lle mae'r ddau yn yr heddlu, gweithio shifftiau, byth yn gweld ei gilydd, a bywyd a gwaith yn mynd yn un. Dwi ddim, dwi ddim..."

Pwysodd Gareth yn agosach ati. "Dwi'n ymwybodol o hynny. Ond Mel, gwranda, os yw'r cariad yn ddigon cryf mae'n trechu'r holl anawsterau. Dwi ddim wedi'i ddweud e o'r bla'n, ond dwi'n dy garu di, yn dy garu di'n fwy ac mewn ffordd wahanol i neb arall."

Sychodd Mel ddeigryn o'i llygad, "Diolch... dwi'n teimlo'n union yr un fath."

"Wel, 'na ni, 'te. A beth bynnag, ti'n berffaith siŵr am yrfa yn yr heddlu? Falle bydde'n well 'da ti fod yn fam i lond tŷ o blant!"

Cydiodd Gareth yn ei llaw ac arwain y ffordd i'r stafell wely. Yn amyneddgar, heb ruthro, tynnodd bob dilledyn oddi amdani. Gwnaeth hithau'r un fath a safodd y ddau'n wynebu'i gilydd. Cusanodd Gareth hi'n ysgafn ac ymatebodd Mel gydag awydd a brys nad oedd hi wedi'i deimlo cyn hynny. Llithrodd ei ddwylo i fwytho'i bronnau, ac yna'n is. Ond hi gymerodd y cam cyntaf tuag at y gwely, a hi arweiniodd pob symudiad wedyn hyd nes i'r ddau esgyn i uchafbwynt ysgytwol o angerdd a phleser.

* * *

Ni chafodd Gareth help gan Akers i fynd drwy ffeiliau'r gliniadur, wedi'r cyfan. Bu cyrch cyffuriau yn y dre y noson cynt a bu'n rhaid i'r Ditectif Gwnstabl roi help llaw i holi'r gang a gludwyd i'r orsaf. Roedd Sam Tân, fel y gellid disgwyl, yn uchel ei gloch nad oedd dim byd llai i'w ddisgwyl yn sgil geiriau Gareth yn y gynhadledd yn Llundain. "Prior a'i geg fowr a'i syniade twp. Ma pob jynci yn 'i heglu hi am Aber nawr. 'Chewn ni ddim 'yn arestio fan 'na, bois, ma 'na Insbector sy ishe gweld drygs yn ca'l 'u gneud yn gyfreithlon. Well i ni neud y busnes tra ry'n ni'n gallu.' Blydi hel, 'ma beth yw strach!"

Gwyddai Gareth nad oedd pwrpas dadlau a chiliodd i'r swyddfa i ddechrau ar y dasg o bori drwy ffeiliau'r gliniadur. Roedd popeth yn ymddangos yn drefnus tu hwnt, ffolderi ar gyfer y prif destunau ac wedyn y ffeiliau yn nhrefn yr wyddor o fewn pob ffolder. Roedd ffolderi ar gyfer gwaith y fferm megis <CREADURIAID> a <GRANTIAU> gyda ffeiliau'r creaduriaid yn cyfeirio at agweddau o'u cadw megis brechu, cludo i'r farchnad a'r pris a gafwyd am bob anifail. Roedd manylion y taliadau wedi'u casglu ynghyd mewn ffeil ychwanegol ar incwm a gwariant. Yn unol â gofynion y Cynulliad roedd yr holl anifeiliaid wedi eu rhifo'n unigol ac roedd modd olrhain hynt a helynt pob creadur o ddiwrnod ei eni neu ei brynu hyd at ddiwrnod ei werthu. Dwy ffolder arall wedyn, <CAERWYNT 1> a <CAERWYNT 2>, a ffeiliau am gytundebau, manylion ariannol a lleoliad y melinau.

Dyna lle y daeth Akers o hyd i'r ffeil gudd, a diawliodd Gareth na holodd ar y pryd sut y daeth o hyd i'r wybodaeth am drefniant perchnogaeth y Cnwc. Nid oedd golwg ohoni nawr, a'r cyfan y gallai Gareth ei wneud oedd ymlafnio drwy bob ffeil, fesul un. Bu wrthi drwy'r bore ac erbyn amser cinio roedd ganddo ben tost. Llyncodd ddwy barasetamol ac aeth allan o'r orsaf am awyr iach. Cerddodd i ben pella'r prom, mynd am baned i Gaffi'r Wylan a gwylio'r tonnau'n chwalu ar y creigiau islaw. Wrth yfed ei goffi meddyliodd eto am y sgwrs rhwng Mel ac yntau yn y fflat neithiwr; gallai ddeall ei gofidiau, a gwerthfawrogai'r ffaith fod y garwriaeth wedi datblygu'n eithriadol o gyflym, ond nid oedd ganddo ef unrhyw amheuon. Sylweddolodd mai dim ond un peth a allai dawelu ei phryderon. Cyn gynted ag y byddai'r achos wedi'i ddatrys byddai'n trefnu gwyliau bach i'r ddau ohonynt – penwythnos yn rhywle fel Portmeirion, y lleoliad perffaith iddo ofyn i Mel ei briodi.

A'i ben wedi clirio, teimlai'n well wrth gerdded yn ôl i'r orsaf ac ailgydiodd yn y gwaith o archwilio'r gliniadur gyda mwy o frwdfrydedd. Dechreuodd edrych ar yr e-byst, y rhai a ddanfonwyd ac a derbyniwyd. Doedd y rhain ddim hanner mor drefnus. Roedd rhai e-byst yn ymestyn yn ôl cyn belled â thair blynedd, a doedd Martin ddim wedi trafferthu i osod yr atodiadau mewn ffolderi ar wahân. Doedd dim golwg o unrhyw beth personol ac roedd y cyfan yn un llanast cyfrifiadurol – mewn gwrthgyferbyniad llwyr i weddill yr wybodaeth ar y gliniadur. Ochneidiodd Gareth wrth lusgo'r llygoden o un e-bost i'r llall gan amau'n gryf nad oedd ganddo obaith caneri o ddarganfod unrhyw beth o werth yn y domen o negeseuon dibwrpas. Edrychodd ar ei wats a gweld, er mawr syndod iddo, ei bod yn hanner awr wedi pump. Bu'n cloddio ym mherfeddion y gliniadur am ddiwrnod cyfan, heb y nesa peth i ddim i ddangos am ei lafur. Caeodd glawr y peiriant a mynd i dderbynfa'r orsaf; roedd y lle'n hollol dawel, criw'r cyrch cyffuriau wedi hen fynd adre a phrysurdeb arferol nos Sadwrn heb gychwyn.

* * *

Yn ôl yn ei fflat, aeth Gareth ati i baratoi swper sydyn – dwy dafell o gig moch ac wyau wedi'u sgramblo. Cydiodd yn ei ffôn boced a deialu rhif Mel. Ni chafodd ateb, felly tybiodd ei bod allan gyda'i rhieni ac nid oedd am darfu arnynt drwy geisio'r eilwaith. Bwytaodd y swper heb gael rhyw lawer o flas arno ac eisteddodd yn y gadair freichiau i gychwyn ar groesair y *Guardian*. Roedd Gareth wedi hen gyfarwyddo â'r cliwiau astrus; darllenodd y cliw am un ar draws – *Panel work done in a court of law (4,7)* a llanwodd yr ateb – *JURY SERVICE*. Fel arfer, byddai'n llwyddo i gwblhau'r pos mewn llai na hanner awr ond nid felly heno. Roedd ei feddwl yn swrth a difywyd, canlyniad yr oriau o syllu ar sgrin y gliniadur. Trodd y teledu ymlaen, ond ar ôl pum munud o neidio o sianel i sianel penderfynodd mai rwtsh oedd y cyfan a bu raid iddo fodloni ar *Goldfinger* a wyliodd sawl gwaith o'r blaen. Dechreuodd bendwmpian yn ystod yr ugain munud cyntaf a dihuno ar ôl i'r ffilm hen orffen. Aeth am ei wely a chysgu tan wyth y bore wedyn.

Cerddodd o'i stafell wely i'r lolfa i agor drws gwydr y balconi bychan a gwylio'r môr yn dod i mewn i'r harbwr. Roedd y pysgotwyr cynnar eisoes wrth eu cychod, yn awyddus i fanteisio ar y gwynt ysgafn ac ar haul fis Hydref a ymddangosai nawr ac yn y man rhwng y cymylau. Penderfynodd Gareth y byddai'n bwyta'i frecwast ac wedyn yn mynd i nôl papurau'r Sul ar ei feic mynydd. Wrth iddo fwyta'r tost agorodd glawr y gliniadur a gweld y *screensaver,* llun o'r trên bach yn dringo tuag at gopa'r Wyddfa. Dewis anarferol i ffermwr, meddyliodd, ond cofiodd wedyn am rostir y Cnwc yn ymestyn draw at Fynydd Hyddgen er nad oedd argoel o fanylion personol yn y gliniadur, mae'n siŵr mai Martin Thomas ei hun a ddewisodd y llun penodol hwnnw. Edrychodd Gareth eto ar yr e-byst a ddanfonwyd ac yn sydyn, yng nghanol y pentwr anghymen, sylwodd ar un a oedd, ar yr olwg gyntaf, yn ymddangos braidd yn od. Anfonwyd yr e-bost gan mmt (roedd archwiliadau hirfaith ddoe wedi dangos mai Martin Thomas oedd mmt) a fe hefyd oedd y derbynnydd. Pam anfon e-bost i chi eich hunan? Agorodd Gareth y neges a gweld bod yna atodiad, dan y teitl TRENAU, felly cliciodd ar y gair a gweld:

TRAIN TIMES MACHYNLLETH – SHEFFIELD
Machynlleth, dep - 05.14 Sheffield, arr - 10.17
Machynlleth, dep - 07.30 Sheffield, arr - 12.18
Machynlleth, dep - 09.30 Sheffield, arr - 14.17

Synfyfyriodd Gareth am ychydig oherwydd nad oedd yn sicr beth oedd arwyddocâd yr wybodaeth. Ar un olwg, gallai'r ffeithiau fod yn ddim byd mwy na dull ansoffistigedig o atgoffa Martin Thomas am drefniadau rhyw siwrne arfaethedig. Os mai hynny oedd y bwriad, pam na ddefnyddiodd y calendr oedd yn rhan o'r meddalwedd e-byst? Roedd anfon e-bost ato'i hun yn ddull anghyffredin a dweud y lleia. Doedd ond un peth amdani, sef ffonio'r Cnwc i weld a allai rhywun yno daflu goleuni ar fanylion yr e-bost. Sulwen Thomas atebodd.

"Bore da, Mrs Thomas, Insbector Gareth Prior."

Ar unwaith gallai Gareth glywed y gobaith yn ei llais, "Ma gyda chi newyddion? Chi wedi dal y llofrudd?"

"Naddo. Mae'n flin 'da fi..."

"O'n i'n meddwl bod gyda chi rywbeth pendant, a chithe'n ffonio am hanner awr wedi wyth ar fore Sul."

"Nag oes, rwy'n ofni. Ishe gofyn rhywbeth o'n i. Odd Mr Thomas yn cynllunio i fynd i Sheffield o gwbl?"

"Daro, yng nghanol yr holl helynt ro'n i wedi anghofio'n llwyr. Odd Martin a finne wedi ca'l gwahoddiad i ryw ddigwyddiad yn Sheffield odd yn cael ei drefnu gan y Gymdeithas Ynni Glân. Roedden ni i fod i dderbyn gwobr am ddatblygiad Hyddgen. Shwt y'ch chi'n gwybod, Insbector?"

"Rhywbeth weles ar y gliniadur, 'na i gyd. Ry'n ni'n awyddus i ddilyn pob agwedd o'r ymchwiliad, Mrs Thomas. Un peth arall, llun o drên bach yr Wyddfa yw tudalen gyntaf y gliniadur – y *screensaver*. Unrhyw syniad pam bydde Mr Thomas wedi dewis y llun arbennig hwnnw?"

Atebodd Sulwen Thomas yn grynedig, "Dim syniad. Dyw Martin erioed wedi bod yn agos at yr Wyddfa, hyd y gwn i." Cafwyd saib arall cyn i'r wraig fynd yn ei blaen. "Ro'n i'n falch bod Joss wedi dweud y gwir yn y pen draw. Diolch byth nad odd gyda fe ddim byd i neud â'r... chi'n gwbod. Unrhyw wybodaeth, plis cysylltwch â fi. Chi'n addo, Insbector?"

Rhoddodd Gareth ei addewid yn ddiymdroi a thynnu'r sgwrs i ben. Daeth darlun clir i'w feddwl o Sulwen Thomas yng nghegin y Cnwc yn wynebu diwrnod hir arall yn llawn hiraeth a phoen. Wrth feddwl am yr olygfa, cryfhaodd ei benderfyniad i ddal y diawl oedd yn gyfrifol am ladd ei gŵr.

Aeth i nôl y papurau Sul ac ar ôl treulio'r bore'n pori

drwyddyn nhw paratôdd frechdan ar gyfer ei ginio. Dros baned o de cryf, meddyliodd Gareth eilwaith am ateb Sulwen Thomas ar y ffôn. Roedd ei hesboniad am y trenau'n gredadwy, ond roedd cynnwys yr atodiad i'r e-bost yn troi fel chwilen yn ei ben. Synhwyrai fod rhywbeth o'i le, ac agorodd yr atodiad unwaith yn rhagor gan ddarllen, fel o'r blaen, enwau'r ddwy orsaf, Machynlleth a Sheffield, ac amserau'r trenau. I gadarnhau'r amserau aeth i wefan Trainline, bwydo enwau'r gorsafoedd i'r bocs, clicio ac aros am y canlyniadau. A dyna pryd y gwnaeth y darganfyddiad – yn fwriadol neu'n anfwriadol, roedd Martin Thomas wedi rhestru amser y trenau o Aberystwyth, nid o Fachynlleth. Damo, dylai fod wedi gofyn i Sulwen Thomas o ba un o'r ddwy dre roedden nhw'n bwriadu cychwyn ar eu taith. Byddai ail alwad yn creu amheuon ac wedi'r cyfan roedd yn gwbl bosib nad oedd yr holl beth yn ddim mwy na chamgymeriad ar ran ei gŵr. Os mai'r bwriad oedd creu cofnod i'w atgoffa'i hun, roedd camosod amserau un orsaf am y llall yn fwy o dramgwydd nag o help.

Ni allai Gareth beidio â meddwl bod hyn yn fwy na chamgymeriad a cheisiodd ystyried y cyfan mewn ffordd gwbl resymegol. Diystyrodd enwau'r gorsafoedd, gan feddwl yn unig am yr amser ymadael a chyrraedd – yr amserau a gyfnewidiwyd gan Martin. Rhifau oedd yr amserau, felly ble arall ar y gliniadur roedd yna rywbeth mewn trefn rifol? Cofiodd am y rhestrau o anifeiliaid y fferm, pob anifail wedi'i rifo'n unol â rheolau'r Cynulliad. Trodd yn ôl at y ffolder <CREADURIAID> a dechrau gyda'r defaid. Aeth drwy bob ffeil a phob cofnod unigol a chael dim. Symud wedyn at ffeil y gwartheg a dilyn y rhifau, eto dim byd o werth. Wedi blino'n lân, ac yn cyflym ddod i'r casgliad nad oedd hyn yn ddim mwy na rhyw ffansi personol, aeth drwy restr y gwartheg unwaith yn rhagor. Sbonciodd y rhifau o'i flaen ac roedd ar fin roi'r gorau iddi pan welodd y patrwm a gadarnhaodd ei amheuon – anifail 031, anifail 032, anifail 033 – ac yna yn llwyr allan o drefn, anifail 0514, anifail 0730, ac anifail 0930, cyn dychwelyd at anifail 034. Roedd y rhifau 0514, 0730 a 0930 yn cyfateb yn union i amserau'r trenau a gamosodwyd gan Martin Thomas. Cliciodd Gareth ar y cofnod cyntaf, 0514, a gweld y neges:

PROPOSED TRANSFER OF H.Q. TO SWITZERLAND

From: jjb@caerwynt.co.uk

To: sio@caerwynt.co.uk

Cc: wmp, das, hjp, gcg, bre, gie, tfw, hnc, eft, llpu, ird, mmt

Date: 22/04/09

Status: **RESTRICTED**

I am pleased to inform you that preliminary negotiations are going well and that premises have been inspected by our agent.

Cliciodd ar yr ail, 0730. Y dyddiad oedd 16/05/09, yr e-bost oddi wrth yr un person, at yr un person, wedi'i gylchu i'r un rhestr ond y testun yn wahanol:

PREMISES – LEASE AGREED

Lease on office agreed at favourable rates. Agent will shortly interview member of staff for front of house duties.

Dyddiad y trydydd, 0930, oedd 18/06/09, yr un danfonydd a'r un gynulleidfa:

CONTRACTS EXCHANGED
Contracts on office space exchanged and member of staff appointed. Urge strictest confidence from now on.

Darllenodd Gareth y tri e-bost eto. O'r unigolion a restrwyd, adnabu dau enw yn unig; siawns dda mai sio@caerwynt.co.uk oedd Sioned Athlon, ac mmt oedd Martin Thomas a oedd rywfodd wedi'i gynnwys mewn rhestr ddethol ac felly wedi cael ei hysbysu o gynlluniau Caerwynt i adleoli pencadlys y cwmni yn y Swistir.

# Pennod 13

Y PETH CYNTAF a wnaeth Gareth y bore canlynol oedd ffonio ffrind coleg iddo a oedd newydd ei benodi'n Athro yn Adran Fenter a Chyllid y Brifysgol. Gwyddai fod Randall Williams yn arbenigwr ar strwythur cwmnïau ac y gallai'n hawdd egluro'r rheswm dros adleoli cwmni fel Caerwynt yn y Swistir.

"Bore da, Randall, Gareth Prior. Ma'n flin 'da fi am ffonio mor gynnar ond dwi ishe tamed bach o help. Alla i ddod i dy weld ti bore 'ma?"

"Gar, achan, neis i glywed wrthot ti. O'n i 'di clywed bo ti'n Aber. Ie, dere draw, ond bydd raid i ti ddod yn gynnar. Naw o'r gloch yn yr Adran?"

"Perffaith."

"Grêt. Gofynna amdana i lawr llawr a bydd y pishyn wrth y ddesg yn dangos y ffordd i ti. Alle honna ddangos y ffordd i lot o ddynion! Hwyl, wela i di!"

Gwenodd Gareth. Yr un hen Randall, yr un a ymhyfrydai yn ei lysenw 'Randy' yng Ngholeg King's, Llundain. Roedd ei orchestion carwriaethol yn chwedlonol, a cheid hanesion lu amdano'n dianc o stafell rhyw ferch neu'i gilydd jyst cyn i'w chariad gyrraedd. Ac yntau bellach yn Athro mae'n rhaid ei fod wedi parchuso, ond roedd ei eiriau ar y ffôn yn dangos bod arlliw o'r hen Randall yn dal yno o hyd!

Gadawodd Gareth neges i Mel ac Akers yn y swyddfa a gyrru'n syth i gampws y Brifysgol ar riw Penglais. Parciodd y Merc gyferbyn â'r Adran Fenter a cherdded i mewn i'r dderbynfa. Yn unol â disgrifiad Randall, roedd y ferch wrth y ddesg yn werth ei gweld. Dynodai arwydd bychan ar y ddesg mai Susan Parry oedd ei henw.

"*Miss* Parry?"

"Ie."

"Mae gen i apwyntiad i weld yr Athro Randall Williams. Insbector Gareth Prior, Heddlu Dyfed-Powys."

Lledodd y llygaid glaswyrdd ac edrychodd Susan Parry ar ddarn o bapur o'i blaen. "Ie, dyma ni, Insbector. Ma stafell yr Athro Williams ar y llawr cyntaf, ail ddrws ar y chwith. Chi am i fi ddangos y ffordd i chi?"

Cofiodd Gareth am sylw'i gyfaill ar y ffôn ac atebodd, "Dim diolch, na. Ffeindia i'r swyddfa'n iawn."

Dringodd y grisiau, cerdded at y drws a darllen y plât pres, Yr Athro Randall Williams, Pennaeth Adran. Curodd yn ysgafn ac ar unwaith clywodd y llais cyfarwydd yn dweud, "Dewch i mewn".

Camodd i mewn i swyddfa gymharol foethus – carped brown golau, y paent magnolia arferol ar y muriau, dodrefn modern ac yng nghanol y stafell roedd desg enfawr a Randall yn eistedd mewn cadair ledr ddu y tu ôl iddi. Cododd i gyfarch ei hen ffrind.

"Gar, achan, neis dy weld di. Shwt ma bod yn dditectif yn siapo? Darllenes i amdanat ti ar ôl y *speech* 'na yn Llunden. Tipyn o beth, plisman yn siarad sens."

"Sai'n siŵr o 'na, Randall. Beth amdanat ti? Ti'n joio'r byd academaidd?"

"Tasen i'n ca'l rhyddid gan y siwts i redeg yr adran fel wy'n moyn, bydde popeth yn iawn. Ond ddylen i ddim cwyno. Ti wedi priodi?"

Atebodd Gareth yn ofalus, "Na, dim eto. Ti?"

"Gwraig a thri o blant," meddai gan wincio, "felly ma Randall Williams yn gorfod bihafio! Ond withe ma'r hen

Randy'n pipo mas, ac wedyn lwc owt! Nawr 'te, stedda, sdim lot o amser. Beth alla i neud i helpu?"

Heb enwi Caerwynt yn benodol, eglurodd Gareth yr hyn roedd wedi'i ddarganfod am y bwriad i adleoli'r cwmni i'r Swistir. Daeth at y pwynt ar unwaith, "Pam ma cwmnïau'n gneud y math 'ma o beth? Beth yw'r manteision?"

"Ti'n sôn am Gaerwynt, wyt ti?"

"Shwt ti'n gwbod 'na?"

"Dere mla'n, Gar. Sdim rhaid bod yn Sherlock Holmes i weld pwy sy 'da ti mewn golwg. Dwi wedi darllen am y ffarmwr 'na'n ca'l ei ladd a bod rhan helaeth o ddatblygiad Hyddgen yn mynd i fod ar ei dir e. Caerwynt sy tu ôl i'r datblygiad a ti sy'n arwain yr ymchwiliad. Felly, Insbector, QED, chi ishe gwbod am Gaerwynt."

"Cofia, ma hyn i gyd yn gwbwl gyfrinachol. Deall?"

"Wrth gwrs. Ateba i dy gwestiwn di gyda chwestiwn arall – pam ma cwmnïau'n gwneud unrhyw beth? Arian yw'r ateb, bob tro. Drwy symud pencadlys y cwmni i'r Swistir bydde Caerwynt yn gwneud arbediad enfawr ar y bil treth. A hefyd – cyfrinachedd. Ma 'na rywfaint o lacio wedi digwydd yn ddiweddar gyda Phrydain ac America'n brwydro yn erbyn *tax havens,* ond ma'r Swistir yn dal i fod ar flaen y gad o ran cyfrinachedd cyllidol ac ariannol. Pam ti'n meddwl bod *multinational* fel Nestlé wedi bod yno ers blynyddoedd? Mae'u harian nhw'n saff, mae'r Swiss Franc yn gryf yn erbyn y bunt neu'r ddoler a does neb yn codi problemau lletchwith."

"Shwt bydde'r broses o adleoli'n digwydd?"

"Cymera unrhyw gwmni – er enghraifft, cwmni sy'n gwneud creision. Ma'r tatw'n cael eu tyfu a'u prynu ym Mhrydain, ma'r ffatrïoedd ym Mhrydain ac ma'r gweithwyr yn cael eu cyflogi ym Mhrydain. Ond, ar bapur, dyw'r cwmni ddim yn berchen taten – sori am y jôc – ddim yn berchen y nwyddau crai na'r ffatrïoedd. Ma'r cyfan wedi'i gontractio i'r unedau ym Mhrydain ond ma perchnogaeth a phencadlys y cwmni yn y Swistir ac yno ma'r hyn a elwir yn *intellectual property* a *risk functions*. Ma'r cwmni'n talu treth yn y Swistir, nid ym Mhrydain, ac ar raddfa dipyn is."

"Ac ma hyn i gyd yn gyfreithlon?"

"Yn gwbwl gyfreithlon."

"Shwt bydde'r broses yn adlewyrchu ar gwmni fel Caerwynt?"

"Fydde fe ddim yn edrych yn dda, fydde fe? Ma fe'n gwmni sy wedi dibynnu ar gefnogaeth y glymblaid yn y Cynulliad i ennill cytundeb i adeiladu fferm wynt enfawr ar ucheldir Ceredigion. Cwmni Cymreig, a'i bencadlys yng Nghymru. Ac yn syth ar ôl ennill y cytundeb a derbyn grantiau mowr, ma'n nhw'n codi pac a symud y pencadlys i'r Swistir i arbed treth, ac ma pobl yng Nghaerdydd yn colli'u swyddi. Ma hynna, Insbector Prior, yn mynd i fod mor boblogaidd â thîm Lloegr yn rhoi crasfa i Gymru."

"Diolch, ma hynna'n help sylweddol. Cadwa'r cyfan dan dy het, plis. Bydd yn rhaid i fi daclo Caerwynt, 'te."

"Howld on. Beth yn hollol ti'n wbod?"

"Dwi'n gwbod i sicrwydd bod Caerwynt yn bwriadu adleoli. Paid â holi shwt, ond dwi wedi gweld rhai o e-byst mewnol y cwmni."

"Dyw hynna ddim yn ddigon, Gar. Ma'n rhaid i ti wbod ble, yr union dre yn y Swistir. Os nad yw'r manylion penodol gyda ti bydd Caerwynt jyst yn gwadu'r cyfan."

* * *

Tarodd Gareth i mewn i siop WH Smith ar ei siwrne'n ôl i Swyddfa'r Heddlu, i brynu map o'r Swistir. Roedd Mel ac

Akers yn disgwyl amdano yn y swyddfa a rhyfeddodd y ddau wrth ei wylio'n agor y map ar y bwrdd yng nghanol y stafell. Gosododd y gliniadur wrth ymyl y map.

"Peidiwch â phoeni, *ma* 'na sens yn hyn i gyd. Fyddwch chi'n deall wedi i fi esbonio beth dwi wedi'i ddarganfod dros y penwythnos. Ar ôl i Akers ffeindio'r manylion am berchnogaeth y Cnwc, dreulies i gryn dipyn o amser yn archwilio ffeiliau'r gliniadur. Bues i wrthi am oriau heb gael dim byd o werth ac wedyn daeth y rhain i'r golwg, wedi'u claddu yng nghanol rhestr rifol creaduriaid y fferm."

Cliciodd Gareth fotwm ar y bysellfwrdd i ddangos y tri e-bost yngylch bwriad Caerwynt i symud ei bencadlys o Gaerdydd i'r Swistir.

"Bore 'ma es i weld hen ffrind coleg sy'n Athro yn Adran Fenter a Chyllid y Brifysgol. Eglurodd e pam bydde Caerwynt yn adleoli a dwedodd wrtha i y bydde'r weithred yn adlewyrchu'n wael ar y cwmni. Does dim syndod, oes e? Caerwynt yn derbyn cefnogaeth y glymblaid yn y Cynulliad a Chyngor Ceredigion, a'r ddau sefydliad yn rhoi grantiau enfawr i gefnogi datblygiad Hyddgen. Yn fuan ar ôl ca'l y *go ahead* bydd y cwmni'n symud yr holl sioe i'r Swistir a rhoi gweithwyr y pencadlys ar y clwt."

"Mae'n flin 'da fi, syr," dywedodd Akers, "ond alla i byth â gweld sut mae hyn yn berthnasol i'r ymchwiliad."

"Gadewch i ni ddechre gyda'r taliadau o ddwy fil y mis gan Gaerwynt i Martin Thomas. Yn ôl Sioned Athlon, rodd y symiau hynny'n cael eu talu am yr hawl i gynnal archwiliad manylach o'r tir a gosod rhagor o fesuryddion gwynt. Ond Caerwynt sy'n berchen y fferm. Felly pam talu i gael mynediad i dir ry'ch chi'n berchen arno'n barod? Dwi'n credu bod rheswm gwahanol am y taliadau. Rodd Martin Thomas wedi sylweddoli bod yr wybodaeth yn yr e-byst yn hynod o sensitif ac wedi penderfynu bygwth Caerwynt. Ei neges oedd – talwch ddwy fil y mis i fi neu bydd y manylion am y cynllun adleoli'n cael eu gwneud yn gyhoeddus."

"Blacmel, felly."

"Ie, a'n tasg ni nawr yw gweld a oes cysylltiad rhwng ymgais Martin Thomas i wasgu arian o'r cwmni, a'i lofruddiaeth."

"Dwi ddim am daflu dŵr oer ar hyn i gyd," meddai Mel, "ond mae nifer o gwestiynau heb eu hateb. Shwt cafodd Martin ei gynnwys ar restr o e-byst mewnol y cwmni? Pam bydde fe'n gwneud y fath beth? Petai'r wybodaeth yn dod yn gyhoeddus bydde siawns y gallai'r cynllun fynd yn ffliwt – dim fferm wynt, dim datblygiad, a Martin a'i deulu ar eu colled. Odd Martin Thomas y math 'na o berson?"

"Iawn, dyma'r atebion sy gen i. Rodd Martin Thomas *wedi* derbyn e-byst eraill gan Gaerwynt ac felly rodd ei enw a'i gyfeiriad, mmt, ar y system. Pam bydde fe'n bygwth? Rodd 'na risg y gallai Caerwynt droi'r drol a dod â'r cyfan i ben. Ond a fydden nhw'n debygol o wneud hynny, ar ôl buddsoddi miliynau? Newid mân iddyn nhw fydde dwy fil y mis – swm bach i gadw Martin yn dawel. Mae 'na ffeithiau digon annymunol am Martin Thomas wedi dod i'r fei – dwedodd gelwydd am ffynhonnell yr arian i brynu'r Cnwc ac fe gelodd y cyfan rhag ei wraig a'i deulu. Y ffaith nad oes sicrwydd am y rheswm dros y taliadau.; a'r ffaith iddo geisio rhoi terfyn ar y berthynas rhwng ei ferch Catrin a Joss Miles oherwydd dodd e ddim am weld hanes yn cael ei ailadrodd. Ma hyn i gyd yn dangos dyn twyllodrus a chelwyddog – person, yn ôl ei wraig, a allai fod yn hynod o anystyriol ar adegau."

Edrychodd Mel ac Akers ar ei gilydd ac yna dywedodd Mel, "Dwi ddim yn siŵr. Os derbyniwn ni fod Martin yn bygwth Caerwynt, lle ma hynny'n ein gadael ni? Bydd angen trefnu cyfweliad arall gyda Sioned Athlon, mae'n debyg, a beth am rybudd y Prif Gwnstabl a Sam Tân i droedio'n ofalus?"

"Dyna pam ma'n rhaid i ni fod yn gwbl sicr o'r ffeithiau. Dyw e ddim yn ddigon i wybod bod Caerwynt yn bwriadu symud i'r Swistir. Yn ôl y cyngor ges i, ma'n rhaid i ni ddod o hyd i'r union dre. Dyna pam dwi wedi prynu'r map."

"Ond, syr," protestiodd Akers, "galle fe fod yn unrhyw le. Beth y'n ni'n mynd i neud, sticio pìn yn y map a thrio'n lwc? Hyd yn oed tasen ni'n ffeindio'r lle, beth wedyn?"

"Dyw e ddim mor benagored â hynny, Akers. Dyw cwmnïau rhyngwladol ddim yn symud i unrhyw dwll a chornel. Rhaid i ni lunio rhestr fer o'r prif ddinasoedd a threfi, llefydd fel Genefa, Vevey, lle mae pencadlys Nestlé, a Lucerne. Mae gyda ni'r wybodaeth yn yr e-byst bod Caerwynt wedi defnyddio asiant, felly gallwn lunio rhestr o asiantaethau adleoli ymhob un o'r trefi a dechrau ffonio."

"Ond beth am bwyslais y Swistir ar gyfrinachedd?" gofynnodd Mel. "Does dim rhaid iddyn nhw ddweud gair."

Gellid synhwyro tinc o ddiffyg amynedd yn ymateb Gareth. "Dwi'n gwbod, ond dyna'r unig syniad sy gen i. Os oes gyda chi awgrym gwell, dewch â fe."

Edrychodd Mel ac Akers ar ei gilydd eto ond ni chafwyd air pellach gan y naill na'r llall. Dechreuwyd ar y gwaith o bori drwy'r map ac ar gyfrifiadur y swyddfa, ac ymhen rhyw awr a hanner roedd rhestr wedi'i llunio o asiantaethau adleoli yng Ngenefa, Vevey a Lucerne. Roedd y tri ar fin cychwyn ar y dasg o ffonio pan gerddodd yr heddwas Meic Jenkins i mewn, a gosod darn o bapur ar ddesg Mel.

"*Ich habe eine Nachricht für Sie, Fraulein Davies*," cyhoeddodd yn bwysig a phwyllog.

"Am beth ti'n siarad, Meic?"

"*Ich habe eine Nachricht für Sie, Fraulein Davies*. Mae gen i neges i chi, Miss Davies."

Syllodd Gareth a Mel ar y plisman fel petai'n hanner call. Akers eglurodd. "Mae Meic yn mynd i'r *Oktober Bierfest* yn Munich gyda'i fêts ac mae'n ymarfer ei Almaeneg."

"*Ja. Haben Sie ein grosses bier, bitte?*" gofynnodd Meic yn browd gan ychwanegu, "Oes gyda chi gwrw mawr?"

"Bydd hynna'n handi, Meic. A tra bod ti wrthi, well i ti ddysgu shwt i ofyn am dabledi pen tost."

"*Ich bin Waliser*. Cymro ydw i," cyhoeddodd Meic yn falch.

Ond gan fod y tri ditectif eisoes wedi dychwelyd at eu tasgau aeth Meic am y drws. Wrth iddo basio'r bwrdd edrychodd ar lun trên bach yr Wyddfa ar sgrin y gliniadur a dweud, "*Wan kommt der Zug an*? Pryd mae'r trên yn cyrraedd?"

Cododd Gareth ei ben am eiliad a dweud yn siort, "Ie, diolch, 'na ddigon." Wedi ei siomi braidd, agorodd y plisman y drws ac yna'n sydyn gwaeddodd Gareth ar ei ôl, "Meic, beth wedest ti?"

"*Wann kommt der Zug an*? Pryd mae'r trên yn cyrraedd?"

"Diolch, Meic – diolch am arbed llond cart o waith i mi. Drycha, dyma ddecpunt i brynu peint o'r lager gore yn Munich. Mwynha dy hun!"

Gan ryfeddu at ei lwc aeth Meic Jenkins allan o'r swyddfa yn ddyn llawen. Rhyfeddod hefyd oedd ymateb Mel ac Akers, a sylweddolodd Gareth fod angen iddo esbonio. Croesodd at y gliniadur a dweud, "Pan ofynnes i Sulwen Thomas pam oedd ei gŵr wedi dewis llun o drên bach yr Wyddfa fel *screensaver* atebodd nad oedd ganddi unrhyw syniad gan nad oedd Martin erioed wedi bod yn agos at yr Wyddfa. Yr allwedd i ffeindio'r e-byst cudd oedd e-bost arall a ddanfonodd Martin ato'i hun gydag atodiad â'r teitl

'TRENAU'. Y gair Almaeneg am drên yw Zug, ac mae Zug yn dre yng ngogledd y Swistir. Dwi'n credu mai Zug yw'r lle ry'n ni'n chwilio amdano."

Wfftio'r dadleuon wnaeth Akers. "Chi'n siŵr, syr?"

"Falle'i fod e'n swnio'n fympwyol a na, dwi ddim yn siŵr. Ond mae'n werth i ni roi cynnig arni. Does dim byd arall gyda ni."

Ar orchymyn ei fòs aeth Akers at y cyfrifiadur a teipio'r gair 'Zug' i mewn i'r peiriant chwilio. Cafwyd degau o atebion, gyda'r cyntaf yn datgan:

The town of **Zug** (pronounced tsoogk), the capital of the canton of Zug in Switzerland is situated 22kms from Luzern. Zug has a population of 27,000 of which 26.4% are foreign nationals. The town is mainly German-speaking and predominantly Roman Catholic. Zug is the richest place in Switzerland, which makes it very rich indeed. Tiny canton Zug has the lowest tax rates in the country – about half the national average – which attracts flocks of multinational corporations. There are in fact 27,000 registered companies, one for every resident. This in turn pushes average per capita net income up to an incredible Fr.70,000 (£30,500) a year. The town's location on the crystal-blue Zugersee is very attractive, framed by the high wooded plateau of the Zugerberg rising 600m to the east and the peak of the Rigi on its southwest shores.

Yn dilyn, roedd rhestr o fusnesau'r dref gan gynnwys tri chwmni oedd yn cynnig gwasanaeth adleoli a gosod swyddfeydd.

Ailddarllenodd Gareth yr wybodaeth cyn dweud, "'Tiny canton Zug has the lowest tax rates in the country – about half the national average – which attracts flocks of multinational corporations' – yr union le i gwmni fel Caerwynt. Ma hynny'n cryfhau'r ddadl."

"Ydy," cytunodd Mel, "ond dyw e'n profi dim. Ac os oes cymaint ohonyn nhw pam nad yw'r cwmnïau enfawr 'ma ar y rhestr?"

"Cyfrinachedd, Mel. Y peth ola ma'n nhw ishe yw cyhoeddi i'r byd a'r betws bod eu pencadlys mewn dwy stafell anhysbys mewn tre wledig yn y Swistir."

"Ac felly, shwt y'n ni'n mynd i wybod os yw Caerwynt yn bwriadu symud 'na? Ma'r ddadl am gyfrinachedd yn gweithio'r ddwy ffordd."

Ymddangosai Gareth fel petai heb glywed gwrthwynebiad Mel ac efallai nad oedd am glywed. Eisteddodd wrth ymyl Akers, gafael yn y llygoden a chlicio ar y tri chwmni i ddatgelu'r enwau:

Gregor Hartmann, 14 Banhofplatz, Zentrum.

Otto Fischer, 66, Industriestrasse.

Erika Schell, 42, Metallstrasse.

Roedd rhifau ffôn wrth ymyl pob cyfeiriad. Myfyriodd Gareth am ychydig cyn dweud, "Reit, Mel, chi'n mynd i ffonio…"

"Gareth, efallai y byddai'n well cysylltu â'r heddlu'n gynta i gael cyngor?"

"Na, bydd yr heddlu'n holi cant a mil o gwestiynau a falle, os y'n ni'n lwcus, y cawn ni ateb ymhen tridiau. Rhaid gweithredu'n uniongyrchol. Dyma beth dwi am i chi neud."

Gwrandawodd Mel ar ei gyfarwyddiadau ac er nad oedd yn gwbl hapus deialodd rif y cwmni cyntaf. Gellid clywed yr ymateb a'r sgwrs ar ben arall y lein drwy uchelseinydd y ffôn.

"Good morning," dywedodd Mel. "Ah yes, of course, the time difference, good afternoon. May I speak with Herr

Hartmann, please?" Cafwyd saib bychan ac wedyn llais Gregor Hartmann yn holi sut y gallai fod o help. "Herr Hartmann, my name is Sandra Wilson and I represent a major company here in Wales. We're thinking of relocating to Zug. I believe you provide services to companies such as ours?"

Cafwyd ateb swta gan Gregor Hartmann. "I'm sorry Fraulein Wilson, but we deal exclusively with clients from the Middle East so I'm afraid we cannot help you. *Guten Tag.*"

Deialwyd yr ail rif. Cafwyd yr un araith gan Mel a'r ateb na allai Otto Fischer ystyried trafod y mater dros y ffôn ac y byddai'n rhaid cwblhau ffurflen a chyflwyno cais ysgrifenedig.

Aed at y trydydd cwmni ac fe drosglwyddwyd yr alwad i Erika Schell ar unwaith. Y tro hwn dangoswyd mwy o barodrwydd i drafod, a chan nad oedd dim i'w golli penderfynodd Mel ar dacteg wahanol. "Fraulein Schell, your name has been especially recommended to me by a close colleague of mine here in Wales, Sioned Athlon of Caerwynt. She spoke very highly of your services."

"*Vielen Dank*, thank you for your kind words. Fraulein Athlon is a valued client and we are in the process of assisting their move to Zug."

Daeth gwên fawr i wyneb Gareth ac amneidiodd i arwyddo y dylai Mel barhau â'r sgwrs.

"The location of Caerwynt's new offices, Fraulein Schell? Sioned was very impressed with these. Is there still some space available?"

"Yes indeed, there is still space and you could be close to Caerwynt and its sister company, Celtotank, which is also relocating here. The offices are in Hauptstrasse, in the centre of town. Shall I send you our relocation pack?"

Diolchodd Mel a dweud y byddai'n rhaid iddi adrodd yn

ôl i'w chyd-gyfarwyddwyr ond y byddai'n ailgysylltu'n fuan.

"Gwych, Mel," dywedodd Akers. "Mae tipyn o dalent gyda ti – talent actio a thalent i dwyllo!"

"Y cwmni arall 'na. Beth odd yr enw?" holodd Gareth.

"Celtotank," atebodd Mel ac Akers gyda'i gilydd.

Roedd enw'r cwmni'n gyfarwydd i Gareth ond ni allai gofio ym mha gyd-destun y clywodd amdano. Aeth yn ôl at dudalen hafan y peiriant chwilio a theipio 'Celtotank' yn y bocs. Cafwyd dros fil o atebion ac wrth i Gareth glicio ar wefan y *Western Mail* 7 Mawrth 2004, dyma a welodd:

**ANOTHER TANKER DISASTER**

Strong winds and rough seas are hampering efforts to tackle an ecological disaster in West Wales after a tanker laden with sticky fuel oil broke up and sank. The giant oil spill from the *Celtic Warrior* has prompted urgent international calls for tighter controls on the movement of single-hulled oil tankers in coastal waters. The *Celtic Warrior* was approaching Milford Haven in mist and heavy seas when it hit St David's Rock and broke in two. There are reports of extensive oil spillage.

*Celtic Warrior* is Liberia registered and is owned by Celtotank. Two other vessels owned by the company, *Celtic Prince* and *Celtic Pride,* were also involved with spillages in March 2001, both incidents at the Sullum Voe terminal in Scotland.

"Ro'n i'n siŵr bod Celtotank wedi bod yn y newyddion. Mae'r adroddiadau'n cryfhau'r dybiaeth bod Martin Thomas yn bygwth Caerwynt."

"Falle mai fi sy'n dwp," cyfaddefodd Akers, "ond unwaith eto alla i byth â gweld pam fod hyn yn berthnasol. Alla i ddim gweld y cysylltiad rhwng llong yn mynd ar y creigiau yn Sir

Benfro bum mlynedd yn ôl a ffermwr yn cael ei lofruddio yng Ngheredigion yn 2009."

"Beth os dilynodd Martin Thomas yr un trywydd â ni, dod ar draws y manylion am helynt y llongau, a'i fod e hefyd wedi gwneud y cysylltiad rhwng Caerwynt a Celtotank? Cofiwch fod datblygiad Hyddgen yn deillio o bolisïau'r glymblaid, Llafur a Phlaid Cymru, ac un o arweinwyr y Blaid, Prys Ifans, yw'r Gweinidog Ynni. Rodd Ifans yn y cyfarfod yn Neuadd Esgair-goch ac ef yw llefarydd y Blaid ar ynni glân. Beth petai'r hanes yn dod yn wybodaeth gyhoeddus – bod Celtotank, chwaer-gwmni i Gaerwynt, wedi bod yn gyfrifol am lanast amgylcheddol ar arfordir Penfro ac yn yr Alban? Bydde'r holl beth yn gyfystyr â hunanladdiad gwleidyddol ac yn arbennig o niweidiol i'r Blaid a'r SNP."

"Hmm... ry'ch chi'n honni felly bod cysylltiad uniongyrchol rhwng hyn i gyd a'r llofruddiaeth?"

"Ydw. Dwi'n credu bod Martin wedi dod ar draws rhagor o ffeithiau niweidiol, wedi gweld ei gyfle, ac wedi gofyn am fwy o arian. Mae'r rhai sy'n bygwth wastad yn dod yn ôl am fwy, ac mae'n bosib bod Caerwynt wedi penderfynu cael gwared ar Martin Thomas, unwaith ac am byth."

"Ond," mentrodd Mel, "a fydde Martin yn debygol o gymryd risg a allai beryglu datblygiad Hyddgen yn gyfan gwbwl? A odd e'n ddigon hirben i weld arwyddocâd yr wybodaeth i bwrpas blacmel? Do'n i ddim wedi dychmygu mai dyn fel 'na odd Martin Thomas."

"Os y'ch chi'n derbyn bod blacmel yn fotif cryf dros lofruddio rhywun, mae'r ateb yn newid, on'd yw e? Caerwynt yn barod i dalu dwy fil y mis, ond bygythiadau Martin yn achosi iddyn nhw ailfeddwl a gweithredu. Galle fod person arall yn hyn i gyd, a rhaid cyfadde nad o'n i wedi ystyried hynny. Beth bynnag, ma gyda ni ddigon o wybodaeth nawr i daclo Caerwynt a dwi am drefnu cyfarfod gyda Sioned Athlon peth cynta bore fory."

Roedd amheuon Akers mor gryf ag erioed. "Chi'n siŵr bod hynna'n gam doeth? Wedi'r cyfan, beth sy gyda ni?"

"Ry'n ni'n gwybod i sicrwydd bod Caerwynt yn cynllunio i symud i'r Swistir; ry'n ni hyd yn oed yn gwybod enw'r stryd yn Zug; ry'n ni'n gwybod bod Celtotank yn gyfrifol am drychinebau amgylcheddol yng Nghymru a'r Alban, ac ma 'na un ffaith allweddol arall yn yr e-byst." Trodd Gareth at y gliniadur i ddatgelu'r wybodaeth.

PROPOSED TRANSFER OF H.Q. TO SWITZERLAND

From: jjb@caerwynt.co.uk

To: sio@caerwynt. co.uk

Cc: wmp, das, hjp, gcg, bre, gie, tfw, hnc, eft, llpu, ird, mmt

Date: 22/04/09

Status: **RESTRICTED**

I am pleased to inform you that preliminary negotiations are going well and that premises have been inspected by our agent.

"Drychwch, ma gyda ni berson, jjb, aelod o staff Caerwynt, a fe neu hi sy'n gyfrifol am anfon y negeseuon. Bydda i'n mynnu cael enw llawn jjb yng Nghaerdydd ac yn mynnu cyfarfod ag e. Fe gawn ni weld beth fydd gan Sioned Athlon i'w ddweud wedyn."

# Pennod 14

Roedd y cyfarfod ym mhencadlys Caerwynt am hanner awr wedi deg ac felly roedd Gareth, Mel ac Akers wedi gadael Aberystwyth cyn saith o'r gloch. Akers oedd yn gyrru ac ef, felly, a ddewisodd llwybr y daith. Yn hytrach na dilyn yr hewl dros Bumlumon a'r Bannau, anelodd am yr arfordir a Chaerfyrddin gan gymryd y cyfle i godi sbîd ar yr M4. Er nad oedd marciau'r heddlu ar y Volvo roedd yna olau glas bychan a disylw wedi'i osod ar y pen blaen ac roedd Akers yn fwy na pharod i ddefnyddio'r golau hwnnw i glirio lôn dde'r draffordd.

Tawedog oedd pawb yn ystod hanner cyntaf y daith ond wrth iddynt wibio heibio cyrion Abertawe gofynnodd Mel o'r cefn, "Beth odd ymateb Sioned Athlon i'r cais am gyfarfod arall, Gareth?"

"Dodd hi ddim yn hapus. Yn ei thyb hi rodd cysylltiad Caerwynt â'r llofruddiaeth wedi'i setlo yn y cyfarfod cyntaf a dodd hi ddim yn gweld sut y gallai hi na'r cwmni gynnig mwy o gymorth. Ddwedes i fod gwybodaeth newydd wedi dod i law ond cyndyn odd hi – dweud bod y dyddiadur yn llawn, ei bod hi'n cadeirio rhyw grŵp gorchwyl, amserlen brysur… pob math o esgusodion. Yn y pen draw, rodd rhaid i fi egluro nad odd dewis gyda hi – naill ai cyfarfod ym mhencadlys Caerwynt neu gael ei chyrchu i orsaf ganolog yr heddlu yn y ddinas."

"Fydd *hi* ddim mewn hwyliau da, 'te."

"Dwi ddim yn poeni iot am hynny. Dwi'n credu y bydd agwedd Miss Athlon yn newid yn llwyr ar ôl clywed beth sy gyda ni i'w ddweud. Gyda llaw, fe wna i'r siarad ond hoffen i petaech chi'n cymryd nodiadau yn y cyfarfod. Dwi am osgoi anawsterau yn y dyfodol. Hi fyddai'r cynta i wadu unrhyw beth, os na fydd ganddon ni dystiolaeth."

Treuliwyd gweddill y siwrne mewn distawrwydd wrth i'r tri hel meddyliau. Ni allai Akers beidio â meddwl mai cam gwag oedd y cyfarfod. Iawn, roedd y ffeithiau'n dangos bwriad Caerwynt i adleoli i'r Swistir, ond doedd dim byd anghyfreithlon yn hynny. Roedd y ddamcaniaeth am flacmel, a bod hynny yn ei dro wedi arwain at lofruddio Martin Thomas, yn dipyn o naid. Doedd dim *prawf* i Martin fygwth neb; gallai esboniad Caerwynt yngylch y taliadau fod yn wir, a simsan oedd dehongliad ei fôs o'r trychineb olew. Tybiaethau oedd y cyfan, dim byd mwy na thybiaethau.

Roedd Mel yn coleddu'r un amheuon ond am resymau gwahanol. A oedd ystyriaethau personol yn llywio'i barn? A oedd ei theimladau cryf tuag at Gareth yn ei harwain i'w gefnogi, doed a ddelo? Am y tro cyntaf yn ei gyrfa fel ditectif roedd hi'n boenus o ymwybodol bod ei phen yn ei harwain i un cyfeiriad a'i chalon yn ei thynnu i gyfeiriad arall. Gwnaeth ymdrech i wthio'r cyfan o'r neilltu heb fawr o lwyddiant.

Os oedd y ddau arall yn gweld peryglon, roedd Gareth yn ystyried y cyfarfod fel cyfle tyngedfennol i ddatrys y llofruddiaeth. Iddo ef, roedd gan Gaerwynt ran bendant i'w chwarae yn hynny. Byddai'n ddigon hawdd dod o hyd i rywun neu rywrai i weithredu ar eu rhan. Y cyfan oedd angen ei wneud oedd cysylltu â chwmnïau a gynigai wasanaethau diogelwch i wledydd fel Irac ac Affganistan. O fewn rhengoedd y cwmnïau hynny byddai degau o gyn-filwyr a oedd yn fwy na pharod i ladd i archeb ac wedyn diflannu i'r cysgodion.

Trymhaodd y drafnidiaeth wrth iddynt agosáu at Gaerdydd, a defnyddiodd Akers y golau glas am y tair milltir olaf. Gadawodd y draffordd a gyrru i lawr y ffordd gyswllt i gyfeiriad pencadlys Caerwynt. Roedd Rhydian Gwilym yn aros amdanynt ac wedi cyfarchiad byr fe arweiniodd y ffordd i stafell gynhadledd ar y llawr isaf.

Yno roedd Sioned Athlon a thri person arall – dau a chwaraeodd ran ganolog yn natblygiad Hyddgen, sef yr Arglwydd Gwydion a Prys Ifans, a'r trydydd a gyflwynwyd fel Richard Raven, rheolwr Caerwynt â chyfrifoldeb am faterion cyfreithiol.

"Gan i chi bwysleisio pwysigrwydd y cyfarfod, Insbector," dywedodd Sioned Athlon yn llyfn, "ro'n i'n teimlo mai doeth fyddai i Mr Raven fod yn bresennol. Sdim gwrthwynebiad, gobeithio?"

"Dim o gwbl. Dyma fy nghyd-weithwyr yn achos llofruddio Martin Thomas, Ditectif Sarjant Meriel Davies a'r Ditectif Gwnstabl Clive Akers. Bydd y ddau'n cymryd nodiadau. Ac rwy'n cymryd nad oes gwrthwynebiad?"

Gellid synhwyro'r mymryn lleia o anesmwythyd yr ochr draw i'r bwrdd, ac roedd yr Arglwydd Gwydion ac Ifans ar fin protestio ond fe'i hataliwyd gan Sioned Athlon. "Ry'n ni i gyd yn ymwybodol o natur y drafodaeth ac rwy'n siŵr bod hynny'n beth da – i chi ac i ni. Soniais ar y ffôn nad oedd gen i syniad sut y gallai Caerwynt gynorthwyo ymhellach ac fe sonioch chi fod gwybodaeth ychwanegol wedi dod i law."

"Maddeuwch i fi os ydw i'n troedio tir sydd efallai'n amlwg, ond dwi am fod yn siŵr o'r ffeithiau. Mae Caerwynt yn gwmni Cymreig a'i bencadlys yma yng Nghaerdydd. Faint o bobl ry'ch chi'n eu cyflogi, Miss Athlon?"

"Yn agos at ddau gant a hanner yn y swyddfa hon a thua pum cant mewn is-swyddfeydd, a rhai sy'n gweithio'n uniongyrchol ar brosiectau fel Hyddgen. Ac wedyn, yn anuniongyrchol, tua dau gant arall yn gyflogedig gan isgontractwyr."

"Tua mil o bobl, felly?"

"Mae'n flin gen i, Insbector, ond i ble mae hyn yn arwain? Beth yn union yw'r cysylltiad rhwng ystadegau cyflogaeth Caerwynt a llofruddiaeth Martin Thomas?"

"Amynedd, Miss Athlon. Fel dwi'n deall, mae Caerwynt, y prif fuddsoddwr yng nghynllun Hyddgen, wedi derbyn cefnogaeth lwyr gan y glymblaid yn y Cynulliad ac wedi ennill grantiau sylweddol. Ydw i'n iawn, Mr Ifans?"

"Gan mai clymblaid Lafur a Phlaid Cymru sy'n rheoli ar hyn o bryd, y ni gyflwynodd y cynllun fel rhan o'r polisi Ynni Adnewyddol a fi, fel y Gweinidog Ynni, oedd yn arwain ar y mater. Mae'r gefnogaeth yn ehangach na hynny ac mae'r cynllun wedi'i dderbyn gan aelodau o bob plaid, y rhai call sy'n sylweddoli na ellir dibynnu bellach ar olew a glo. Does dim pwynt mabwysiadu polisi heb gyllid ac ydy, mae'r Cynulliad wedi cynnig grantiau i Gaerwynt. Mae'r Cynulliad hefyd, trwy'r Comisiwn Coedwigaeth, yn berchen rhan o'r tir ac fe roddwyd hwn ar les i'r datblygwyr."

"Ar delerau ffafriol?"

"Mae hynny'n wybodaeth fasnachol na fedra i mo'i datgelu, Insbector."

"Cyfleus iawn, Mr Ifans. Ni ddatgelwyd union swm y grantiau, chwaith. Ta waeth. Felly, ma gyda ni gwmni Cymreig sy'n cyflogi'n agos at fil o weithwyr. Cwmni a dderbyniodd gefnogaeth trawsbleidiol yn y Cynulliad i adeiladu Fferm Wynt Hyddgen a grantiau sylweddol o'r pwrs cyhoeddus – dwedwch rhyw dair miliwn o bunnoedd – i hyrwyddo'r cynllun."

"Ond mae'r arian yn fuddsoddiad yn yr ardal," ychwanegodd Sioned Athlon, "buddsoddiad sy'n esgor ar gytundebau gyda phenseiri, cwmni peirianyddol a chwmni cysylltiadau cyhoeddus. Yn ychwanegol at hynny, mae'r Grŵp Cyswllt Cymunedol yn dosbarthu can mil y flwyddyn i fudiadau lleol, fel clybiau pêl-droed a neuaddau pentref. Nid sugno o'r pwrs cyhoeddus mae Caerwynt. Mae'n bwysig gweld y darlun cyflawn, Insbector."

"Wrth gwrs. Cytuno'n llwyr. Ac er mwyn cael y darlun cyflawn, a oes bwriad gan Gaerwynt, cwmni sy'n gonglfaen i economi Cymru, symud ei bencadlys i wlad arall?"

Newidiodd naws y cyfarfod yn syth. Daeth golwg betrus i wyneb Prys Ifans, a gwnaeth Gwydion a Raven ryw sioe o droi at y ffeiliau o'u blaenau i osgoi edrych ar y plismyn. Nid felly Sioned Athlon. Hoeliodd ei sylw ar Gareth ac ateb yn ddirmygus, "Na, dim bwriad o gwbl. Wn i ddim lle cawsoch chi syniad mor wirion."

"I osgoi camddealltwriaeth, Ditectif Sarjant Davies, wnewch chi ddarllen y cofnod o ateb Miss Athlon? Dwi'n derbyn nad y'ch chi o dan lw, ond dwi am gael cadarnhad o'r ateb."

Daeth Raven i mewn fel bwled. "Insbector, fedrwch chi ddim defnyddio hyn fel tystiolaeth gan nad y'ch chi wedi rhoi rhybudd ffurfiol."

"Ry'ch chi yn llygad eich lle. Ond chi, nid fi, gyfeiriodd at yr angen am rybudd ffurfiol. Sarjant Davies?"

Darllenodd Mel. "Gofynnwyd i Sioned Athlon a oedd yna fwriad i symud pencadlys Caerwynt i wlad arall. Atebodd Miss Athlon nad oedd bwriad o gwbl ac nad oedd y peth yn ddim mwy na syniad gwirion."

Nodiodd Sioned Athlon i gytuno a phrofodd Gareth foddhad o'i gweld yn cerdded yn syth i'r trap. "Miss Athlon, mae gyda ni dystiolaeth bendant *bod* Caerwynt yn bwriadu symud ei bencadlys i'r Swistir. Trwy wneud hynny, byddai'r cwmni'n arbed treth ac yn rhoi canran sylweddol o'r gweithlu yma yng Nghaerdydd ar y clwt."

Ni ddangoswyd yr un iot o emosiwn gan Raven, Gwydion na Sioned Athlon, ond roedd wyneb Prys Ifans yn bictiwr. Lledodd ei lygaid mewn anghrediniaeth, daeth gwrid tywyll i'w fochau ac roedd yn amlwg ar fin ffrwydro. Fe'i rhwystrwyd rhag dweud gair gan Raven a ofynnodd, "Oes gennych chi dystiolaeth bendant, Insbector? O ble gawsoch chi'r wybodaeth?"

"Ffynhonnell yr wybodaeth yw nifer o e-byst a ddanfonwyd gan aelod o staff Caerwynt o'r adeilad hwn. Ry'n ni'n gwybod bod Caerwynt wedi bod mewn trafodaethau gydag asiant yn y Swistir, person o'r enw Erika Schell ac wedi llogi swyddfeydd yn Hauptstrasse yn nhref Zug, yng ngogledd y wlad."

Ymunodd yr Arglwydd Gwydion â'r drafodaeth am y tro cyntaf. "Iawn, Insbector Prior, rywfodd neu'i gilydd ry'ch chi wedi darganfod bod gyda ni gynlluniau i adleoli. Dim ond cynlluniau y'n nhw ar hyn o bryd, a does dim penderfyniad terfynol wedi'i wneud. Ond sut gawsoch chi afael ar hyn? Hacio i mewn i rwydwaith gyfrifiadurol y cwmni? Mae hynny'n drosedd ddifrifol, Insbector, fel y gwyddoch yn burion. Does dim byd anghyfreithlon mewn cynlluniau o'r fath."

"Hollol gywir, ond prin y byddai symud i'r Swistir yn adlewyrchu'n dda ar y cwmni. Beth bynnag, hoffwn i sôn am gwmni arall, Celtotank. Ydy'r enw'n gyfarwydd i chi?"

"Rwy'n credu mod i wedi clywed am y cwmni, do," atebodd yr Arglwydd Gwydion. "Ond alla i byth â gweld pam fod hyn yn berthnasol, Insbector."

"Ry'ch chi wedi mwy na chlywed am Celotank, ddweden i, Arglwydd Gwydion. Ry'ch chi ar fwrdd rheoli'r cwmni!

Beth yn union yw'r cysylltiad rhwng Caerwynt a Celtotank, Miss Athlon?"

"Does nemor ddim cysylltiad. Fe fu 'na beth cydweithio ar un adeg, ond bellach mae'r ddau gwmni'n gweithredu'n hollol ar wahân."

"Miss Athlon, yn ystod fy ymweliad cyntaf yma, fe ddwedoch chi gelwydd am berchnogaeth fferm y Cnwc ac ry'ch chi'n palu celwyddau nawr. Mae dweud celwydd yn dod yn hawdd i chi, on'd yw e? Mae'n ymholiadau'n dangos yn glir mai'r adeilad hwn yw swyddfa gofrestredig Celtotank; mae'r Arglwydd Gwydion yn aelod o'r bwrdd rheoli, a chi, Mr Raven, yw ysgrifennydd y cwmni. Yn fwy na hynny, mae Celtotank hefyd ar fin symud i'r Swistir, i'r un adeilad yn Zug. Rhyfedd, i ddau gwmni sy'n gweithredu'n hollol ar wahân?"

"Mae'r peth yn ddigon cyffredin," atebodd Sioned Athlon. "Peidiwch â meiddio honni mod i'n dweud celwydd. *Chi* sy ddim yn deall cymhlethdodau byd busnes, Insbector."

"Dwi'n deall cymaint â hyn, Miss Athlon. Yn 2004, aeth un o longau Celtotank, y *Celtic Warrior*, ar y creigiau oddi ar arfordir Penfro. Holltwyd y llong yn ddwy ac fe arllwysodd olew allan gan achosi llanast ar draethau Penfro a Sir Gaerfyrddin. Yn 2001, bu dwy arall o longau'r cwmni, y *Celtic Prince* a'r *Celtic Pride*, mewn damweiniau wrth geisio glanio ym mhorthladd Sullum Voe yn yr Alban. Mwy o olew, mwy o ddifrod."

Trodd Gareth i wynebu Prys Ifans a oedd erbyn hyn yn edrych fel petai'n profi hunllef waetha'i fywyd. "Faint o hyn oedd yn hysbys i chi, Mr Ifans? Dyw e ddim yn edrych yn dda, ydy e? Caerwynt yn codi pac a Celtotank, y chwaer-gwmni, yn sarnu arfordir Cymru a'r Alban. Mae'r Blaid yn dal sawl sedd ym Mhenfro a Chaerfyrddin yn y Cynulliad, gan gynnwys eich sedd chi ym Mlaenau Tywi. A beth, tybed, fydd ymateb eich cyfeillion yn yr SNP?"

Cyn i Prys Ifans gael cyfle i ymateb, fe darodd yr Arglwydd Gwydion yn ôl. "Ry'ch chi ar dir peryglus iawn, Prior. Os clywir gair o'r honiadau gwirion hyn y tu allan i'r stafell hon fe fyddwch chi'n wynebu holl rym y gyfraith. Allwch chi egluro beth sy gyda hyn oll i'w wneud â llofruddiaeth Mr Martin Thomas? Dyna pam ry'ch chi yma. Dyna ddigon o'ch clegar, felly dewch at y pwynt."

"Miss Athlon, ar adeg fy ymweliad cynta, fe holais am y taliad o ddwy fil y mis i Mr Thomas ac fe ateboch chi ei fod ar gyfer cael mynediad i dir y Cnwc i osod mesuryddion gwynt yno. Dyna ddwedoch chi?"

"Ie."

"Ond fe esbonioch chi wedyn, dan bwysau, mai'r cwmni ac nid Mr Thomas oedd yn berchen y lle ac y bydde Mr Thomas yn dod yn berchennog ar y diwrnod cyntaf y cynhyrchid trydan yno. Pam odd Caerwynt yn talu i gael mynediad i dir ro'n nhw'n berchen arno eisoes?"

"Mater o gydnabod cydweithrediad, Insbector. Os rwy'n deall yn iawn, ry'ch chi'n cwyno oherwydd i Gaerwynt ddangos haelioni a charedigrwydd tuag at Mr Thomas a'i deulu."

"A ie, Caerwynt, y cwmni hael a charedig. Dyma'r darlun sy gen i o Gaerwynt ac o Martin Thomas. Mae Mr Thomas yn dod ar draws y ffeithiau – y bwriad i symud i'r Swistir, a'r cysylltiad gyda Celtotank a'i record amgylcheddol. Mae'n sylweddoli pa mor niweidiol y gallai hyn fod ac mae'n penderfynu bygwth Caerwynt – blacmel, a rhoi'r peth yn blaen. I'w gadw fe'n dawel ry'ch chi'n talu dwy fil y mis iddo; mae Martin Thomas yn gofyn am ragor a does ond un ffordd allan – sef sicrhau bod Mr Thomas yn diflannu."

"Mae gyda chi ddychymyg byw, Insbector," oedd sylw bachog Sioned Athlon. "Felly, pa *un* ohonon ni yw'r llofrudd? Fi, yr Arglwydd Gwydion, neu Prys efallai? Mae hi braidd yn anghyfleus ein bod ni'n dal i fod yn Neuadd Esgair-goch wedi i Mr Thomas adael ond, ar sail eich rhesymeg chi, mae'n bosib i ni hedfan, trwy ryw ddull lledrithiol, o'r neuadd i gefn landrofer Martin Thomas a'i dagu. Neu ydy senario o'r fath yn ymestyn eich dychymyg *chi*, hyd yn oed?"

"Pwy ddwedodd unrhyw beth am dagu? Dyw'r modd y lladdwyd Mr Thomas heb ei ddatgelu o gwbl. Na, dwi ddim yn honni mai chi wnaeth. Ond dwi *yn* honni mai chi sy'n gyfrifol a'ch bod chi wedi talu rhywun i wneud eich gwaith brwnt drosoch chi."

Goleuodd llygaid Raven. "Honni, Insbector, dyna'ch gair chi. Gyda chyhuddiad mor ddifrifol mae angen prawf. A hyd yn hyn, dwi ddim wedi clywed unrhyw beth y gellid ei ddisgrifio fel prawf."

Atebodd Gareth yr haeriad drwy ofyn cwestiwn i Sioned Athlon. "Ma gyda chi i gyd, mae'n siŵr, eich cyfeiriad e-bost personol yn y cwmni. Beth yw'ch cyfeiriad chi, Miss Athlon?"

"Alla i byth â gweld i ble mae hyn yn arwain, ond y cyfeiriad yw sio@caerwynt.co.uk."

"A pwy yw jjb?"

Trodd Sioned Athlon at gyfrifiadur wrth ei hymyl, gwasgu botwm a dweud, "Jeremy James Bowen o'r Adran Gynllunio Strategol."

"Diolch. Dwi am i chi alw ar Mr Bowen i ddod i'r cyfarfod ar unwaith."

Roedd tinc o fuddugoliaeth yn ateb Sioned Athlon. "Rwy'n ofni na fydd hynny'n bosib. Mae James mewn cyfarfod yn Leeds ac felly bydd raid i chi a'ch cyfeillion ddod yn ôl fory."

* * *

"Shit a dwbwl shit!" gwaeddodd Prys Ifans. "Dyma beth yw twll, a fi yw'r twat yng nghanol y cachu. Sioned, sonioch chi 'run gair wrtha i am y bwriad i symud i'r Swistir na'r busnes am longau Celtotank. Rwy'n mynd i edrych yn rial ffŵl – y Gweinidog Ynni â chyfrifoldeb am yr amgylchedd! Ac rodd y blydi Insbector 'na'n iawn – bydd hyn yn ergyd farwol i'r Blaid. Blydi hel, dyma beth yw *cock-up* o'r radd flaena!"

Yn hytrach nag ymateb iddo, trodd Sioned Athlon at y cyfreithiwr. "Richard, rwy'n credu y dylech chi'n gadael ni nawr. Diolch am y cyngor a'r cymorth."

Casglodd Richard Raven ei bapurau at ei gilydd fel gwas ffyddlon a cherdded at y drws. Am eiliad ni ddywedodd Sioned air ond roedd y fflach yn ei llygaid du, yr olwg galed ar ei hwyneb a'i holl ymarweddiad yn arwyddion clir o'r dirmyg a deimlai tuag at Ifans. "Pwyllwch, Prys, er mwyn Duw, a llai o'r iaith 'na."

"Pwyllo, myn diawl! Nid 'ych job chi sy yn y fantol, Sioned. Fy swydd i a ngyrfa i sy yn y glorian. Beth bynnag fydd yn digwydd, byddwch chi'n saff ac yn ddigon pell i ffwrdd."

Ni allai'r Arglwydd Gwydion ymatal. "Gyrfa? Ti'n galw honna'n yrfa! Rhyw bwt o weinidog wyt ti, mewn siop siarad yn y Bae. A ga i d'atgoffa di, Prys, ro't ti'n ddigon parod i fod yn rhan o'r ddêl pan odd pethau'n edrych yn ffafriol i ti a dy dipyn Plaid. Yn ddigon parod i weld y cyfle am fôts a bachu statws a'r clod i ti dy hunan a dy fêts. A nawr pan dyw'r sefyllfa ddim mor felys, ti'n llanw dy drowsus. Dim ond un peth sy'n gyson amdanat ti, Prys – ti sy'n dod gynta bob tro."

"Dwed hynna eto, y bastad smŵdd!"

Edrychodd Sioned Athlon ar y ddau wleidydd yn herio'i gilydd. Dynion, meddyliodd – creaduriaid twp a gwan, yn tybio mai dadlau a rhefru oedd y ffordd orau o ymateb i greisis. "Gwydion, Prys, 'na ddigon. Dyw bytheirio ddim yn help i neb. Beth sy angen nawr yw ystyried sut i ddatrys y broblem. Wedi'r cyfan, dyw'r sefyllfa ddim mor ddrwg â hynny, dim ond ni a'r tri phlismon sy'n ymwybodol o'r ffeithiau – ac fel dadleuodd Raven, does gyda nhw ddim prawf."

Tawelodd Prys Ifans rywfaint. "Iawn, Sioned, efallai bod 'na ffordd allan. Ydy e'n wir bod Martin Thomas yn bygwth Caerwynt?"

Mesurodd Sioned Athlon ei geiriau'n ofalus. "Roedd Martin Thomas wedi derbyn symiau gan y cwmni ac roedd y taliadau i fod i'w gadw fe'n dawel."

"A oedd Caerwynt yn gyfrifol mewn unrhyw ffordd am lofruddiaeth Martin Thomas?"

"Doedd gan y cwmni ddim byd i'w wneud â lladd Mr Thomas. Rwy'n derbyn bod y peth yn gyfleus ond, ar fy llw, doedd dim cysylltiad rhwng Caerwynt a'r llofruddiaeth. Dyna'r cyfan fedra i ddweud ac mae'n rhaid i chi dderbyn 'y ngair i."

Sylwodd Gwydion a Phrys Ifans ar yr amwysedd yn yr ateb ond gwelsant hefyd nad oedd pwynt gwthio ymhellach. Fodd bynnag, i'r Arglwydd Gwydion, roedd un darn o'r jig-so heb ei osod yn ei le. "Y dyn 'ma, Sioned, James Bowen, bydd yr heddlu 'nôl bore fory, a..."

"Gadewch hynny i fi. Allwch chi, Gwydion, roi trefniadau ar y gweill i ffrwyno dychymyg a brwdfrydedd Insbector Prior?"

Ar ôl i'r ddau adael y stafell estynnodd Sioned Athlon am ffôn symudol o'i bag o dan y bwrdd. Nid hwn oedd yr iPhone diweddaraf a ddefnyddid ganddi ar gyfer ei holl alwadau busnes a phersonol ond Nokia rhad, model prynu-a-thaflu-i-ffwrdd. Nifer bychan a dethol o rifau oedd yng nghof y Nokia, a chysylltodd Sioned ag un o'r rhifau hynny.

Clywodd y llais cyfarwydd yn ateb a dywedodd hithau'n oeraidd a chwta, "Maen nhw'n gwybod am Bowen. Deliwch â'r mater."

* * *

Eisteddai James Bowen yn ei gornel arferol yn nhafarn y Conway, ychydig gamau o Heol y Gadeirlan, Caerdydd. Roedd y dafarn wedi'i gweddnewid ers rhyw ddwy flynedd, ac yn lle'r welydd melynfrown, y carped budr a'r seddau caled roedd y muriau'n las, y llawr o bren golau a'r dodrefn yn Sgandinafaidd yr olwg. Roedd yr hen yfwyr rheolaidd wedi'i heglu oddi yno a bellach roedd y Conway, neu The New Conway erbyn hyn, yn gyrchfan i gyfryngis a phobl fusnes.

Unigolyn – dyna'r disgrifiad gorau o James Bowen, person yn mwynhau ei gwmni ei hun yn hytrach na mân siarad y cyfreithwyr a'i gyd-gyfrifwyr. Syrffedai'n gyflym ar eu clegar a'u clecs ac ni phoenai'r un ffeuen am bwy oedd yn cysgu gyda pwy, neu pwy oedd ar fin cael y sac. Ar yr ychydig achlysuron pan dderbyniai wahoddiad i barti neu ginio ni fyddai'n trafod gwaith ac ni fyddai byth yn brolio am gyflog a dyrchafiad. Er hynny, roedd yn hynod o uchelgeisiol ac roedd eisoes wedi esgyn yn uchel yn rhengoedd Caerwynt. Ei nod, ei unig nod mewn bywyd, oedd plesio'r cwmni a dringo'n uwch fyth.

I'r perwyl hwnnw bu heddiw'n ddiwrnod proffidiol iddo. Gwnaeth baratoadau manwl gogyfer â'r cyfarfod yn Leeds a llwyddodd i ennill cytundeb a dalai ar ei ganfed i Gaerwynt. Meddyliodd am y pleser o allu adrodd hyn wrth Sioned Athlon ac ar sail ei lwyddiant tybiai fod ganddo siawns gref o ennill swydd yn y pencadlys newydd yn y Swistir.

Ac yntau'n fodlon ei fyd, llowciodd James y diferyn ola o'r fodca a cherdded at y drws. Roedd hi'n noson ddiflas a hen wlybaniaeth trwchus yn glynu wrth y tai teras a lampau'r stryd. Cyflymodd ei gamau gan droi i'r dde i lawr Severn Grove ac i gyfeiriad Pontcanna. Wrth iddo agosáu at ei gartref clywodd sŵn y tu ôl iddo, sŵn cicio potel a honno wedyn yn rowlio'n deilchion i'r gwter. Trodd i edrych ond ni welai neb. Rhyw hanner can llath arall a byddai adref. Clywodd sŵn eto, a'r tro hwn synhwyrodd fod rhywun yn agos. Trodd yr eilwaith a gweld dyn mewn cot law ddu a balaclafa. Edrychodd mewn braw ar y llygaid yn rhythu'n fygythiol arno drwy hollt y mwgwd. Gwelodd y llygaid ond ni welodd y bar haearn yn disgyn ar ei wegil. Syrthiodd James Bowen i'r gwter ac i bwll diwaelod nad oedd codi ohono.

# Pennod 15

Roedd Rhydian Gwilym yn disgwyl amdanynt wrth y drws allanol ac arweiniwyd Gareth, Mel ac Akers yn ddiymdroi i swyddfa Sioned Athlon. Eisteddai pennaeth Caerwynt y tu ôl i'w desg a gwahoddodd y tri i eistedd yn y cadeiriau gyferbyn â hi. Taflodd Sioned Athlon olwg frysiog ar yr unig ddarn o bapur oedd ar ei desg, cyn cyfeirio'i sylw at y lleill.

"Bore da. Rwy'n ofni bod gen i newyddion drwg. Neithiwr dioddefodd James Bowen ymosodiad milain ar ei ffordd adre o'r dafarn ac mae e wedi marw o'i anafiadau. Y dybiaeth, yn ôl adroddiad byr rwy wedi'i dderbyn gan Heddlu De Cymru, yw i James gael ei fygio. Mae'n sioc fawr i ni i gyd."

Plymiodd Gareth yn syth i mewn. "Ydy e, Miss Athlon? Ydy e'n gymaint â hynny o sioc? Dim ond ddoe y datgelais i fod James Bowen yn allweddol i'n hymchwiliad a gofyn am y cyfle i'w holi. Dodd James ddim yma ac fe ddywedwyd y byddai'n rhaid i ni ddod 'nôl heddi. A dyma ni wedi dod yn ôl ac ry'ch chi'n torri'r newyddion hyn. Mae'n sioc anferth i ni, ydy, ond efallai ddim yn gymaint o sioc i chi?"

"Beth?! Rhag 'ych cywilydd chi am feiddio awgrymu'r fath beth!"

"Cywilydd? Ddim o gwbl. Mae'r cyfan yn hynod o gyfleus. Unigolyn sydd â gwybodaeth dyngedfennol yn cael ei wysio i ddod gerbron yr heddlu ac yna'n cael ei ladd."

"Ddoe roeddech chi'n cyhuddo Caerwynt o fod â rhan yn llofruddiaeth Martin Thomas a nawr ry'ch chi'n honni bod y cwmni'n gyfrifol am ladd James?"

"Mwy na honni, Miss Athlon, dwi'n gwybod."

"Ble mae'ch prawf chi? Allwch chi ddim gwneud datganiadau penagored fel yna a thaflu cyhuddiadau difrifol heb nemor ddim tystiolaeth. Nid dyna'r math o ymddygiad y bydden i'n ei ddisgwyl gan rywun o'ch statws chi yn yr heddlu."

"Mae dau berson wedi marw ac ry'ch chi'n sôn am ymddygiad! Ry'ch chi, Miss Athlon, yn wraig fusnes bengaled sy'n barod i wneud *unrhyw beth* i warchod a hyrwyddo buddiannau Caerwynt a thrwy hynny warchod eich gyrfa a'ch buddiannau'ch hun. A nawr ry'ch chi'n eistedd fan 'na mor cŵl a dibryder. Mae fy nghyd-weithwyr a minnau wedi gweld corff Martin Thomas. Dodd hi ddim yn olygfa bert, galla i'ch sicrhau chi. Ry'n ni wedi bod yn holi Sulwen Thomas a adawyd yn weddw yn frawychus o sydyn. Ydych chi wedi galw i gydymdeimlo â hi? Nid te parti yw hwn, Miss Athlon, ond ymchwiliad i fwrdwr – dau fwrdwr erbyn hyn!"

Clensiodd Sioned Athlon ei dwylo ac roedd ei hesgyrn i'w gweld yn wyn o dan y croen meddal wrth iddi bwyso a mesur oblygiadau'r ymosodiad geiriol. "Araith ymfflamychol, Insbector. Ymfflamychol ac enllibus, geiriau na feiddiech chi mo'u datgan yn gyhoeddus. Fe wna i ofyn eto, ble mae'r prawf?"

"Fe ga i'r prawf, does dim byd yn sicrach. Ble'n union yr ymosodwyd ar James Bowen?"

Edrychodd Sioned Athlon ar y darn papur o'i blaen. "Roedd James ar ei ffordd adre o dafarn y Conway yn ardal Pontcanna. Yn ôl fel rwy'n deall, digwyddodd yr ymosodiad ar Severn Grove."

* * *

Gyrrodd Akers i gyfeiriad canol Caerdydd ar hyd Rhodfa'r Gorllewin a throi i'r chwith i ymuno â phen ucha Ffordd y Gadeirlan. Trodd i'r dde i mewn i Conway Road; roedd honno wedi'i chau, gyda cheir yr heddlu ar ben y stryd yn agos at y dafarn. Parciodd Akers y Volvo a cherddodd y tri tuag at Severn Grove. Roedd rhuban glas a gwyn ar draws y ffordd a rhyw hanner can llath i ffwrdd roedd pabell fechan wen, gyda'r SOCOS, y *Scene of Crime Officers,* yn eu siwtiau gwynion yn camu i mewn ac allan ohoni.

Aeth Gareth at y plisman a safai o flaen y rhuban a dangos ei gerdyn warant. "Inspector Gareth Prior, Dyfed-Powys Police. Who's in charge here?" holodd.

"Chief Inspector Vivian Morley."

"Could I speak to him, please? I have vital information which has a direct bearing on the investigation."

Edrychai'r plismon yn amheus arno, ond tybiodd mai call fyddai ufuddhau. Cerddodd yr ychydig gamau tuag at y babell a siarad gyda pherson y tu mewn iddi gan bwyntio at Gareth. Daeth yr unigolyn tuag atynt a chyflwyno'i hun.

"Chief Inspector Vivian Morley. The constable tells me that you have relevant information."

"Yes. My team and I are also on a murder enquiry and we were about to interview James Bowen who, I believe, is the victim here?"

Nodiodd Vivian Morley. Aeth Gareth yn ei flaen. "James Bowen was employed by a company called Caerwynt and we have strong reasons to suspect that he was killed in order to prevent him disclosing sensitive information which was damaging to the company."

"That's an interesting and, if I may say so, a somewhat fanciful theory. At the moment we're treating this as a mugging."

"What's been taken?"

"As far as we can tell, his wallet and Blackberry."

"This appears to be a quiet residential street. Is mugging common in this area?"

"Not common, but here in Cardiff we've learnt that if the pickings are good enough, muggers will strike when and where they can."

"Cause of death?"

"The pathologist is there now, but early examination shows that the victim was attacked from the rear with a blunt instrument which caused multiple fractures to the skull. There was an iron bar nearby which will be tested for forensic evidence."

"How did you find out his identity?"

"There was a Gold Rail Pass in his jacket pocket and a first class return rail ticket for travel yesterday between Cardiff and Leeds. Now, Inspector Prior, I have a crucial question for you. Your theory that this was a contract killing – do you have proof to substantiate any of it?"

Sylweddololodd Gareth mor wantan fyddai ei eglurhad. "At the moment, sir, no. But I can assure you that there is more, much more, to Mr Bowen's murder than a straightforward mugging."

"In my experience, killing is never straightforward. When you have definite proof, come back and talk to me. In the meantime, I have to try and find out why someone made such a mess of James Bowen's skull. Might I suggest, Inspector, that you return to *your* patch to solve *your* murder and let *me* get on with mine?"

Prin iawn oedd y sgwrs ar y siwrne 'nôl i Aberystwyth. Roedd Mel ac Akers wedi clywed cerydd Vivian Morley ac yn sylweddoli byrdwn ei eiriau. Syllai Gareth yn syth yn ei flaen trwy gydol y daith a gallai'r ddau arall deimlo'r siom a'r tensiwn oedd yn llifo ohono.

⋆ ⋆ ⋆

Cyrhaeddodd Akers ben draw yr M4 mewn llai nag awr a throi am y ffordd ddeuol i Gaerfyrddin. Wrth iddynt agosáu at Crosshands canodd ffôn boced Gareth.

"Bore da, syr... Ydyn, mynd am Aberystwyth... Wrth gwrs... Rhyw ddeg munud?... Iawn," atebodd, gan ddiffodd y ffôn ac ychwanegu wrth y lleill, "Dilwyn Vaughan. Mae e am gael gair a galla i ddychmygu beth fydd natur y drafodaeth. 'Insbector Prior, chi wedi camfihafio unwaith eto, gwastraffu amser a chreu gelynion pwerus. Ddylech chi fod yn pwyso'n drymach ar Seth Lloyd a'i deulu, cadarnhau ei alibi.' Ac ati, ac ati. Dim ond fi sy'n mynd i gael ram-tam."

Ymhen byr amser roedd Akers yn gyrru i faes parcio pencadlys Heddlu Dyfed-Powys. Cafwyd lle i barcio'r Volvo ymhlith y rhengoedd o geir cyffelyb ac wrth iddo agor drws y car dywedodd Gareth, "Fydda i ddim yn hir – gobeithio!"

Roedd ysgrifenyddes yn aros amdano yng nghyntedd yr adeilad brics coch ac fe'i tywyswyd yn syth i swyddfa Dilwyn Vaughan. Arhosodd Gareth wrth i'r ysgrifenyddes drosglwyddo nifer o lythyrau iddo i'w llofnodi. Bu Gareth yn y stafell hon unwaith o'r blaen ar adeg ei benodi bum mlynedd yn ôl ond roedd mor nerfus bryd hynny fel na sylwodd rhyw lawer ar y lle. Edrychodd ar y lluniau ar y waliau yn olrhain gyrfa ddisglair Dilwyn Vaughan yn y Met, ac un, dipyn mwy o faint na'r lleill, yn ei ddangos yn ysgwyd llaw â'r Frenhines.

Gorffennodd Vaughan ei dasg ac aeth yr ysgrifenyddes allan o'r swyddfa. Ni roddwyd gwahoddiad i Gareth i eistedd a bu raid iddo sefyll fel disgybl yn disgwyl cosb gan athro. Cychwynnodd y Prif Gwnstabl ar ei berorasiwn. "Clywed 'ych bod chi wedi bod yn swyddfa Caerwynt, Prior, yn creu pob math o helynt. Rwy wedi'ch rhybuddio chi unwaith yn barod am eich trafodaethau gyda'r cwmni. Nawr ry'ch chi wedi taflu cyhuddiadau penagored at Sioned Athlon ac awgrymu bod gan Gaerwynt ran uniongyrchol yn llofruddiaeth Martin Thomas."

"Ond, syr..."

"Dwi heb orffen eto, Prior! Mae miliynau o bunnau wedi'u buddsoddi yn natblygiad Hyddgen, mae'r Cynulliad yn cefnogi'r cynllun, ac mae 'na leisiau pwerus a dylanwadol iawn ar fwrdd rheoli Caerwynt."

"Yr Arglwydd Gwydion wedi bod yn cwyno, ydy e?"

"Prior! Peidiwch chi â meiddio siarad â fi fel 'na! Bum mlynedd yn ôl, ar adeg eich penodi i arwain y tîm yn Aberystwyth, roedd gen i obeithion mawr a phob hyder ynoch chi. Dwi ddim mor siŵr erbyn hyn. Y rheswm sylfaenol dros eich penodi oedd gostwng y lefel troseddu a gwella delwedd y ffors yn y dre. Yn yr achos hwn ry'ch chi wedi methu'n drychinebus ar y ddau gownt. Nawr, allwch chi esbonio eich rhesymau dros amau Caerwynt?"

Eglurodd Gareth sut y daethpwyd o hyd i'r manylion am fwriad Caerwynt i adleoli i'r Swistir, y cysylltiad gyda Celtotank, y dybiaeth bod Martin Thomas wedi defnyddio'r wybodaeth i bwrpas blacmel ac mai dyna a arweiniodd at ei fwrdwr.

Unwaith yn rhagor taflwyd y cwestiwn canolog. "Prawf, Insbector? Ble mae'r prawf?"

"Mae'r unig berson a allai gynnig prawf, sef aelod o staff

Caerwynt, wedi cael ei ladd mewn ymosodiad yng Nghaerdydd neithiwr. Ro'n i wedi gofyn am gyfle i holi'r dyn 'ma odd â thystiolaeth bendant, ac o fewn ychydig oriau mae e'n farw gelain. Rodd Sioned Athlon yn rhyw ffug alaru ond mae'r cyfan yn rhy daclus. Fyddech *chi* ddim yn teimlo'n amheus, syr, dan yr amgylchiadau?"

"Dyw amheuon ddim yn gyfystyr â phrawf, Prior. Meddyliwch beth fyddai'n digwydd petai'ch damcaniaethau chi'n cael eu gosod gerbron llys. Byddai bargyfreithwyr Caerwynt yn gwneud nonsens o'r cyfan mewn chwinciad. A phwy yn hollol fyddai gerbron y llys? Pwy yw'r llofrudd? Pwy laddodd Martin Thomas, a'r truan 'na yng Nghaerdydd? Ai'r un person sy'n gyfrifol am y ddwy drosedd?"

Atebodd Gareth yn dawel, "Dwi ddim yn gwybod."

"A dyna'r pwynt. Mae'r ymchwiliad yn symud at ei drydedd wythnos a does neb gyda chi mewn golwg! Mae'r wasg, fel arfer, yn chwythu a gwgu, a'r heddlu mor bell ag erioed o gau pen y mwdwl." Oedodd Dilwyn Vaughan am eiliad cyn ychwanegu, "Mae gyda chi dridiau i ddatrys yr achos. Ar ôl hynny, fe fydda i'n trosglwyddo'r cyfrifoldeb i'r Prif Arolygydd Sam Powell. Ydy hynny'n glir, Prior?"

"Berffaith glir, syr."

* * *

Gwyddai Mel ac Akers fod y newyddion yn ddrwg. Doedd ond angen cymryd un cipolwg ar ymarweddiad Gareth i sylweddoli hynny. Cerddodd yn benisel tuag at y car ac amneidio i ailgychwyn y siwrne. Roeddent yn agosáu at Aberaeron cyn i Gareth egluro.

"Ma Vaughan wedi rhoi tridie i fi ganfod pwy laddodd Martin Thomas. Os na fydd ateb gyda ni erbyn hynny bydd y cês yn cael ei drosglwyddo i ofal Sam Powell."

"Ond dyw hynna ddim yn deg," protestiodd Mel.

"Wrth edrych ar y mater o safbwynt Vaughan, mae'n hollol deg. Mae pwyse arno fe i gael canlyniad cyflym. Er mod i'n dal i gredu bod Caerwynt yng nghanol y briwes, does gen i ddim prawf ac mae'r unig un a allai gynnig prawf ar y slab yn y morg yng Nghaerdydd. Dim prawf, dim enw."

O'r diwedd, dywedodd Akers wrtho'i hun, ti'n dechrau gweld sens. Dyna oedd ar ei feddwl ond gwyddai na fyddai'n ddoeth i leisio'i farn. Yn hytrach, gofynnodd, "A beth amdanon ni?"

"Soniodd Vaughan 'run gair am hynny. Rwy'n tybio y byddwch chi'n dal i weithio ar yr achos, ond o dan gyfarwyddyd Sam Tân."

* * *

Sam Tân oedd yr union berson a'u croesawodd pan gamodd y tri mewn i Swyddfa'r Heddlu yn Aberystwyth. Cyfleus, meddyliodd Gareth, a'r cyfle perffaith i glochdar, ond ni ddywedodd Sam Powell air. Gafaelodd ym mraich Akers a'i arwain o'r neilltu, gan adael Gareth a Mel i ddringo'r grisiau i'r swyddfa. Edrychai Gareth fel petai pob owns o egni wedi cael ei wasgu ohono. Cerddodd at ei ddesg gyda golwg o anobaith a rhoddodd ei ben yn ei ddwylo. Gwyddai Mel fod yn rhaid iddi ddweud rhywbeth, unrhyw beth, mewn ymgais i'w gysuro.

"Dere, paid â phoeni. Ma gyda ni dri diwrnod. Siawns y daw rhywbeth erbyn hynny."

"Byth, Mel; tri diwrnod, dim gobaith. Ry'n ni wedi bod wrthi'n ddiwyd ers dros pythefnos heb fawr ddim i'w ddangos am yr holl holi, yr holl ymdrech. Seth Lloyd – dim alibi, ond dim un darn o dystiolaeth i'w gysylltu fe â safle'r mwrdwr, dim cysylltiad fforensig, dim byd. Ianto Lloyd – ffrindie yn y dre yn cefnogi'i stori. Annabel Rhys – dim alibi, ond a fydde dynes ffroenuchel fel 'na'n debygol o dagu rhywun mewn gwaed oer? Ei brawd, Max, yn plesera yng ngwely'r fenyw Wilmington 'na. Joss Miles – digon o reswm gyda fe i gasáu Martin Thomas, ond neb llai na merch Martin yn rhoi alibi iddo fe. Un ar ôl y llall, ma pawb sy'n ymddangos fel *suspect* yn llithro fel llyswennod drwy'n dwylo ac yn profi 'u bod nhw yn rhywle arall ar y pryd."

"Falle ddylen ni edrych ar yr alibis unwaith eto? Tsieco pob stori."

"Does dim digon o amser. A beth bynnag, er yr holl feirniadu, dwi'n dal i feddwl mai Caerwynt yw'r drwg yn y caws. Ond fel ma pawb wedi awgrymu, ac awgrymu'n deg, mae meddwl yn un peth, ond mae profi'r peth yn hollol wahanol. Damo, 'ma beth yw siop siafins!"

Croesodd Mel tuag ato a gosod ei dwylo ar ei ysgwyddau. "Gareth Prior, paid â rhoi dy hun i lawr fel 'na. Dwi ddim am roi'r gorau iddi a ddylet tithe ddim chwaith. Dyw teimlo'n flin drosot ti dy hunan ddim yn mynd i dy symud di na ni gam yn agosach at ddatrys y cês. Ble ma'r Gareth dwi'n ei nabod – yr un positif, penderfynol, barod i frwydro?"

Trodd Gareth i edrych yn syth i wyneb ei gariad. "Ti'n dal i gredu ynddo i, Mel?"

Y tyndra unwaith yn rhagor – gwaith a gyrfa'n arwain un ffordd a chariad yn arwain i gyfeiriad gwahanol. Atebodd Mel heb oedi dim a gwyddai i'r ateb ddod yn syth o'i chalon. "Credu, Gareth? Wrth gwrs mod i'n credu."

Cododd Gareth a'i chusanu, ac ym mreichiau ei gilydd fe gaewyd y cyfan allan. Gymaint felly fel na chlywodd y naill na'r llall y drws yn agor na sylwi ar Akers yn camu i'r stafell. Pesychodd yn ysgafn, a gwahanodd y ddau. I guddio'r lletchwithdod trodd pawb at eu desgiau fel petai'r dogfennau oedd arnynt y rhai pwysicaf dan haul.

Ymhen ychydig pesychodd Akers am yr eildro. "Mae gyda fi rywbeth i'w ddweud, syr." Oedodd a gellid synhwyro nad oedd yn hapus. "Mae Sam Tân wedi gofyn i fi gadw llygad arnoch chi yn ystod y tridie nesa. Gan nad y'ch chi wedi cyflwyno adroddiadau cyson, rwy i fod i gadw golwg ac adrodd yn syth 'nôl ato fe."

"Beth, gweithredu fel sbïwr?" dywedodd Mel yn anghrediniol.

"Ie, mae'n debyg. Ond peidiwch â phoeni, dwi ddim yn mynd i wneud. Wna i gafflo rhyw stori 'ych bod chi ar war Seth Lloyd a bod cynllun gyda ni i wylio'i fferm e ddydd a nos. Neith hynny gadw Sam Tân yn hapus."

"A beth am yr adroddiad, pan fydd yr achos yn cael ei drosglwyddo i Powell?" holodd Gareth. "Bydd e am wybod beth yw canlyniadau'r gwarchae."

Gwenodd Akers, "Digon i'r diwrnod ei ddrwg ei hun, syr. Rwy'n cofio dysgu'r ddihareb honno yn Ysgol Rhydfelen. Dewch, mla'n â ni."

Edrychodd Gareth ar y ddau a dweud yn dawel, "Diolch i chi'ch dau am 'ych cefnogaeth. Mae Mel yn credu y dylen ni ailedrych ar ddatganiadau pawb a mynd trwy'r alibis â chrib fân. Oes rhywbeth ry'n ni heb sylwi arno, rhywbeth sy ddim cweit yn taro deuddeg? Pob manylyn. Diflas, ond dyna fe. Akers, cyn dechrau ar y gwaith papur, ewch 'nôl at y gliniadur i chwilio am y ffeil gudd 'na am berchnogaeth y Cnwc. Edrychwch a oes ffeiliau eraill wedi'u claddu yn rhywle. Wedyn, lawrlwytho'r tri e-bost au hargraffu. Dwi am gadw copïau o'r rheina, jyst rhag ofn."

Aeth pawb at eu tasgau, Gareth a Mel yn archwilio'r datganiadau ac Akers yn canolbwyntio ar y gliniadur. Torrwyd ar draws y gweithgarwch pan ganodd y ffôn ar ddesg Mel.

"Ditectif Sarjant Meriel Davies, CID Aberystwyth, sut alla i fod o help? O, Mrs Thomas, chi sy 'na... Ydy, mae Insbector Prior fan hyn."

Trosglwyddwyd yr alwad a chlywodd Gareth lais cyfarwydd Sulwen Thomas. "Insbector, ma'n flin gen i'ch poeni chi. Ma'r ddynes sy'n gofalu am ochr fusnes y ffarm yn holi am y compiwtar. Ma 'na anifeiliaid yn mynd i'r mart heddi ac ma hi'n awyddus i tsieco bod y cyfrifon yn gyfredol. Y'ch chi wedi gorffen â fe?"

Taflodd Gareth olwg at Akers a dweud, "Bron â gorffen, Mrs Thomas. Ni'n mynd drwy'r cyfan nawr, a dweud y gwir, i wneud yn siŵr bod popeth yn ei le. Bydd rhywun yn galw'n nes mla'n heddi. Iawn?"

"Iawn," atebodd Sulwen Thomas, ac yna fel petai'n hanner ofni mentro, gofynnodd, "Oes unrhyw newyddion, Insbector?"

Celodd Gareth y gwir gan mai yr unig newyddion oedd cynllwyn tebygol ei gŵr. Er cywilydd iddo'i hunan, ymatebodd gyda rhyw hanner celwydd. "Dim byd pendant ar hyn o bryd, Mrs Thomas. Ni'n dilyn sawl trywydd addawol." Rhoddodd y ffon i lawr a throi at y lleill.

"Mae Sulwen Thomas am gael y gliniadur 'nôl, Akers, rhywbeth i'w wneud â'r ddynes sy'n helpu gyda chyfrifon y fferm. Dwi wedi addo y bydd rhywun yn galw yn y Cnwc heddi."

Ni chafwyd ymateb, gan bod y ditectif yn canolbwyntio'n llwyr ar sgrin y peiriant. Cododd Gareth i wylio Akers yn ateb prompt ar y sgrin trwy deipio gorchymyn hir a chymhleth.

Rowliodd yr wybodaeth yn ddarlun gwyllt, yna sadiodd i ailddangos y tri e-bost. Ond y tro hwn roedd rhywbeth gwahanol yno.

Pwyntiodd Akers at y sgrin. "Drychwch, ma Martin Thomas wedi anfon y negeseuon mla'n at rywun arall."

Pwysodd fotwm i ddangos yr e-bost cyntaf, wedi'i gyfeirio at veh, ac o dan y neges roedd wedi ychwanegu'r geiriau:

Interesting possibilities?

Agorodd Akers yr ail e-bost, at veh eto, a'r tro hwn yr ychwanegiad:

Agree totally with your plan.

Roedd y trydydd yr un fath, at veh gyda'r geiriau:

Contacting jjb at C tomorrow.

Syllodd y tri yn syfrdan ar y sgrin fechan. "Beth ar y ddaear yw ystyr hyn i gyd?" gofynnodd Mel.

Am eiliad roedd Gareth ar goll yn llwyr, ond darllenodd y cyfan eto ac yna dywedodd yn bwyllog, "jjb at C yw Jeremy James Bowen, Caerwynt."

"Ie, alla i weld hynna, ond pwy yw veh?"

"Rhywun rodd Martin Thomas yn ei adnabod a rhywun sy y tu allan i gylch arferol dosbarthu'r e-byst – rhywun sy ddim yn gweithio i Gaerwynt. Mel, chi'n cofio awgrymu nad odd Martin yn ddigon clyfar i gynllunio'r bygythiad ar ei ben ei hun a bod angen person â mwy o grebwyll? Dyna beth sy yn yr ychwanegiadau, interesting possibilities, agree totally with your plan, contacting jjb at C tomorrow. Yr hyn mae Martin Thomas yn ei wneud yw cysylltu â'r unigolyn odd wrth ei ochr bob cam o'r daith yn y broses o fygwth. Yr arbenigwr neu, a bod yn fanwl gywir, yr *arbenigwraig*."

"Arbenigwraig?" gofynnodd Mel.

"Yr alwad gan Sulwen Thomas. Fe gyfeiriodd hi at

y *ddynes* sy'n edrych ar ôl ochr fusnes y Cnwc. Y ddynes sy'n ymwybodol o driciau a chynlluniau byd busnes – sut i gynyddu elw, sut i lywio cyfrifon a sut i arbed treth. Dwi'n tybio mai hi, nid Martin Thomas odd symbylydd ac arweinydd y blacmel. Disgybl odd Martin, disgybl ufudd, ond hi odd yr athrawes hirben, y person deallus. Hei, diolch i'r nefoedd am sgiliau cyfrifiadurol Akers! Dyna pam mae hi, veh, mor awyddus i gael y peiriant 'nôl. Mae hi'n ymwybodol o'r peryglon sy'n cwato yn y negeseuon. Reit, galwad yn syth at Mrs Thomas."

Deialodd Gareth y rhif ac fe gafwyd ateb ar unwaith. "Mrs Thomas, Gareth Prior unwaith eto. Mater y gliniadur – ry'n ni'n awyddus i sicrhau bod y ffeiliau i gyd mewn trefn a bod neb wedi amharu ar unrhyw ddata. Allech chi roi enw a chyfeiriad y ddynes sy'n gofalu am ochor fusnes y fferm? Fe allen ni fynd â'r gliniadur yn syth ati hi wedyn." Cafwyd saib byr, a sŵn siffrwd papur ac yna dywedodd Gareth, "Diolch yn fawr, Mrs Thomas, byddwn ni mewn cysylltiad yn fuan."

Gosododd Gareth y ffôn yn y gawell a dweud wrth y lleill, "Enw ymgynghorydd busnes y Cnwc yw Vicky Elizabeth Hamlyn, veh, ac mae hi'n byw yn rhif chwech Teras Bushell, Goginan."

# Pennod 16

AR WAHÂN I'R trigolion, prin oedd y rhai a yrrai i mewn i bentref Goginan; pasio heibio ar y ffordd fawr uwchben a wnâi bron pawb, heb sylwi ar y clwstwr o dai islaw. I bob pwrpas roedd y pentref wedi'i rannu'n ddau gyda thai modern ar un ochr i afon Melindwr a'r cartrefi hŷn yr ochr draw i bont fechan. Anelu at y rhan honno o'r pentref wnaeth Akers, ac ar ôl croesi'r bont arafodd er mwyn chwilio am Deras Bushell. Gan nad oedd y fath beth ag arwydd stryd i'w weld yn unman bu raid gofyn a chafodd ei gyfeirio at dai ar gyrion y pentref. Unwaith eto, doedd dim enw yn y golwg, ac mewn gwirionedd gallech yn hawdd golli'r rhes fechan, mor ddi-nod a thlawd oedd ei golwg.

I osgoi tynnu sylw at eu presenoldeb, parciodd Akers y Volvo rownd y gornel ond gellid synhwyro bod preswylwyr y Teras wedi hen sylwi bod y Glas ar droed – y llenni'n symud wrth un ffenest, a chipolwg o wyneb mewn ffenest arall. Ar gyfarwyddyd ei fòs arhosodd Akers ar ben y rhes tra bod Gareth a Mel yn camu tuag at rif chwech. Fel y gweddill, tŷ bychan oedd hwn, *two up two down,* ond roedd mewn gwell cyflwr na'r lleill, y to llechi'n solet a phaent gwyn ffres ar y ffenestri a'r drws. Gafaelodd Gareth yn y cnociwr pres ar y drws ffrynt a'i daro'n galed yn erbyn y pren. Bron ar unwaith agorwyd y drws gan ddynes gymharol ifanc.

Roedd Vicky Hamlyn yn amlwg ar ei ffordd allan. Cariai fag lledr mewn un llaw a swpyn o bapurau a gliniadur yn y llall. Edrychodd ar Gareth a Mel gyda diffyg amynedd, a'r argraff a grëwyd oedd o ddynes brysur, dynes na allai fforddio gwastraffu amser yn mân siarad ar stepen y drws. Barnai Gareth ei bod yn ei thri degau hwyr, ac roedd wedi'i gwisgo'n chwaethus a ffasiynol mewn siaced a sgert hir werdd, gyda'r lliw'n gweddu'n berffaith i'w gwallt fflamgoch. O dan ei siaced gwisgai flows ac arni batrwm o flodau coch a gwyrdd, a bŵts lledr brown. Roedd y mwclis o fân gerrig llachar o gwmpas ei gwddf rhyw dwtsh yn ormod – byddai rhai'n ei ddisgrifio fel *bling*. Cwblhawyd y darlun gyda haen drwchus o golur ar ei hwyneb, masgara ar ei llygaid a minlliw coch ar ei gwefusau.

"Wel," dywedodd yn siarp, "chi 'di gweld digon? Sdim amser 'da fi. Rwy ar fy ffordd i weld cleient. Pwy y'ch chi a beth y'ch chi moyn?"

Dangosodd y ddau dditectif eu cardiau warant. "Insbector Gareth Prior a Ditectif Sarjant Meriel Davies, Heddlu Dyfed-Powys. Gawn ni ddod i mewn?"

Gwelwyd y fflach lleia o ofid yn y llygaid gwyrdd. Camodd Vicky Hamlyn i mewn i'r tŷ gyda Gareth a Mel yn dilyn y tawch o bersawr a adawai ar ei hôl. Cerddodd y tri ar hyd y cyntedd i'r lolfa a thrwy ddrws hanner agored gellid gweld y gegin. Roedd y grisiau i'r llofftydd ym mhen pella'r lolfa a safodd Vicky Hamlyn yn warchodol wrth eu gwaelod. Syml a braidd yn dlodaidd oedd y dodrefn – soffa ac un gadair esmwyth, bwrdd bwyta a dwy gadair wrth y ffenest, a theledu henffasiwn.

"Wel," meddai Vicky Hamlyn yr eilwaith, "dwi ddim yn gwbod shwt alla i fod o help. Wnewch chi egluro, Insbector, er mwyn i fi gael mynd at fy ngwaith?"

Mel gychwynnodd yr holi. "Ry'ch chi'n rhedeg busnes. Ydy hynny'n gywir, Miss Hamlyn?"

"Ydy, rwy'n rhedeg cwmni *farm consultancy*, mynd rownd ffermydd gogledd Ceredigion yn rhoi cyngor a helpu gyda'r cownts. Mae 'na gymaint o ffurflenni erbyn hyn nes bod ffermwyr bron â boddi mewn gwaith papur."

"Rodd Mr Martin Thomas, Y Cnwc, Esgair-goch, yn un o'ch cleientiaid chi ac, os yw'r wybodaeth gawson ni yn gywir, ry'ch chi'n dal i gynghori Mrs Thomas."

Cadarnhaodd Vicky Hamlyn hynny ond doedd y llais ddim cweit mor gryf, yr oslef ddim cweit mor bendant. "Ydw, rwy'n helpu Mrs Thomas a... wel, o dan yr amgylchiadau, ma angen pob help arni."

Sylwodd y ddau dditectif na chafwyd cyfeiriad o gwbl at farwolaeth Martin Thomas.

"Felly roeddech chi'n cynghori'r teulu ar fusnes datblygiad fferm wynt Hyddgen?" gofynnodd Mel.

"Oeddwn. Byddai adeiladu'r fferm wynt yn creu ffynhonnell newydd o incwm i'r Cnwc ond roedd y datblygiad yn gymhleth. Cydweithio agos gyda'r awdurdod lleol a'r Cynulliad, dogfennau i'w darllen a'u dehongli a chytundebau i'w cwblhau... y math yna o beth."

Estynnodd Gareth at y cês bychan wrth ei draed.

"Ry'n ni wedi dod â gliniadur y Cnwc i chi, Miss Hamlyn. Dwi'n deall eich bod chi'n awyddus i'w gael e 'nôl."

"Doedd dim rhaid i chi ddod â fe'n bersonol. Byddech wedi gallu ei adael yn y Cnwc ond gan 'ych bod chi wedi mynd i drafferth, diolch yn fawr."

Yn hytrach na'i drosglwyddo iddi, gosododd Gareth y peiriant ar y bwrdd a'i agor. "Mae gwybodaeth ddadlennol tu hwnt yma, Miss Hamlyn – cofnod o'r holl drafod gyda Chaerwynt, er enghraifft, fel roeddech chi'n sôn; y cytundebau a'r taliadau tebygol i Martin a Sulwen Thomas. Gwybodaeth gyfrinachol a sensitif, fyddech chi'n cytuno?"

"Wrth gwrs, ond dylech chi ddeall mod i'n gweld llawer iawn o wybodaeth sensitif yn fy ngwaith. Busnes yw amaethyddiaeth erbyn hyn ac mae nifer dda o'r unigolion rwy'n eu cynghori yn rhedeg ffermydd â throsiant o dros filiwn o bunne. Dyw pob amaethwr, wrth gwrs, ddim yn cael cyfle i osod fferm wynt ar ei dir, ac yn hynny o beth roedd Mr Thomas yn wahanol."

"Pa fath o ddeunydd fyddech chi'n debygol o'i weld?"

"Os y'ch chi wedi mynd drwy'r stwff ar y gliniadur, Insbector, ry'ch chi'n gwbod yr ateb yn barod. Fel sonies i, y cytundebau, maint y taliadau i Mr a Mrs Thomas, a deunydd technegol am leoliadau'r twrbeini."

"A rhai e-byst, o bosib?"

Roedd y wraig ar ei gwyliadwriaeth nawr. "Fel arfer, byddai'r e-byst oddi wrth Gaerwynt at Mr Thomas yn cael eu hateb ganddo fe. Weithiau, byddai Caerwynt neu Mr Thomas yn cylchu negeseuon ata i, ond doedd hynny ddim yn digwydd yn aml."

Newidiodd Gareth gyfeiriad yr holi. "Allwch chi gadarnhau mai'ch enw llawn yw Vicky Elizabeth Hamlyn?"

"Gallaf, ond shwt mae hynny'n berthnasol?"

Pwysodd Gareth fotwm ar fysellfwrdd y gliniadur i ddatgelu'r tri e-bost. "Dwi am i chi edrych yn ofalus ar y rhain. Fel y gwelwch chi, maen nhw'n sôn am fwriad Caerwynt i symud eu pencadlys o Gaerdydd i'r Swistir. Ydych chi wedi gweld rheina o'r blaen?"

Gyda chipolwg sydyn ar y sgrin atebodd y ddynes, "Naddo, erioed."

"Chi'n siŵr, yn hollol siŵr?"

"Ydw, yn berffaith siŵr."

Pwysodd Gareth fotwm arall i ddangos yr e-byst gyda'r ychwanegiadau. "Dwi am i chi edrych yn fwy gofalus, Miss Hamlyn, a sylwi ar eiriau Martin Thomas ar waelod pob e-bost. Ar ddiwedd y cyntaf, 'Interesting possibilities?', ar ddiwedd yr ail, 'Agree totally with your plan' ac ar waelod y trydydd 'Contacting jjb at C tomorrow'. Mae'r tair neges yn cael eu cyfeirio at veh – atoch chi, Vicky Elizabeth Hamlyn."

Hyd yn oed trwy'r trwch o golur gellid gweld bod yr wyneb wedi gwelwi, roedd symudiadau bychain y llygaid yn arwydd o nerfusrwydd, a phan ddaeth yr ateb gellid clywed cryndod yn y llais. "Shwt allwch chi ddweud 'na? Mae llawer o bobl â'r llythrennau yna yn eu henwau."

"Oes, ond dim ond un veh odd Martin Thomas yn ei hadnabod, sef ei ymgynghorydd busnes. Mae Mr Thomas yn derbyn yr e-byst ar ddamwain, mae'n eu cyfeirio nhw atoch chi ac mae'r ddau ohonoch yn cynllunio i fygwth Caerwynt. Mae e'n taflu'r cwch i'r dŵr trwy awgrymu 'Interesting possibilities?' gyda marc cwestiwn sylwer. Ry'ch chi'n cynnig ateb ac mae e'n cyd-weld, 'Agree totally with your plan'. Ac wedyn mae'r twyll ar waith, 'Contacting jjb at C tomorrow'. Ry'n ni'n gwybod mai jjb yw Jeremy James Bowen, danfonydd yr e-byst ac aelod o staff Caerwynt. Cafodd James Bowen ei lofruddio ar un o strydoedd Caerdydd neithiwr. Blacmel, Miss Hamlyn, dyna'r gêm – Martin Thomas a chithe'n gweithio llaw yn llaw i wasgu arian o Gaerwynt. Dechrau gyda'r wybodaeth am fwriad y cwmni i symud i'r Swistir, a gorffen gyda'r manylion am lanast Celtotank. Mwy o helynt, mwy o gyfle, mwy o arian. Bob cam o'r daith roeddech chi yno – yr arbenigwraig fusnes yn cynghori, yn annog ac yn mynnu. Grêt, popeth yn mynd yn iawn ond wedyn mae'r gêm yn troi'n frwnt ac mae dau'n cael eu llofruddio mewn gwaed oer, Martin Thomas a James Bowen."

Daeth golwg o arswyd pur a phanig i wyneb Vicky Hamlyn. Edrychodd yn nerfus tuag at y grisiau a chamu ar draws y stafell fechan i eistedd yn y gadair esmwyth. Dechreuodd grio a llifai'r dagrau gan lusgo'r masgara ar hyd ei bochau; ceisiodd sychu'r düwch â'i llaw ond wrth iddi wneud hynny taenwyd y minlliw yn blastr ar draws ei gwefusau. Diflannodd gwraig heriol stepen y drws, llithrodd masg y colur, ac o dan y tlysni arwynebol datgelwyd y gwir Vicky Hamlyn, y ddynes ddauwynebog a ffals.

Gadawodd Gareth iddi lefain am ychydig cyn gofyn y cwestiwn tyngedfennol. "Ydych chi'n cyfaddef, Miss Hamlyn, eich bod chi'n rhan o'r cynllwyn o'r cychwyn cyntaf?"

"Ydw."

"Pwy gafodd y syniad, chi neu Mr Thomas?"

"Fi. Martin dderbyniodd yr e-byst ac er ei fod e'n gweld y risg fe lwyddes i...."

"Fe lwyddoch chi i'w berswadio fe i fygwth Caerwynt. Ac mae'n debyg mai chi, gyda'ch arbenigedd, a ddaeth ar draws y cysylltiad gyda Celtotank ac awgrymu bod ail sgandal yn rhoi ail siawns i chi. Dwi ddim yn eich cyhuddo chi o lofruddio Martin Thomas ond dwi *yn* credu bod twyll y ddau ohonoch chi wedi arwain at ei farwolaeth. Nid chi oedd yn gyfrifol am y weithred ond gan i chi gyfaddef i'r blacmel mae gyda ni brawf. Galla i fynd 'nôl at Gaerwynt i ganfod pwy oedd yr *hitman*. Oeddech chi'n bresennol yn y cyfarfod yn Neuadd Esgair-goch?"

Gyda thinc o ryfeddod yn ei llais, atebodd Vicky Hamlyn, "Na."

"Fel ymgynghorydd busnes, fel rhywun odd wedi rhoi cymorth allweddol gyda datblygiad Hyddgen a'r un yng nghanol y cynllwyn, pam nad o'ch chi'n bresennol?"

"Bydde fe'n rhy gyhoeddus, bydde pobl wedi camddeall."

"Ond dwi'n siŵr 'ych bod chi'n awyddus i wybod canlyniad y bleidlais. Fuoch chi mewn cysylltiad â Mr Thomas ar ôl y cyfarfod?"

"Ro'n i wedi trefnu i ffonio Martin pan odd e ar ei ffordd adre. Mi wnes i drio ddwywaith a methu cael ateb."

"Dim syndod i chi fethu. Mae Mrs Sulwen Thomas wedi dweud bod ei gŵr wedi gadael y tŷ am y cyfarfod ar hast gan anghofio'i ffôn. Felly, roedd hi'n amhosib i chi gysylltu ag e."

"Rwy'n dweud y gwir." Cafwyd saib cyn i'r ddynes ychwanegu'n dawel, "Roedd gan Martin ddau ffôn. Roedd e'n cadw un i siarad â fi."

"I siarad â chi? Dwi ddim yn deall."

Clywyd ôl traed ar y grisiau a dyna lle safai Charlie Payne, Swyddog Diogelwch y fferm wynt.

"Dyma ni'n cyfarfod eto, Insbector. Dach chi'n dallt dim, methu gweld am nad ydach chi *isio* gweld. Digon clyfar i dyrchu ym mherfeddion rhyw gompiwtars i ffeindio'r ymgais i dwyllo Caerwynt ond rhy dwp i weld twyll y bitsh 'ma. Vicky ffycin Hamlyn, cnawas fach boeth yn chwara oddi cartra, yn rhwydo gŵr rhywun arall ac yn gweld y cyfle i neud pres ar y slei. Sut dach chi'n meddwl nath hi berswadio'r twpsyn ffermwr 'na? Secs, wrth gwrs. Yr hen, hen abwyd. Gweithio bob tro. Ac ar ôl iddi ga'l ei dwylo blewog ar y pres mi fasa hi wedi'i ddympio fo, jest fel roedd hi'n mynd i 'nympio i."

Ac yn y llif o gasineb a dicter, poerwyd yr eglurhad o'r diwedd. Dial, dial iasoer a dwfn – dyna oedd wrth wraidd y cyfan, sylweddolodd Gareth. Y bwriad i fygwth oedd wedi uno Martin Thomas a Vicky Hamlyn mewn cynllun dieflig, ond fe laddwyd Martin Thomas am i'r cynllun hwnnw dyfu'n rhywbeth mwy. Nid twyll y bygythiad, ond rhywbeth llawer symlach, sef dynes yn twyllo'i phartner. Dyna pam yr edrychai Vicky Hamlyn yn syn pan ofynnwyd iddi am ei phresenoldeb yn y cyfarfod, *bydde fe'n rhy gyhoeddus, bydde pobl wedi camddeall.*

Cofiodd Gareth am ddisgrifiad Meic Jenkins o Vicky Hamlyn fel *slashen o bartner.* Wel, heb y colur doedd hi ddim cweit cymaint o slashen ond, yn ddiamau, roedd hi'n dwyllwraig benigamp. Cymaint o dwyll, cymaint o gam-drin, celwydd a chuddio. Charlie Payne mewn swydd ddi-ddim, yn was bach i Gaerwynt, a Vicky Hamlyn, y ddynes uchelgeisiol, yn bachu'r cyfle i wella'i byd a dianc o'r tŷ teras llwm. Cariad yn suro a'r chwarae'n troi'n chwerw.

Safodd Charlie Payne y tu ôl i'r gadair esmwyth ac wrth iddo osod ei ddwy fraich ar gefn y gadair roedd tatŵ arfbais Catrawd Cymru i'w weld yn glir.

"Y'ch chi'n gyn-filwr?"

Daeth golwg wyllt i lygaid gwaedlyd Charlie Payne. "Blydi reit, Insbector. Cadw'r Micks rhag lladd 'i gilydd yn Iwerddon ac wedyn Irac. *Politicians* yn deud, a ninna'n gorfod gneud. Iawn iddyn nhw, yn ponsio a dadla yn Llundain. *Ni* oedd yn gorfod mynd. *Ni* oedd yn gweld y lladd, y gwaed a'r gyts ar strydoedd Belfast a Baghdad. A gweld mêts yn syrthio'n farw o un i un. A be ges i? Dwy fedal a 'Thank you very much, Private Payne'. Dwy fedal a rhes o jobsys twll-tin."

Camodd y dyn at Vicky Hamlyn ac yn hamddenol, fel petai honno'r weithred fwya naturiol yn y byd, gosododd ei fraich mewn siâp V o gwmpas ei gwddf. "Gwbod am y *chokehold,* Insbector? Wrth gwrs 'ych bod chi. Hogia'r SAS ddangosodd hon i mi. Iraci bach trafferthus – un funud yn fyw a'r funud nesa'n farw. Gweithio bob tro. Gweithio'n berffaith ar Martin Thomas, y cr'adur. Theimlodd o ddim byd – un funud yn ista yng nghab ei landrofer, a'r funud nesa, gwdbei," a chwarddodd fel gwallgofddyn.

Edrychodd Gareth a Mel yn syn ar yr olygfa frawychus o'u blaenau a dywedodd Gareth, "Dyw hyn ddim yn ateb. Sdim cuddio i fod rhagor. Byddwch yn gall. Gadewch Vicky'n rhydd."

"Bod yn gall? Be gesh i rioed am fod yn gall? Dwy fedal a *fuck all*. Dach chi'n rong, Insbector. Y bitsh 'ma ydy nhicad i allan o'r twll tŷ 'ma, a'r ticad i ryddid. Fel cyn-filwr dwi'n gwbod y cyfan am sut i guddio a diflannu. Camwch 'nôl o'r drws."

Tynhaodd y fraich a llusgodd Payne y ddynes i gyfeiriad y cyntedd. Gan sylweddoli'r perygl gafaelodd Gareth yn ei radio a gweiddi am gymorth Akers. Roedd Payne eisoes wrth y drws a gwyddai Gareth a Mel fod yn rhaid gweithredu ar unwaith. Neidiodd y ddau a llwyddo i ryddhau Vicky o afael Payne. Rhedodd hithau'n ôl i'r lolfa a chau'r drws ar ei hôl. Rhuodd Payne mewn bloedd o gynddaredd a dechreuodd ymladd â'r plismyn yn y cyntedd cyfyng. Ciciwyd Gareth yn ei stumog ac wrth iddo frwydro am ei wynt gallai weld Mel yn nesáu at Payne. Mewn braw, fe welodd hefyd yr hyn nad oedd Mel wedi'i weld – y gyllell yn llaw Payne, ei llafn yn hir a gloyw.

"Mel, paid, cama 'nôl! Ma cyllell 'da fe!"

Ond roedd hi'n rhy hwyr. Mewn storom o wallgofrwydd, plannodd Charlie Payne y gyllell i mewn a'i thynnu allan. Gydag ochenaid ddychrynllyd, syrthiodd Mel i'r llawr. Wrth i Payne ddod amdano a'r gyllell yn dal yn ei law, sylwodd Gareth nad oedd y llafn bellach yn loyw. Roedd yn goch, yn waedlyd o goch.

# Pennod 17

GWELODD, HEB WELD dim.

Gweld Akers yn hyrddio'i gorff tuag at Payne, ei lorio gyda thacl nerthol a'i ddistewi. Gweld ei hun yn plygu i osod pen Mel o dan ei fraich er mwyn ei helpu i anadlu'n a gweld ei gwefusau'n symud. Clywed ei lais ei hun mewn rhyw niwl trwchus yn dweud,

"Sh, bydd yr ambiwlans 'ma nawr. Byddi di'n iawn, Mel, sh, cariad."

Gweld y staen yn lledu ar ei blows. Akers yn rhedeg i'r car i nôl y bocs cymorth cyntaf a rhwymo'r clwyf yn dynn. Defnyddio ail fandais a thrydydd nes bod y rheiny'n sypiau coch. Gweld ei hun yn cysuro Mel, ei hanadlu'n ysgafnhau a hithau'n llithro o'i afael.

Clywed seiren ceir yr heddlu a sŵn teiars yn sgrialu y tu allan. Gweld plismyn yr orsaf dan arweiniad Sam Powell yn arwain Charlie Payne a Vicky Hamlyn mewn cyffion o'r tŷ – ef yn ddiemosiwn a hithau'n udo fel anifail mewn poen. Gweld y ddau, a theimlo dim – dim casineb, dim malais, dim byd.

Gweld bod y criw ambiwlans wedi cyrraedd. Symud o'r neilltu a gweld y criw'n trin y clwyf a chynnal yr anadlu drwy osod mwgwd ocsigen dros wyneb Mel. Ei chodi ar y stretsier a'i chario i'r ambiwlans. Cerdded wrth ei hochr at risiau'r cerbyd a chydio yn ei llaw. Mel yn agor ei llygaid a thynhau ei gafael ar ei law yntau. Gweld ei hun yn camu i'r ambiwlans a chlywed llais pwyllog un o'r parafeddygon,

"Na, syr, well i chi beidio. Sdim lle. Nawn ni edrych ar ei hôl hi."

Gweld y drysau'n cau, ac ym mêr ei esgyrn cael y teimlad iasol bod pob drws wedi'i gau. Y cerbyd yn gadael ar frys, y golau glas yn fflachio a'r seiren yn diasbedain ei chri ar draws llethrau'r cwm. Gweld Akers yn dod ato ac yn ei dywys i un o geir yr heddlu.

Gwelodd Gareth hyn oll, ac eto ni welodd ddim.

* * *

Yn ei datganiad i'r heddlu, cyfaddefodd Vicky Hamlyn i'w pherthynas â Martin Thomas gychwyn yn fuan ar ôl iddi dechrau cynghori teulu'r Cnwc ar ddatblygiad Hyddgen. Sylweddolodd y byddai Martin yn ddyn cyfoethog ac yn ei hysfa i gael ei dwylo ar siâr o'i arian ffugiodd garwriaeth rhyngddynt. Byddai'r cyfoeth yn arwain at ryddid a bywyd newydd yn ddigon pell o Deras Bushell ond ni fyddai gan Martin unrhyw ran yn y bywyd hwnnw. Cynllwyn gwraig farus oedd cynllwyn Vicky – dynes oedd yn fwy na pharod i ddefnyddio'i chorff i rwydo dyn a oedd, fel sawl dyn arall, yn agored i demtasiynau'r cnawd. Goddefodd Vicky y gyfathrach frysiog yng nghefn y car neu mewn gwesty rhad. Fe wyddai yn ei chalon galed mai cyfrwng i'w harwain at bethau gwell yn unig oedd Martin, a bwriadai ei daflu o'r neilltu mor fuan â phosib.

Trwy gyfrwng y blacmel fe dynhaodd ei gafael arno. Partner anfoddog yn y gêm oedd Martin ar y dechrau, ond llwyddodd Vicky i'w berswadio mai risg bychan i'w gymryd oedd y weithred o fygwth Caerwynt. Dadleuodd y byddai cwmni a fuddsoddodd filiynau yn y fferm wynt yn gweld pa mor ddoeth fyddai talu ychydig o filoedd ychwanegol i guddio'r stori am yr adleoli. A hithau'n effro i'r posibiliadau o wasgu'n galetach, teithiodd i Dŷ'r Cwmnïau yng Nghaerdydd ac yn ystod ei hymchwil ar gyfrifon Caerwynt baglodd ar draws y cysylltiad gyda Celtotank. Un cam bach arall oedd hwn i Vicky, ac er bod Martin yn anhapus gwelodd fod y cyfle i ddwyn y cynllwyn i ben wedi hen fynd heibio. Roedd wedi ei ddal mewn rhwyd ddichellgar, gyda Vicky'n ei atgoffa'n gyson o ran gyfartal y ddau yn y twyll, yn yr ysbail, yn y cyfrifoldeb ac, os deuai i hynny, yn y gosb.

Yn ei gyfaddefiad ef dywedodd Charlie Payne iddo amau ei bartner o hel dynion ers cryn amser. Daeth yn arfer ganddo tsieco ffôn symudol Vicky yn rheolaidd a dyna lle gwelodd y negeseuon oddi wrth Martin Thomas. Roedd y manylion i gyd yno – yr amser a'r mannau cadw oed, yn amlach na pheidio mewn arhosfan ar un o ffyrdd cefn gogledd Ceredigion. Ond yr hyn a arweiniodd Charlie Payne i ladd oedd darllen y neges destun am syniad Vicky i fygwth Caerwynt. Dyna pryd y sylweddolodd fod Vicky'n bwriadu twyllo'r ddau ohonynt – Martin Thomas ac yntau. Twyll triphlyg, a chynnwys cwmni Caerwynt, ac wrth iddo ystyried sut i daro 'nôl daeth y cyfle perffaith am ddial. Ar noson y cyfarfod yn Neuadd Esgair-goch, clustfeiniodd ar Vicky'n trefnu i ffonio Martin pan fyddai ar ei ffordd adre. Gadawodd y tŷ yn fuan wedyn ar gefn ei foto-beic. Cuddiodd Charlie y moto-beic mewn coedwig fechan ar gyrion yr Esgair, a cherdded ar draws y caeau i'r Neuadd. Wedi iddo sicrhau nad oedd neb o gwmpas, dringodd i gefn y landrofer.

Ni fu raid iddo aros yn hir. Daeth Martin Thomas at y cerbyd a thanio'r peiriant. Rhyw filltir y tu draw i Esgair-goch canodd ffôn symudol Martin a llywiodd yntau'r landrofer i fwlch ar y chwith er mwyn ei ateb. Gwyddai Charlie mai Vicky oedd yno a gwyddai hefyd mai hon oedd y foment i ddial. Gan ddefnyddio'r dechneg a berffeithiodd yn y fyddin, estynnodd ei fraich am wddf Martin a'i dagu mewn llai na munud. Y cam olaf oedd ffugio'r ddamwain ac ar ôl cwblhau'r dasg honno dychwelodd Charlie at ei foto-beic gan gadw unwaith eto at y caeau.

Yn dilyn y llofruddiaeth, deallodd Charlie Payne a Vicky Hamlyn yn ddigon buan bod gan y naill afael ar y llall. Gwyddai Charlie am y cynllun i fygwth, a gwyddai Vicky mai ei phartner oedd yn gyfrifol am ladd Martin. Gwyddai hyn am i Charlie ddweud wrthi gydag afiaith yr un noson, gan daeru y lladdai hithau hefyd os sibrydai gymaint ag un gair wrth yr heddlu. Roedd y ddau felly wedi eu rhwymo mewn gelyniaeth, gan lawn sylweddoli pe llwyddai un fe lwyddai'r llall ac, yn yr un modd, pe suddai un fe suddai'r llall.

Yn hyn o beth, sylweddolwyd y gallai Charlie a Vicky fod yn dweud celwydd mewn ystryw terfynol, ac i gryfhau'r dystiolaeth yn erbyn y ddau gwnaed profion fforensig ar eu dillad. Yn achos Vicky ni chanfuwyd unrhyw beth, ond roedd olion o *silicone dioxide* ar sawl dilledyn yn perthyn i Charlie – y cemegyn y gwelodd Angharad Annwyl olion ohono ar wddw Martin Thomas. Cadarnhaodd Dr Annwyl fod *silicone dioxide* yn un o brif gynhwysion llafnau melinau gwynt a bod siawns dda y byddai Payne yn dod i gysylltiad â'r deunydd hwnnw yn ei waith o ddydd i ddydd.

Gan fod y cysylltiad rhwng Caerwynt a llofruddiaeth James Bowen nawr bron yn sicr, anfonwyd adroddiad llawn ar y mater i'r Prif Arolygydd Vivian Morley yn Heddlu De Cymru.

Ar sail ei datganiad, cyhuddwyd Vicky Hamlyn o geisio ennill arian drwy dwyll o gwmni Caerwynt trwy fygwth datgelu gwybodaeth oedd yn niweidiol i'r cwmni. Ar sail ei ddatganiad yntau, a'r dystiolaeth fforensig, cyhuddwyd Charlie Payne o lofruddio Martin Thomas a Ditectif Sarjant Meriel Davies.

* * *

Ni chymerodd Gareth unrhyw ran yn y broses o gwestiynu Charlie Payne a Vicky Hamlyn, ond bu raid iddo wneud datganiad ynghylch y digwyddiadau yn Nheras Bushell. Cymerwyd y datganiad gan Sam Powell a chan iddo glywed si am y berthynas rhwng Gareth a Mel, gwnaeth ymdrech deg i ddod â'r cyfan i ben mor gyflym â phosib. Ar derfyn yr holi dangosodd Powell fod ochr garedig i'w gymeriad.

"Pythefnos i ffwrdd o'r gwaith fydde ore, Prior. Ry'ch chi wedi ca'l profiad anodd iawn. Mae hon yn ergyd ofnadwy i ni i gyd a… wel, yn ergyd waeth o lawer i chi."

Nodiodd Gareth a gadael y stafell. Galwodd yn y swyddfa lle'r oedd Akers yn eistedd wrth ei ddesg. Croesodd at ei ddesg ei hun i gasglu rhyw bapurau.

"Mae'n wir flin 'da fi. Sdim byd mwy galla i ddweud."

"Diolch, Clive. Na, sdim byd i'w ddweud…"

"Na… falle bydde diddordeb gyda chi mewn gweld hwn. *Western Mail* heddi."

Darllenodd Gareth yr erthygl ar y dudalen flaen:

## CAERWYNT DENIES RUMOURS

Multinational company Caerwynt has stated that it has no intention to move its headquarters from Cardiff to Switzerland. Chief Executive Sioned Athlon said that the rumours were completely unfounded.

"We are a Welsh company and our base will remain here in Wales. We are moving ahead with our plans for the Hyddgen wind-farm in Ceredigion, and this development and other future schemes make it doubly important that we maintain our roots in the Principality."

In a related move it was announced that Prys Ifans, the

Assembly Minister responsible for Energy Policy, has relinquished his duties to spend more time with his family.

* * *

Cysgododd Gareth dan gangau'r ywen ym mynwent y capel yng Nghwm Tawe. Bu yno ers dros awr ac er bod y tywydd yn oer a gwlyb doedd hynny'n poeni dim arno. Daeth tyrfa fawr i dalu'r gymwynas olaf i Mel, ond ni allai wynebu ymuno â hwy. Yn y capel ni fyddai'n ddim ond un plisman arall, ochr yn ochr â'i gyd-blismyn, yn cofio am gyfeilles a chyd-weithwraig. Bu ei cholli mewn ffordd mor erchyll yn ergyd ddirdynnol iddo. Llethwyd ef gan euogrwydd. Dywedodd wrtho'i hun dro ar ôl tro y dylai fod wedi gwneud mwy i'w amddiffyn ac roedd gweld y gyllell â'i llafn yn goch wedi'i serio ar ei isymwybod fel hunllef ddiddiwedd.

Trwy ddrws agored y capel clywai'r gynulleidfa'n canu'r emyn olaf, yna daeth yr osgordd i'r golwg – y gweinidog yn arwain yr arch a rhieni Mel yn dilyn, ei thad yn benisel ac yn gwneud ei orau i gynnal ei wraig a oedd yn crio'n dawel. A'r tu ôl iddynt hwythau roedd aelodau eraill o'r teulu a llu o ffrindiau a chydnabod, gan gynnwys y Prif Gwnstabl Dilwyn Vaughan.

Syllodd Gareth ar yr olygfa drist o bell, ac wrth i'r gwynt newid cyfeiriad cariwyd y geiriau cyfarwydd tuag ato:

*Myfi yw'r atgyfodiad a'r bywyd. Pwy bynnag sy'n credu ynof fi, er iddo farw, fe fydd byw; a phob un sy'n byw ac yn credu ynof fi, ni bydd marw byth. Am hynny rhoddwn gorff ein chwaer Meriel Davies i'r ddaear. Pridd i'r pridd, lludw i'r lludw, llwch i'r llwch. Yn y gobaith sicr o'r atgyfodiad i fywyd tragwyddol.*

Ciliodd y teulu a'r galarwyr o un i un a gwyliodd Gareth y ddau dorrwr beddau'n rhofio'r pridd ar yr arch cyn gosod y plethdorchau yn eu lle a cherdded oddi yno. Roedd y fynwent yn wag, golau'r prynhawn gwlyb yn gwanhau, a'r glaw yn drymach nag erioed.

Cerddodd Gareth at y bedd a gosod un rhosyn coch arno.

Am restr gyflawn o lyfrau'r Lolfa, mynnwch
gopi o'n catalog newydd, rhad
neu hwyliwch i mewn i'n gwefan

**www.ylolfa.com**

lle gallwch archebu llyfrau ar lein.

TALYBONT CEREDIGION CYMRU SY24 5HE
*ebost* ylolfa@ylolfa.com
*gwefan* www.ylolfa.com
*ffôn* 01970 832 304
*ffacs* 832 782